LLAWLYFR PREGETHU

Peter K. Stevenson

Addasiad Cymraeg gan
Olaf Davies

Cyhoeddwyd gan Gyhoeddiadau'r Gair © 2018

Cyhoeddwyd yn wreiddiol dan y teitl
'SCM Studyguide to Preaching'
gan SCM Press
3rd Floor, Invicta House,
108-114 Golden Lane,
London EC1Y 0TG, UK

Mae SCM Press yn rhan o gwmni Hymns Ancient & Modern Ltd.
scmpress.hymnsam.co.uk

Testun gwreiddiol © Peter K. Stevenson
Addasiad Cymraeg © Olaf Davies

Diolch i Undeb Bedyddwyr Cymru, Coleg y Bedyddwyr, Caerdydd, Y Coleg Gwyn, Bangor,
Cymdeithas y Beibl a BM World Mission am eu cefnogaeth a'u nawdd wrth gyhoeddi'r gyfrol hon.

Golygydd Cyffredinol: Aled Davies
Cysodi: Rhys Llwyd

ISBN: 9781859948484

Argraffwyd yn yr Undeb Ewropeaidd.

Diolch i Gymdeithas y Beibl am bob cydweithrediad wrth ddyfynnu o'r Beibl.

Cyhoeddwyd gan:
Cyhoeddiadau'r Gair
Ael y Bryn, Chwilog,
Pwllheli, Gwynedd
LL53 6SH.

www.ysgolsul.com

Cynnwys

Rhan 5: Bywyd o Bregethu

Cydnabyddiaeth

Y profiad o newid swyddi a symud o un brifddinas i'r llall sy'n gyfrifol fod y gyfrol hon wedi cymryd mwy o amser nag a fwriadwyd cyn iddi weld golau ddydd. Er hynny, rhoddodd yr oedi gyfle i mi ddysgu mwy am bregethu.

Rwy'n ddiolchgar i Natalie Watson am y gwahoddiad i baratoi'r Llawlyfr ac am ei hamynedd wrth i ddyletswyddau newydd oedi'r broses. Rwyf hefyd yn gwerthfawrogi'r modd y bu i gyfraniad David Shervington fy nghynorthwyo i gael y gwaith dros y llinell derfyn.

Mae llawer o bobl wedi fy nghynorthwyo yn y ffordd yr af ati i ymdrin â phregethu. Yng nghyfnod cynnar fy ngweinidogaeth manteisiais yn fawr ar bregethu gwreiddiol a beiblaidd y Parchg Peter Ledger. Bu gwahoddiad y Parchg Ddr Michael Quicke i gynllunio a dysgu modiwl ar bregethu yng Ngholeg Spurgeon Llundain yn gymorth i ysgogi diddordeb dyfnach mewn pregethu a'r deunydd cynyddol o lenyddiaeth homiletaidd. Sicrhaodd y profiad o ddysgu ac ysgrifennu am bregethu gyda'm cyd-weithiwr yn Spurgeon, y Parchg Ddr Stephen Wright, fod y broses o ddysgu'n parhau. Elwais yn fawr hefyd ar y sgyrsiau bywiog am bregethu a gefais gyda'r Athro Mike Graves yn ystod ei ymweliadau dysgu yn Llundain, a gwnaeth hynny i mi feddwl ymhellach ynglŷn â phregethu naratif.

Bu'n fraint cael rhannu fy mrwdfrydedd am bregethu gyda chenedlaethau o fyfyrwyr yng Ngholeg Spurgeon, ac yn ddiweddarach yng Ngholeg y Bedyddwyr, Caerdydd. Rhoddwyd prawf ar y syniadau sydd yn y Llawlyfr hwn yn eu cwmni, ac rwy'n ddiolchgar am eu hadborth. Derbyniais gyngor ar agweddau dehongli beiblaidd gan fy nghyd-weithiwr yng Nghaerdydd, y Parchg Ed Kaneen, a bu yntau'n garedig iawn yn caniatáu i mi dynnu ar beth o'i ddeunydd darlithio ym Mhennod 10.

Er nad wyf bellach mewn gofal eglwys, rwy'n parhau i bregethu'n rheolaidd ac yn ddiolchgar i'r eglwysi am fy ngwahodd i bregethu, ac weithiau fy ngwahodd yn ôl.

Gan fy mod yn byw mewn teulu dau bregethwr, estynnaf fy niolchgarwch pennaf i Susan, fy nghymar mewn priodas ac yn y weinidogaeth, am ei chariad, amynedd ac anogaeth barhaol.

Cyflwyniad

Wrth baratoi am wyliau teuluol yng ngogledd Sbaen, roeddem nid yn unig wedi trefnu llety ond hefyd wedi archebu teithlyfr, yn ogystal â mapiau lleol manwl. Bu'r cyfan yn fuddsoddiad gwerthfawr oherwydd cawsom gyfle i nodi'r hyn y dylid talu sylw iddynt ar ein taith.

Cyfrol neu fap ar gyfer y daith bregethu yw'r Llawlyfr hwn, oherwydd mae'r gwahoddiad i baratoi a thraddodi pregeth bob amser yn daith ddarganfod.

I ddechrau, mae pregethwyr yn cychwyn ar daith o ddarganfod wrth iddynt fentro i fyd rhyfedd y Beibl fel chwilotwyr gwahanol 'fydoedd' y testun. Ar ran y gynulleidfa, bydd y pregethwr yn archwilio'r tir beiblaidd yn ofalus ac yn weddigar er mwyn dirnad beth y mae Duw drwy'r hen destunau yn dymuno ei ddweud wrth bobl heddiw. Mae'r math yma o ymwneud â'r Ysgrythur yn gymorth i atgoffa'r Eglwys o hanfod ei hunaniaeth a'i lle yng nghenhadaeth Duw, fel y gall ymwrthod â'r demtasiwn i gydymffurfio â'r byd.

Mae'r broses o symud o'r testun beiblaidd at bregeth sy'n cysylltu ei hun â'r cyd-destun cyfoes yn esgor ar heriau arbennig. O gofio hynny, mae Penodau 2 a 3 yn cynnig rhai strategaethau ar sut i ddefnyddio'r Beibl i bregethu.

Er hynny, nid talu sylw gofalus a gweddigar i'r testun beiblaidd yw cam olaf y daith bregethu, oherwydd os yw'r bregeth i gyffwrdd â chalonnau pobl heddiw, yna mae'n bwysig dehongli'r cyd-destun. A minnau'n ymwybodol fod pregethu da nid yn unig yn feiblaidd ond hefyd yn lleol a pherthnasol, mae Pennod 4 yn pwysleisio'r pwysigrwydd o ddehongli'r cyd-destun a neilltuo amser i ddeall y mathau gwahanol o bobl yn y gynulleidfa honno.

Y gobaith yw y bydd neges glir yn deillio o'r broses o chwilio bydoedd y testun a'r gynulleidfa fel ei gilydd. Mae hyn yn arwain at gam nesaf y siwrnai bregethu, sy'n cynnwys cynllunio'r bregeth.

Mae'n amlwg fod y Beibl yn cynnwys amrywiaeth o ffurfiau a defnyddiau. Er enghraifft, bydd dehongli'r Salmau'n hawlio strategaethau esboniadol gwahanol i'r rhai sydd eu hangen wrth ddehongli Llyfr y Datguddiad. Yn yr un modd, ni fydd un cynllun yn gwneud y tro ar gyfer pregethau wedi'u seilio ar wahanol rannau o'r Beibl. Ni fydd strwythur sy'n addas ar gyfer adrannau naratif o'r Efengylau yn gwneud y tro i bregeth a seiliwyd ar un o lythyrau Paul.

O gofio hyn, nid yw'r Llawlyfr hwn yn hyrwyddo un math arbennig o gynllunio pregethau, yn hytrach ym Mhenodau 5 i 8 mae'n cynnig nifer o strategaethau. Efallai y bydd mynd drwy'r deunydd hwn yn eich arwain i feddwl y gall un strwythur arbennig fod yn fwy naturiol na'r llall. Ond er y gall hynny fod o gysur, bydd bod yn ymwybodol o ddulliau gwahanol yn cyfoethogi eich profiad. Hwyrach y byddwch yn dymuno arbrofi drwy bregethu pedair pregeth gan ddefnyddio pob un o'r dulliau a nodir ym Mhenodau 5-8.

> Bydded geiriau fy ngenau'n dderbyniol gennyt,
> a myfyrdod fy nghalon yn gymeradwy i ti,
> O Arglwydd, fy nghraig a'm prynwr.
>
> Salm 19:14

Mae cymryd yr ychydig gamau hynny o'm sedd at y pulpud yn dynodi fod yr awr wedi dod i mi rannu'r hyn a ddysgais gyda'r gynulleidfa. Weithiau, er bod llais oddi mewn yn dweud wrthyf nad yw'r bregeth yn werth ei phregethu, gweddi oesol y pregethwr yw y bydd Duw yn cymryd fy ngeiriau clogyrnaidd i gyflwyno ei air bywiol i bobl. Y newyddion da yw nad yw hynny'n dibynnu arnom ni.

A ninnau'n dymuno bod yn weithwyr 'heb achos i gywilyddio ... yn ddiwyro wrth gyflwyno gair y gwirionedd' (2 Tim. 2:15), yr ydym am gydweithio gyda Duw drwy baratoi'n drwyadl ar gyfer pregethu. Ceir rhai awgrymiadau ymarferol ar baratoi a thraddodi pregethau ym Mhenodau 9 a 10.

Mae portreadu pregethu fel taith ddarganfod yn awgrymu fod mwy i'r profiad na'r broses o baratoi a chyflwyno. Yn wir, y mae'n daith ddarganfod i'r pregethwr, sydd yn ei dro yn gwahodd eraill i ymuno yn y daith o bori'n ddyfnach yng Ngair Duw. Ond, yn ychwanegol at hynny, mae'r fath bortread yn rhoi cyfeiriad i'r daith ffydd bersonol sy'n rhan annatod o ddatblygiad y bywyd pregethwrol.

Rhoddodd fy nhaith bregethu bersonol i gyfleoedd i mi bregethu i gynulleidfaoedd mawr a bach, mewn nifer o wledydd. Bu pregethu mewn gwahanol fannau yn waith heriol, a phwysleisiodd hynny pa mor bwysig oedd deall y cyd-destun. I mi, mae pregethu'n rhan o daith ddarganfod oherwydd gyda phob pregeth rwy'n dysgu mwy am bregethu a'r Beibl, ac yn cael fy arwain i berthynas ddyfnach â Duw.

Lle bynnag yr ydych ar y daith honno, hyderaf y bydd i'r gyfrol hon weithredu fel canllaw cyfeillgar a fydd yn eich annog i ddal ati, yn ogystal â darparu rhai adnoddau defnyddiol i hwyluso'r daith.

Yn cyd-fynd â'r Llawlyfr hwn y mae gwefan sy'n cynnwys deunydd ychwanegol. Yno cewch gyflwyniad fideo ar gyfer pob un o'r 11 pennod. Bydd deunydd yn cael ei ychwanegu at y wefan o bryd i'w gilydd.

Rhan 1

Pwysigrwydd Pregethu

1

Pam Trafferthu Pregethu?

> Os am gyflwyniad fideo i Bennod 1 ewch i
> studyguidepreaching.hymnsam.co.uk

Ai fi gafodd y fargen salaf?

Wedi i'r cyffro o dderbyn gwahoddiad i ysgrifennu llyfr dawelu, mae realiti'r sefyllfa'n gwawrio. Oherwydd pwy sy'n chwilio am lyfr ar bregethu?

Wedi'r cyfan, mae digon yn dadlau fod pregethu wedi goroesi'i ddefnyddioldeb. Yn nyddiau'r gweinidogaethau arloesol a'r mynegiadau ffres o fod yn eglwys, onid yw pregethu bellach yn perthyn i gyfnod yn hanes gwledydd Cred y mae angen i ni ei anghofio?

Pam ysgrifennu *Llawlyfr ar Bregethu* pan yw pobl yn gofyn: 'Pam trafferthu pregethu o gwbl?'

Pregethu dan yr ordd?

A minnau'n fynych yn chwilio am eglureb ar gyfer sgwrs neu ddarlith, y 'cardiau post trwm' yn y cas gwydr mewn amgueddfa yn Ninbych-y-pysgod a ddaliodd fy llygaid. Nid y cardiau drud arferol wedi'u hargraffu ar gerdyn o ansawdd, ond y 'cardiau post trwm' ar ffurf ffigurau seramig o waith cerflunydd lleol.

Roedd arlliw crefyddol i nifer o'r ffigurau lliwgar hyn, fel y canwr yn y côr a'i eurgylch ar oledd feddwol. Er hynny, yr un gyda'r pregethwr yn plygu ymlaen dros y pulpud a ddaliodd fy sylw. Gan afael yn dynn yn ymyl y pulpud gyda'i law chwith, y mae bys ei law dde yn pwyntio'n gyhuddgar at ei gynulleidfa islaw.

Y mae'n ddarlun sy'n cyfleu egni a sêl y pregethwr. A bod yn garedig gellid ei ddehongli fel darlun o 'bregethu tanllyd', neu rywun sydd â 'sêl' efallai 'dros y gwirionedd.'

Nawr, wedi gofyn i ambell gyd-weithiwr pa deitl a ddewisent ar gyfer y cerdyn post a ddarluniai'r pregethwr, doedd eu hatebion plaen ddim yn ddarlun caredig o bregethu:

- Chwe troedfedd uwchlaw beirniadaeth ...
- Baldorddwr ...
- Dicter ...
- Pregethwr ddoe ...
- Pechaduriaid yn nwylo Duw dicllon ...

Roedd awgrymiadau fy nghyfeillion yn cyd-fynd â'r teitl a roddodd yr artist ar ei waith, oherwydd y geiriau a welwyd ar y label o dan y gwaith yn y cwpwrdd gwydr oedd: 'Damnedigaeth'. Mae teitl o'r fath yn codi ias, ac yn fodd i'n hatgoffa fod geiriau megis 'pregethwyr' a 'pregethu' yn creu teimladau negyddol a gwenwynig i lawer o bobl y tu allan i'r Eglwys.

Mewn oes sy'n amheus o unrhyw fath o awdurdod, nid yw'n syndod fod llawer o bobl heddiw yn ystyried fod pregethu wedi goroesi ei ddefnyddioldeb, ac yn ymgais awdurdodol i wthio syniadau annerbyniol ar bobl. Yn wir, nid peth newydd yw hyn, oherwydd cyn belled yn ôl â 1857 cawn fod y nofelydd Anthony Trollope yn gwawdio pregethwyr.

> Nid oes dim byd gwaeth yn cael ei wthio ar drigolion gwledydd rhydd a gwareiddiedig ar hyn o bryd na'r rheidrwydd i wrando ar bregethu. Dim ond clerigwr o bregethwr sydd â'r gallu yn y mannau hyn i orfodi cynulleidfa i eistedd yn dawel a chael eu poenydio.[1]

Y Gelyn Oddi Mewn?

Gwelir hefyd fod perthnasedd pregethu yn destun pryder oddi fewn i'r Eglwys. Ar un ochr i'r sbectrwm, ceir pryder am fonologau diflas; fel y dywed Thomas Long: 'i lawer o bobl mae geiriau megis *diflas* a *phregeth* yn mynd law yn llaw, yn union fel y gwna *ceffyl* a *throl*'.[2]

Beirniadaeth lymach o lawer yw honno sy'n awgrymu fod pregethu gan grefyddwyr proffesiynol, yn hytrach na galluogi pobl Dduw i wasanaethu, yn cyfyngu ar allu lleygwyr i ddarllen y Beibl ac i gymryd cyfrifoldeb am ddatblygiad eu ffydd eu hunain. Dywed un beirniad: 'mae pregethu eglwysi cyfoes sy'n ymwneud â deunydd nad yw yn y Beibl, yn ffordd sâl o gyfathrebu ac yn creu dibyniaeth.'[3]

MUNUD I FEDDWL

Neilltuwch amser i fyfyrio ynghylch y feirniadaeth ar bregethu a meddyliwch am ffyrdd y gallai pregethwyr ymateb i'r feirniadaeth honno. Gallai fod yn fuddiol gofyn i eraill am eu syniadau a'u barn.

- Beth yn eich barn chi yw'r feirniadaeth fwyaf difrifol ar bregethu heddiw?
- Ym mha ffyrdd y gall pregethwyr ymateb orau iddynt?

Nid oes lle yma i ymateb yn fanwl i'r holl gwestiynau sy'n codi ynglŷn â phregethu. Nid y bwriad yw dadlau o du'r angylion ond cynnig rhai agweddau beiblaidd a diwinyddol ar y pwnc a allai fod o gymorth i osod y drafodaeth mewn cyd-destun ehangach.

O feddwl yn ddiwinyddol am bregethu, mae'n berthnasol gofyn ai cyfrwng addysgu ydyw, neu cyfrwng i ddod â phobl wyneb yn wyneb â Duw.

Ymarferiad addysgol gwan?

Mae ambell feirniadaeth ar bregethu yn atgoffa rhywun o'r dadleuon addysgol am y dulliau dysgu *athro-ganolog* o'u cymharu â'r dulliau *disgybl-ganolog*. Yng nghyd-destun pregethu, os yw pobl i fanteisio i'r eithaf ar addysgu, gellir dadlau y dylai'r pregethwr ddoethinebu llai o'r pulpud a bod yn fwy o arweinydd ymysg ei gynulleidfa er mwyn eu galluogi i ddysgu drostynt eu hunain.

Mae sylwadau o'r fath yn gorsymleiddio'r dadleuon cymhleth ynglŷn â'r broses o addysgu, oherwydd a yw hi o gymorth i wahaniaethu'n bendant rhwng cyflwyno gwybodaeth a thrawsffurfio'r dysgwr? Mae hyd yn oed y profiad prin o fod mewn dosbarth yn awgrymu, hyd yn oed os llwyddir i greu awyrgylch dysgu delfrydol, nad oes sicrwydd y bydd y disgyblion yn barod i ddysgu. Yn aml iawn bydd angen i'r athrawon ddarparu gwybodaeth hanfodol ynglŷn â'r pwnc i ddechrau, cyn y gall y disgyblion ddysgu'n effeithiol. Dro arall bydd angen cyfle ar y disgyblion i ddysgu drostynt eu hunain yn eu hamser eu hunain.

Mae'n amlwg y gwnâi les i bregethwyr feddwl mwy ynglŷn â sut mae pobl yn dysgu, a beth yw profiad y gynulleidfa o wrando ar bregeth. Er hynny, mae'r feirniadaeth fod pregethu monologaidd yn ddull gwan o addysgu cynulleidfa o allu cymysg yn seiliedig ar y dybiaeth mai drwy lygaid addysg y mae deall pregeth.

Ond ai digwyddiad addysgol yw pregethu'n bennaf?

Nid diben pennaf pregethu yw ein haddysgu na'n dysgu sut mae ymddwyn. Efallai fod hynny'n rhan o'r bwriad. Yn bennaf, ei bwrpas yw ein galluogi i weld gogoniant Duw yn wyneb Iesu fel y gwnaeth y disgyblion hynny ar fynydd y gweddnewidiad.[4]

Addysg neu gyfarfyddiad?

O'r cychwyn, mae'r Astudiaeth hon yn mynd â'r drywydd gwahanol. Mae'n cymryd yn ganiataol bod yn rhaid gweld pregethu fel rhywbeth sy'n digwydd – ac sy'n rhaid ei ddeall – yng nghyd-destun addoliad Cristnogol. Mae hynny'n rhannol oherwydd fod pregethu gan amlaf yn digwydd yng nghyd-destun addoliad. Yn hytrach nag ystyried y bregeth yn ffurf o addysgu hen ffasiwn, mae'n fwy priodol ystyried pregethu fel rhan gyfoethog o ddarpariaeth addoliad cyhoeddus yr Eglwys.

O dderbyn hyn, gellir deall pregethu fel cyfarfyddiad â Duw sy'n digwydd oddi fewn i brofiad addoliad llawn. Mae'n cyfrannu i ddigwyddiad lle mae geiriau, cerddoriaeth a lliw yn apelio at amrywiol emosiynau ac at ddychymyg a deallusrwydd yr addolwyr.

Gellir olrhain y cysylltiad rhwng addoli a phregethu yn ôl ymhell, yn arbennig felly os gellir derbyn pregeth Iesu yn y synagog yn Nasareth (Luc 4.16-21) fel prototeip o bregethu Cristnogol.

Daeth i Nasareth, lle yr oedd wedi ei fagu. Yn ôl ei arfer aeth i'r synagog ar y dydd Saboth, a chododd i ddarllen. Rhoddwyd iddo lyfr y proffwyd Eseia, ac agorodd y sgrôl a chael y man lle'r oedd yn ysgrifenedig:

"Y mae Ysbryd yr Arglwydd arnaf,
oherwydd iddo f'eneinio
i bregethu'r newydd da i dlodion.
Y mae wedi f'anfon i gyhoeddi rhyddhad i garcharorion,
ac adferiad golwg i ddeillion,
i beri i'r gorthrymedig gerdded yn rhydd,
i gyhoeddi blwyddyn ffafr yr Arglwydd."

Wedi cau'r sgrôl a'i rhoi'n ôl i'r swyddog, fe eisteddodd; ac yr oedd llygaid pawb yn y synagog yn syllu arno. A'i eiriau cyntaf wrthynt oedd: "Heddiw yn eich clyw chwi y mae'r Ysgrythur hon wedi ei chyflawni."

Luc 4:16-21

Mae adroddiad Luc am Iesu'n cyflwyno 'Maniffesto Nasareth' yn digwydd yng nghyd-destun gwasanaeth yn y synagog, a fyddai fel arfer yn cynnwys pregeth. Felly, yn hytrach na'i fod yn ymwneud â deunydd nad yw yn y Beibl, y mae sail i awgrymu fod y litwrgi Cristnogol wedi etifeddu, o'i wreiddiau yn addoliad y synagog, yr arfer o bregethau wedi'u seilio ar destunau beiblaidd.

Y darn presennol yw'r cofnod hynaf sydd gennym o wasanaeth yn y synagog. Wedi gweddi bersonol wrth i'r addolwyr fynd i mewn i'r adeilad, ceid cyffes gyhoeddus o'r ffydd Iddewig yn y Shema (Deut. 6:4-9; 11:13-21). Dilynid hyn gan weddïau, yn cynnwys y Teffila a'r Shemone Esre. Yna deuid at graidd yr addoliad, sef y darlleniadau o'r Ysgrythur. Darllenid rhan o'r Pumllyfr gan nifer o aelodau'r gynulleidfa yn dilyn trefn darlleniadur ac yn cynnwys aralleiriad Aramaeg. Ceid darlleniad hefyd o'r proffwydi; mewn cyfnodau diweddarach roedd hyn hefyd yn unol â threfn darlleniadur, ond mae anghytundeb a oedd y drefn hon yn bodoli yn y ganrif gyntaf, ac os ydoedd, pa ffurf oedd iddi. Diogelach yw tybio fod o leiaf ychydig o ryddid wrth ddewis darlleniadau proffwydol yn y ganrif gyntaf. Yn dilyn y darlleniadau a'r weddi ceid pregeth, os oedd rhywun yn ddigon cymwys i'w thraddodi. I derfynu adroddid y weddi Cadish. Dewisid darllenwyr y dydd cyn dechrau'r gwasanaeth ... Mae'n bosibl fod Iesu wedi gofyn yn anffurfiol am ganiatâd i ddarllen cyn dechrau'r gwasanaeth, ond nad yw Luc wedi cynnwys manylion y trefniant.[5]

Nawr mae sylwadau gogleisiol Iesu yn y synagog y diwrnod hwnnw mor gryno fel bod modd gofyn ai priodol yw ei galw'n *bregeth*.

Rhesymol yw edrych ar neges Iesu yn y goleuni hwnnw oherwydd gallai'r sylwadau a gofnodir yn Efengyl Luc gynrychioli crynodeb o eiriau Iesu, neu gallant fod yn flas o'i eiriau agoriadol. Boed yn fer neu'n hir, cafodd pregeth Iesu effaith mwy dramatig ar ei wrandawyr nac aml i bregeth wedi hynny!

Yn ei ddadansoddiad clasurol o bregeth Nasareth, mae Yngve Brilioth yn tanlinellu tair prif elfen ym mhregethu Iesu yn Nasareth, sy'n gwreiddio pregethu yng nghyd-destun addoliad ac yn pwysleisio'i ddimensiwn beiblaidd.

1 *Yr elfen litwrgïaidd:* Traddodwyd pregeth Iesu yng nghyd-destun y gwasanaeth Iddewig. Roedd y bregeth yn rhan gydnabyddedig, draddodiadol a phenodol o'r gwasanaeth, er nad ydoedd yn orfodol.

2 *Yr elfen esboniadol:* Cododd Iesu destun, ac nid yw o bwys ai ei ddewis ei hun ydoedd ai peidio. Yn raddol cyfyngwyd fwy a mwy ar y rhyddid i ddewis yn y synagog drwy ddatblygu

trefn osodedig. Gallwn weld datblygiad cyffelyb oddi fewn i'r eglwys. Er hynny, mae'r datblygiad hwn yn llai arwyddocaol na'r egwyddor sylfaenol fod y drafodaeth addysgol wedi'i gwreiddio yn nehongliad y tesun, a bod y bregeth, wedi iddi beidio â bod yn esboniad uniongyrchol o'r testun, yn parhau yn seiliedig ar eiriau'r Ysgrythur. Daw'r sicrwydd hanfodol o gynnwys crefyddol y bregeth o'r gwreiddyn hwn.

3 *Yr elfen broffwydol:* 'Heddiw yn eich clyw chwi y mae'r ysgrythur hon wedi ei chyflawni.' Mae cynnwys pregeth Iesu wedi ei chrynhoi yn y datganiad proffwydol hwn, ac mae'n diogelu arddull gryno a chroyw'r oraclau. Roedd yn bregeth broffwydol yn yr ystyr ddyfnaf, gan mai natur hanfodol proffwydo yw siarad â'r presennol gydag awdurdod dwyfol a thrawsffurfio'r datguddiad hanesyddol yn realiti dwyfol cyfoes.[6]

Nid yw cydnabod rhai o seiliau beiblaidd a hanesyddol pregethu Cristnogol yn ateb ein holl gwestiynau cyfoes. Er hynny, gall cynnal trafodaethau ar bregethu yn y goleuni litwrgïaidd hwn ein hysgogi i ofyn mathau gwahanol o gwestiynau.

Gall awgrymu nad y cwestiwn a yw pregeth neilltuol yn addysgol addas sy'n allweddol i gynulleidfa gymysg. Cwestiwn mwy perthnasol y gellid ei ofyn fyddai tybed a yw'r weithred lawn o addoliad, gan gynnwys y bregeth, yn faethlon ddigonol ar gyfer pobl sydd ag anghenion personol ac ysbrydol amrywiol yn y gynulleidfa.

MUNUD I FEDDWL

Neilltuwch amser i fyfyrio ar le'r bregeth yn addoliad yr eglwys yr ydych yn perthyn iddi.

- Meddyliwch am y gwasanaeth diweddaraf i chi ei fynychu.
- Beth oedd swyddogaeth y bregeth yn y gwasanaeth?
- A oedd y bregeth yn addas i'r gwasanaeth?
- I ba raddau y lluniwyd y gwasanaeth i gyd-fynd â'r bregeth?
- I ba raddau y llwyddodd y gwasanaeth i ddiwallu anghenion amrywiol y gynulleidfa?
- I ba raddau y llwyddodd yr addoliad i apelio at feddwl, teimlad a dychymyg y bobl?

Pregethu mewn addoliad

Gall rhai ystyriaethau gwerthfawr gan Chris Ellis ar y berthynas rhwng pregethu ac addoli ein cynorthwyo i ymchwilio ymhellach. Mewn myfyrdod ar le'r Ysgrythur yn y traddodiad Bedyddiedig Prydeinig, mae Ellis yn cyfeirio at dair agwedd o'r hyn sy'n digwydd pan fydd pobl yn ymgynnull i addoli.[7] Er nad oes litwrgi benodol yn perthyn i'r traddodiad hwn, mae Ellis yn dadlau fod pobl wrth ymgynnull i addoli yn:

- Ymgynnull i wrando ar Air Duw;
- Ymgynnull i lefaru Gair Duw;
- Ymgynnull i gyfarfod â Duw yng Ngair Duw.

Nid yw hyn yn unigryw i enwad arbennig, ond mae'n gymorth i ddeall beth yw swyddogaeth y bregeth yn nealltwriaeth llawer o Gristnogion o addoliad cyhoeddus.

Ymgynnull i wrando ar Air Duw

Yn hanesyddol mae'r awydd i wrando ar Air Duw, pan ddaw credinwyr ynghyd i addoli, i'w weld yn glir yn y lle amlwg a roddir i'r pulpud mewn eglwysi Anghydffurfiol.

Adlewyrchir y dyhead am glywed neges gan Dduw a fydd yn trawsnewid bywydau a sefyllfaoedd, yn y caneuon a'r emynau a ddefnyddir yn yr addoliad. Newyn am glywed gair Duw yn y bregeth sydd yn emyn Pantycelyn:

> O llefara, addfwyn Iesu,
> mae dy eiriau fel y gwin,
> oll yn dwyn i mewn dangnefedd
> ag sydd o anfeidrol rin;
> mae holl leisiau'r greadigaeth,
> holl ddeniadau cnawd a byd,
> wrth dy lais hyfrytaf, tawel
> yn distewi a mynd yn fud.[8]

Mae'r syniad nad ymgynnull i wrando ar safbwyntiau dynol a wna credinwyr, ond ar y neges a ddaw oddi wrth Dduw, i'w weld mewn emyn clasurol o draddodiad yr Ailfedyddwyr:

> Our Father God, Thy name we praise,
> To Thee our hymns addressing,
> And joyfully our voices raise
> Thy Faithfulness confessing;
> Assembled by thy grace O Lord,
> We seek fresh guidance from Thy Word;
> Now grant anew thy blessing.
>
> Touch Lord the lips that speak for Thee;
> Set words of truth before us,
> That we may grow in constancy,
> The light of wisdom o'er us.
> Give us this day our daily bread;
> May hungry souls again be fed;
> May heavenly food restore us.[9]

Ymgynnull i lefaru Gair Duw

Noda Ellis:

> Nid gair Duw ond pregethu gair Duw yw canolbwynt addoliad y Bedyddwyr. Treulir llawer mwy o amser yn dehongli a chymhwyso'r gair na dim ond darllen y gair.[10]

A derbyn hyn, â yn ei flaen i wneud dau ddatganiad.

Yn gyntaf, mae'n mynnu mai 'Hanfod pregethu yw cyhoeddi ... dyma yn wir yw ei brif bwrpas, ac nid yn gymaint egluro.'[11] Mae'r ddealltwriaeth hon yn gyson â chyngor yr athrawes Bresbyteraidd, Anna Carter Florence, i bregethwyr newydd. Bydd yn taer bwysleisio'n flynyddol wrth y rhai sy'n cychwyn allan i bregethu:

nad eu gwaith yw gwneud y testun yn ddealladwy, neu'n rhesymegol, neu'n berthnasol, neu'n hwyliog. Eu gwaith yn syml yw *pregethu'r testun*, oherwydd nid oes dim sy'n fwy diddorol na synhwyrol na hynny. Pregethwch y testun, yn ei ddyfnder a'i natur anchwiliadwy, gan ymddiried y bydd yn llefaru'n well nag y gallem ni wrth fydoedd cystadleuol prynwriaeth, militariaeth, unigolyddiaeth a gofid sy'n gymaint o boen i'n pobl.[12]

Mae'r Beibl yn awgrymu nad yw'r gallu sydd yng Ngair Duw yn dibynnu yn y pen draw ar fedr dynol i'w egluro. Gall y pregethwr gyhoeddi'r gair, yn gwbl hyderus fod y gair bywiol yn abl i beri i bethau ddigwydd, ar waethaf ei ymdrechion tila.

> Fel y mae'r glaw a'r eira yn disgyn o'r nefoedd, a heb ddychwelyd yno nes dyfrhau'r ddaear, a gwneud iddi darddu a ffrwythloni, a rhoi had i'w hau a bara i'w fwyta, felly y mae fy ngair sy'n dod o'm genau; ni ddychwel ataf yn ofer, ond fe wna'r hyn a ddymunaf, a llwyddo â'm neges.
>
> Eseia 55:10-11

Yn ail, law yn llaw â'r pwyslais ar gyhoeddi, dywed Ellis fod 'pregethu yn achlysur cyfoethog pan yw'r gynulleidfa a'r pregethwr yn chwarae eu rhan eu hunain.'[13]

Yn bersonol mae'r profiad o bregethu am flynyddoedd i gynulleidfaoedd amlhiliol yn ne Llundain wedi tanlinellu'r cyfraniad arwyddocaol y gall cynulleidfaoedd ei wneud i'r weithred o bregethu. Mae perygl fod y galw gan rai am lai o fonolog a mwy o ddeialog yn anwybyddu hyn. Er enghraifft, yn nhraddodiad pregethu'r Bobl Dduon[14] cymerwyd yn ganiatâol, pan ddeuid at y bregeth, y byddai deialog ddeinamig a llafar rhwng y pregethwr a'r gynulleidfa. Mewn achosion eraill, er na fydd rhythm yr alwad a'r ymateb yn glywadwy, gellir cyffroi dimensiwn y ddeialog wrth i'r pregethwr ddefnyddio eglurebau a chwestiynau penagored, i gyflyru'r dychymyg a phryfocio'r meddwl.

Ymgynnull i gyfarfod â Duw yng Ngair Duw

Dadleua Ellis mai 'cynulliad yn enw Iesu Grist yw'r addoliad Cristnogol er mwyn cyfarfod â Duw drwy'r ysgrythur, y weddi, y proclamasiwn a'r sacramentau, ac i geisio teyrnas Dduw.'[15]

Oddi fewn i'r fframwaith ehangach honno mae'n cadarnhau'r syniad mai:

> prif bwrpas pregethu yw nid egluro ond galluogi cyfarfyddiad â'r Crist byw ... Ymgasglwn o gwmpas y gair er mwyn ceisio Duw, a thra dylai pob pregeth gynnwys elfennau addysgol, neu athrawiaethol, rhaid i'r gwrandawyr gael eu trawsnewid gan y cyfarfyddiad â Duw, ac nid yn unig â dealltwriaeth y pregethwr.[16]

Mae'r pwyslais ar y pwysigrwydd o gyfarfod â Duw yn cyd-fynd â rhai o honiadau beiddgar Paul Scott Wilson am bregethu.

> Yn y pregethau gorau, nid yn unig y mae Cristnogion yn dysgu rhywbeth ond maent hefyd yn profi gobaith adnewyddol, ffydd gadarnach, ac ymrwymiad newydd i genhadaeth neu'r bywyd Cristnogol. Yn syml, maent yn cael profiad o Dduw. Felly, gellir honni fod pregethu yn ddigwyddiad lle mae'r gynulleidfa'n clywed Gair Duw, yn cyfarfod â'u Gwaredwr, ac yn cael eu trawsffurfio drwy nerth yr Ysbryd Glân i fod yn gymuned fel y bwriadodd Duw iddi fod. Mae pregethu'n ddigwyddiad, yn weithred; mae rhywbeth yn digwydd ym mywydau'r gwrandawyr drwy gyfarfyddiad dwyfol. Rhoddodd Crist gomisiwn i bregethu. Gan fod y cyfarfyddiad hwn yn ddigwyddiad achubol, mae'n rhoi terfyn ar yr hen ffyrdd, yn dwyn cymod â Duw ac yn rhoi nerth i weinidogaethu. Mae hyn i gyd yn rhan o'r broses o bregethu.[17]

Wrth siarad am bregethu yn y termau hyn, mae Scott Wilson yn codi'r sail dros bregethu i lefel uwch, gan ei ystyried yn gyfarfyddiad achubol â Duw.

Mae darllen y sylwadau hyn yn peri i rywun glywed llais o'r tu mewn yn dweud: 'Nid felly y mae hi yn ein capel ni.' Neu efallai y cawn ein temtio i ddweud: 'Ni fyddai wedi ystyried pregethu yn gyfarfyddiad â Duw pe buasai wedi clywed y bregeth a gawsom ni'r wythnos ddiwethaf!'

MUNUD I FEDDWL

'Mae pregethu'n ddigwyddiad, yn weithred; mae rhywbeth yn digwydd ym mywydau'r gwrandawyr drwy gyfarfyddiad dwyfol. Rhoddodd Crist gomisiwn i bregethu. Gan fod y cyfarfyddiad hwn yn ddigwyddiad achubol, mae'n rhoi terfyn ar yr hen ffyrdd, mae'n dwyn cymod â Duw ac yn rhoi nerth i weinidogaethu.'[18]
- Ydych chi'n credu fod pregethu'n gyfle i gyfarfod â Duw?
- Pa wahaniaeth a wna'r gred honno i'r ffordd yr ewch ati i baratoi i bregethu?
- Pa wahaniaeth a wna'r gred honno i'ch ffordd o bregethu?

Drwy ddisgrifio pregethu fel hyn, y mae Chris Ellis a Paul Scott Wilson yn awgrymu fod yna nodwedd sacramentaidd i bregethu.

Pregethu yn sacrament?

Mae sôn am bregethu fel digwyddiad sy'n cynnwys 'cyfarfyddiad â Duw' yn ein hannog i weld pregethu yng nghyd-destun y patrwm sacramentaidd. Nid oes honiad yma fod pregethu o ddwyfol osodiad, megis y Bedydd a'r Cymun Sanctaidd, ond bod iddo yn hytrach ddimensiwn sacramentaidd.

Mewn geiriau eraill, awgryma fod y Duw byw yn y weithred o bregethu yn medru cymryd a defnyddio ein lleisiau dynol a bregus i gyflwyno a chyfryngu ei air bywiol i feidrolion.

Rai blynyddoedd yn ôl ysgrifennodd Donald Coggan am 'ormes llawen' pregethu. Mae'r geiriau hyn yn ein hatgoffa y gall pregethu fod yn alwad drom a chostus. Nid yw gweld pregethu o fewn patrwm sacramentaidd yn golygu y bydd pob pregeth yn brofiad nefol, ond y mae yn ein hatgoffa o botensial pregethu. Golyga hyn y gall pregethwyr fynd ati i gynllunio a chyflwyno pregethau, yn hyderus fod Duw yn medru derbyn ein geiriau dynol a'u defnyddio i gyfryngu ei gariad at eraill. Mae'r fath ddealltwriaeth sacramentaidd o bregethu yn rhagori ar ein disgwyliadau ac hefyd yn tynnu rhyw gymaint o bwysau oddi ar ysgwyddau'r pregethwr.

Mae sail y gred fod Duw yn medru defnyddio geiriau dynol yn gyfrwng i gyflwyno ei wirionedd i ni wedi'i wreiddio yn yr ymgnawdoliad. Mae'r gyffes i'r 'gair ddod yn gnawd a phreswylio yn ein plith' (Ioan 1:14) yn dwyn tystiolaeth i'r Duw sy'n derbyn pobl gyffredin o gig a gwaed ac yn eu defnyddio i ddatguddio ei gariad a'i wirionedd i bobl.

Pregethu fel sacrament

Mae Stephen Wright yn un arall sy'n dadlau dros ystyried pregethu fel math o sacrament. Iddo ef mae hyn wedi'i wreiddio yn yr argyhoeddiad:

> Mae'r byd ei hunan yn sacrament o bresenoldeb, cariad a nerth Duw, a Crist ei hun yw'r sacrament pennaf drwy'r hwn y down at Dduw. Nid yn unig y sacramentau clasurol felly o fedydd a'r Ewcharist, ond hefyd yr Ysgrythurau a phregethu, mae'n bosib eu bod i gyd yn achlysuron, yn fannau ac yn eiliadau lle y cawn gyfarfod â Duw. Ond yn eu hanfod ni wnânt hynny yn *annibynnol* ar Grist, nac ar y drefn greadigol, ond yn hytrach gwnânt hynny *yn gymaint* â'u bod yn arwyddion sy'n cyfeirio at Grist a'i arglwyddiaeth dros bopeth.[19]

Gall bodau dynol ymgymryd â'r swyddogaeth sacramentaidd hon yn rhannol oherwydd iddynt gael eu creu ar ddelw Duw ac am y'u bwriadwyd felly i 'ddelweddu' Duw yn eu geiriau a'u gweithredoedd o gariad. Nid yw hyn, er hynny, yn golygu mai'r pregethwr sy'n rheoli'r cyfarfyddiad dwyfol. Mae Duw:

> wedi rhoi'r Ysgrythurau i ni, mae'n cynnull cynulleidfaoedd o'i ddisgyblion, mae'n galw unigolion i rôl arbennig o lefaru ei air. Ond nid yw hyn yn golygu fod yma *sicrwydd* y bydd yn datguddio ei hun mewn lle, digwyddiad, amser neu berson arbennig ... Nid yw ein pregethu ond yn 'cyfeirio at y Gair'.[20]

Felly ym mherthynas pregethu, mae'r iaith sacramentaidd yn tanlinellu posibiliadau a chyfyngiadau'r geiriau dynol a ddefnyddir mewn pregethu.

Portread o bregethwr ...

Cyfarchwch y cyfeillion i gyd â chusan sanctaidd. Yn enw'r Arglwydd, parwch ddarllen y llythyr hwn i'r holl gynulleidfa.

1 Thesaloniaid 5:26-27

Yn ei gyfrol *Preaching Like Paul,* mae James W. Thompson yn gwahodd pregethwyr i ystyried yr hyn y gellir ei ddysgu wrth fyfyrio ar bregethu'r apostol Paul.

Pe bai Apostol y Cenhedloedd yn pregethu heddiw byddai cyfoeth o recordiau a llawysgrifau o'i bregethau ar gael i fyfyrwyr bori trwyddynt. Ond er nad yw'r deunydd hwnnw ar gael, honna Thompson fod posib clywed 'llais' pregethu Paul drwy dalu sylw manwl i'w epistolau.

Mae hyn yn rhannol bosib oherwydd i Paul arddweud ei lythyrau wrth ei ysgrifennydd, ac iddo wedyn eu hymddiried i ofal rhywun a fyddai'n eu darllen yn gyhoeddus fel monolog i gredinwyr oedd wedi ymgynnull i addoli. Mae'r honiad fod 'cysylltiad agos rhwng anerchiadau llafar Paul a'i lythyrau yn cael ei awgrymu yn y ffaith ei fod, fel awduron eraill yr hen fyd, yn arddweud ei lythyrau wrth ysgrifennydd.'[21]

Wrth iddo arddweud ei lythyrau, gallai heb os, ddychmygu fod ei wrandawyr o'i flaen. Fel pregethwyr sy'n paratoi eu pregethau wrth feddwl am sefyllfaoedd a phersonoliaethau arbennig, byddai Paul yn paratoi ei lythyrau gyda gwrandawyr a sefyllfaoedd penodol ar ei feddwl. Roedd y broses o arddweud yn caniatáu i Paul siarad â chynulliad o bobl o bell. Gellir cymryd fod tebygrwydd rhwng trefn ei feddyliau a dull arferol ei gyflwyniad. Mae llifeiriant ei arddull, ei angerdd, a dwyster ei frawddegau yn adlewyrchu'r gair llafar yn fwy na'r gair ysgrifenedig. Mae E.P. Sanders yn darlunio'r broses o ysgrifennu fel rhan o ddadl ffyrnig lle gwelir yr apostol poenus a thrallodus yn cerdded yn ôl ac ymlaen, 'yn arddweud ac weithiau'n pledio, dro arall yn cwyno, ac yn aml iawn yn gweiddi.'[22]

Mae hyn yn cyfleu darlun diddorol a chyfareddol, sy'n amlygu ei hun yn fwy felly wrth feddwl y gallai'r sawl a gomisiynwyd gan Paul i fynd â'i neges fod wedi ei hyfforddi gan yr apostol, nid yn unig i'w throsglwyddo â'i law ond i'w thraddodi'n gyhoeddus.[23]

Swm a sylwedd trafodaeth Thompson, er hynny, yw nid dadlau am fwy o bregethau monologaidd. A chymryd y gallwn i ryw raddau glywed 'llais' yr Apostol Paul yn ei epistolau, awgryma Thompson y gallwn weld fel y mae Paul yn ymroi i bregethu bugeiliol sy'n 'herio'r gynulleidfa i ofyn y cwestiynau moesol a'u trafod yng ngoleuni efengyl Crist.'[24]

Awgryma hefyd y gellir deall pregethu Paul fel gweithred gyhoeddus o fyfyrdod diwinyddol.

> Mae myfyrdod diwinyddol yn ddimensiwn hanfodol mewn pregethu ... Wrth dderbyn fod holl lythyrau Paul yn gyfathrebu bugeiliol ... maent hefyd yn esiamplau o ffydd sy'n ceisio dealltwriaeth. Bydd y darllenydd modern yn debygol o gael ei ryfeddu gan ddadleuon hirfaith y llythyrau y bwriadwyd iddynt gael eu darllen yn gyhoeddus. Mae'r dadleuon hyn yn adlewyrchu'r disgwyliadau uchel a osododd Paul ar ei wrandawyr. Mae ef yn cymryd yn ganiataol fod ei wrandawyr yn medru dilyn ei ddadleuon astrus. Nid yw ei fyfyrdodau diwinyddol, er hynny, yn haniaethol ac yn amherthnasol. Er bod ei lythyrau'n cynnwys dadleuon diwinyddol manwl, nid yw Paul fyth yn cynnig traethodau cynhwysfawr ar athrawiaethau mawr y ffydd Gristnogol. Ni cheir ganddo bregeth gynhwysfawr ar yr ymgnawdoliad a'r Iawn. Mae ei drafodaeth ddiwinyddol i'w weld yng nghyd-destun y cwestiynau a godwyd gan gynulleidfaoedd, neu'r materion sy'n bygwth hunaniaeth yr eglwys. Mae trafodaeth ddiwinyddol Paul wedi'i phlethu i'w neges fugeiliol. Mae'r materion a wynebir gan Paul yn y pen draw yn ddiwinyddol yn eu natur.[25]

Er i mi ddadlau eisoes na ddylid gweld pregethu yn bennaf drwy lygaid addysgol, cyflwyna Thompson ddadl gref dros ystyried pregethu fel math o ddiwinyddiaeth ymarferol.

Mae pregethu yn ffordd o weithredu diwinyddiaeth – gydag ac ar ran cymdeithas o gredinwyr – sy'n ceisio dirnad presenoldeb achubol Duw mewn byd gelyniaethus a dryslyd. Mae'r pregethwr yn gweithredu fel diwinydd cymdeithasol sy'n tynnu ar y Beibl ac adnoddau'r traddodiad Cristnogol i gynorthwyo pobl i weld y cysylltiadau rhwng ffydd a bywyd.

Yn nyddiau cynharaf fy mhererindod Gristnogol ffydd fach breifat oedd fy ffydd i, yn brin iawn o ddealltwriaeth ddiwinyddol. Gydag amser a phrofiad tyfodd a datblygodd y farn honno am ddiwinyddiaeth fel y deuthum i weld mai 'Menter yw diwinyddiaeth sy'n ceisio gwneud hunan-ddatguddiad Duw yng Nghrist yn berthnasol i'n gwybodaeth a'n gweithgaredd beunyddiol.'[26]

Mewn cyfnod o anwybodaeth grefyddol ddybryd o fewn cymdeithas yn gyffredinol, ac hefyd oddi fewn i'r Eglwys Gristnogol, mae i bregethu swyddogaeth oddi fewn i gwricwlwm ehangach addysg Gristnogol. Os yw pregethu'n ffurf ar ddiwinyddiaeth ymarferol, yr her yw ceisio perthnasu 'ein holl wybodaeth ddynol, yn ogystal â'n holl weithgaredd, i'r datguddiad o Dduw yn Iesu Grist'. Mae Barbara Brown Taylor yn tynnu darlun byw o'r her sy'n wynebu'r pregethwr wrth geisio cyflawni'r gwaith ysbrydoledig ac anodd hwn.

Mae gwylio pregethwr yn esgyn i bulpud fel gwylio rhaff-gerddwraig yn camu i'r llwyfan yn sain y drwm. Mae'r ferch gyntaf yn clirio'i gwddf ac yn ymestyn ei nodau; mae'r ail yn llacio'i hysgwyddau ac yn estyn ei throed i brofi tensiwn y rhaff. Yna mae'r ddwy yn camu i'r awyr, gan ymddiried fod eu paratoadau yn ddigonol ar gyfer y foment hon wrth iddynt ddibynnu ar rywbeth y tu hwnt i'w gallu eu hunain i'w cynorthwyo i gyflawni'r hyn y maent yn ei garu ac yn ei ofni ac yn dymuno ei gyflawni yn fwy na dim arall ... Os llwyddant i gyrraedd yr ochr draw heb syrthio, gras yn ogystal â gallu fydd yn gyfrifol am hynny – penderfyniad Duw caredig yn caniatáu iddynt fentro i'r uchelfannau lle na fyddai meidrolion cyffredin yn meiddio troedio.

Nid oes yr un siaradwr cyhoeddus modern arall yn gwneud yr hyn y ceisia'r pregethwr ei wneud ... yr unig beth sydd gan y pregethwr yw geiriau. Mae'n camu i'r pulpud heb brop nac effeithiau sain – yn siarad am ugain munud i hanner awr – ac yn cyfarch pobl sydd wedi hen arfer â dulliau cyfathrebu gwahanol. Mae'r rhan fwyaf o negeseuon ein dyddiau ni yn cael eu gyrru a'u derbyn mewn deng eiliad ar hugain neu lai, a does dim golygfa ar ein teledu yn para mwy nag ugain, eto mae pregeth yn galw am sylw parhaus ac astud. Os nad yw'r pwnc yn apelio does dim sianel arall ar gael. Os collir brawddeg ni ellir ei chwarae yn ôl. Mae'r bregeth yn dibynnu ar wrandawyr sy'n barod i ddal ati i wrando ar neges sy'n cymryd amser i'w chyflwyno, ei datblygu a'i chrynhoi. Bydd y gwrandawyr hwythau, yn dibynnu ar bregeth na fydd yn gwastraffu'r amser a roddant i wrando arni.[27]

Felly beth yw pregethu? Cyn cychwyn archwilio'r broses o bregethu yn y penodau sy'n dilyn, byddai'n llesol gofyn ychydig o gwestiynau am natur pregethu.

MUNUD I FEDDWL

- Beth yn eich tyb chi yw'r pethau pwysicaf ynglŷn â phregethu?
- Ysgrifennwch baragraff byr yn amlinellu beth yw craidd eich diwinyddiaeth ynglŷn â phregethu.

Diffiniad gweithredol ...

Gellir crynhoi y diffiniad gweithredol o bregethu fel y'i tanlinellir yn y llyfr hwn fel a ganlyn:

Darganfod gair yr Arglwydd yn y Beibl, ar gyfer cwmni o bobl, ar yr amser penodol, ac yna cyflwyno'r gair hwnnw yn nerth yr Ysbryd mewn dull y gall pobl ei ddeall, ac ymateb iddo mewn addoliad a gwasanaeth.

Bydd Penodau 2 a 3 yn archwilio'r ystyriaeth sydd y tu ôl i'r honiad fod y broses o bregethu yn cychwyn gyda *darganfod gair yr Arglwydd yn y Beibl.*

Mae'r myfyrdodau ym Mhennod 4 yn ystyried rhai o'r sefyllfaoedd lle cynhelir oedfaon pregethu, a'r amrywiaeth o bobl sy'n gwrando ar bregethau. Mae hyn yn tynnu ein sylw at bwysigrwydd cynllunio pregethau *ar gyfer cwmni penodol o bobl, ar yr amser penodol.*

Bydd Penodau 5 i 8 yn canolbwyntio ar wahanol ddulliau o gynllunio pregethau.

Ym Mhenodau 9 a 10 bydd y sylw'n troi at ganllawiau sylfaenol ar gyfer cyfathrebu effeithiol fel y gellir cyflwyno pregeth *mewn dull y gall pobl ei ddeall, ac ymateb mewn addoliad a gwasanaeth.*

Arglwydd llonydda fi,
Rho i mi feddwl i geisio a chwilio.
Rho i mi galon agored.
Achub fi rhag aflendid meddyliol.
Gwared fi rhag pydredd ysbrydol.
Cadw fi'n effro a gwyliadwrus.
Dysg fi, fel y gallaf innau eu dysgu hwy.
Arglwydd, rho i mi'r doniau,
I'w meithrin er dy fwyn.

Gweddi Awstin Sant cyn pregethu

Darllen pellach

Kate Bruce, *Igniting the Heart: Preaching and the Imagination* (London: SCM Press, 2015).

David Day, Jeff Astley a Leslie J. Francis, (gol.), *A Reader on Preaching: Making Connections* (Aldershot: Ashgate, 2005).

David Heywood, *Transforming Preaching: The Sermon as a Channel for God's Word* (London: SPCK, 2013).

Thomas G. Long, *The Witness of Preaching* (Louisville: WJK Press, 2016).

Michael J. Quicke, *Preaching as Worship: An Integrative Approach to Formation in your Church* (Grand Rapids: Baker Books, 2011).

Barbara Brown Taylor, *The Preaching Life* (Cambridge, MA: Cowley, 1993).

William H. Willimon, *How Odd of God: Chosen for the Curious Vocation of Preaching* (Louisville: WJKP, 2015).

Stephen I. Wright, *Alive to the Word: A Practical Theology of Preaching for the Whole Church* (London: SCM Press, 2010).

Nodiadau

1. Anthony Trollope, *Barchester Towers* (Oxford: OUP, 1953) 52.

2. Thomas G. Long, 'Why sermons bore us' *Christian Century*, Medi 6, 2011, 31.

3. David Allis, 'The Problem with Preaching' *Baptist – Magazine of the Baptist Churches of New Zealand* Cyf. 123:6 (Gorffennaf 2007).

4. Colin E. Gunton, *Theology Through Preaching: The Gospel and the Christian Life* (London: T & T Clark, 2001) 95.

5. I. H. Marshall, *The Gospel of Luke* (Exeter: Paternoster Press, 1978) 181-182.

6. Yngve Brilioth, *A Brief History of Preaching*, (Philadelphia: Fortress Press, 1965) 8-10.

7. Chris Ellis, 'Gathering around the Word: Baptists, Scripture and Worship' yn Helen Dare a Simon Woodman (gol.), *The "Plainly Revealed" Word of God? Baptist Hermeneutics in Theory and Practice* (Macon, Georgia, Mercer University Press, 2011) 101-121.

8. Pantycelyn.

9. O'r *Anabaptist Ausbund*, 16^{eg} ganrif, cyf. *E. A. Payne*, yn *Baptist Praise and Worship*, (Oxford: OUP, 1991) 151.

10. Ellis, 'Gathering around the Word' 109.

11. Ellis, 'Gathering around the Word' 113-114.

12. Anna Carter Florence, 'Put Away Your Sword: Taking the Torture out of the Sermon' yn M. Graves (gol.), *What's the Matter with Preaching Today?* (Louisville: Westminster John Knox Press, 2004) 93-108.

13. Ellis, 'Gathering around the Word' 114.

14. Gweler, er enghraifft, Cleophus J. LaRue, *The Heart of Black Preaching* (Louisville: WJKP, 1999); Cleophus J. La Rue, *I Believe I'll Testify: The Art of African American Preaching* (Louisville: WJKP, 2011); Timothy George, James Earl Massey, a Robert Smith, Jr., *Our Sufficiency is of God: Essays on Preaching in Honor of Gardner C. Taylor* (Macon: Mercer University Press, 2010); Joe Aldred (gol.), *Preaching with Power: Sermons by Black Preachers* (London: Cassell, 1998).

15. Ellis, 'Gathering around the Word' 116.

16. Ellis, 'Gathering around the Word' 117-118.

17. Paul Scott Wilson, *The Practice of Preaching: Revised Edition* (Nashville: Abingdon Press, 2007) 5.

18. Wilson, *Practice of Preaching* 5.

19. Stephen I. Wright, *Alive to the Word: A Practical Theology of Preaching for the Whole Church* (London: SCM Press, 2010) 119-120.

20. Stephen I. Wright, *Alive to the Word'* 120-121.

21. James W. Thompson, *Preaching Like Paul: Homiletical Wisdom for Today* (Louisville: WJKP, 2001) 28.

22. Thompson, *Preaching Like Paul'* 28—29.

23. Thompson, *Preaching Like Paul'* 30-31.

24. Thompson, *Preaching Like Paul'* 106.

25. Thompson, *Preaching Like Paul'* 109.

26. Howard Peskett a Vinoth Ramachandra, *The Message of Mission* (Leicester: IVP, 2003) 22-23.

27. Barbara Brown Taylor, *The Preaching Life* (Cambridge, MA: Cowley, 1993) 76-77.

Paratoi i Bregethu

2

Taith i Dri Byd gwahanol

Os am gyflwyniad fideo i Bennod 2 ewch i
studyguidepreaching.hymnsam.co.uk

Pregethu Beiblaidd

Wrth gyfarfod ag arweinwyr eglwys a oedd yn ystyried fy ngwahodd i fod yn weinidog arnynt, gofynnwyd nifer o gwestiynau i mi. Yna daeth yn amser i mi i'w holi pa fath o weinidog yr oeddent yn ei geisio. Roedd yr ymateb cyntaf, 'Rhywun 'run fath â chi', er yn ganmoliaethus iawn, o ddim cymorth o gwbl. Wrth i'r sgwrs barhau, dywedodd rhywun ei fod yn teimlo bod angen gweinidog a fyddai'n dysgu'r Beibl yn dda ar yr eglwys.

Mae'n anodd gwybod beth oedd ystyr hyn gan fod cymaint o syniadau gwahanol am beth yn union yw dysgu'r Beibl yn dda. Yr hyn a wn i yw fod ceisio ymgodymu â'r Beibl wrth baratoi ar gyfer pregethu'n wythnosol i'r gynulleidfa honno, ac i lawer cynulleidfa arall, wedi bod yn rhan fawr o'm gweinidogaeth dros y blynyddoedd. Yn wir, mae'r ddisgyblaeth gyson honno nid yn unig wedi bod yn agwedd hanfodol o'm pregethu ond bu'n rhywbeth sydd wedi ffurfio a chyfoethogi fy mywyd ysbrydol mewn amrywiol ffyrdd.

I mi, mae pregethu a'r Beibl wedi bod yn ddwy ochr yr un geiniog. Felly, nid yw'n syndod fod y gyfrol hon wedi ei neilltuo i archwilio'r defnydd o'r Beibl mewn pregethu. Er hynny, i ba raddau y mae'r cysylltiad hwn â'r Beibl yn ddimensiwn hanfodol mewn pregethu? Neu ai mater o farn bersonol neu o eglwysyddiaeth ydyw? Pa mor bwysig yw diogelu'r llinyn rhwng y Beibl a phregethu, ar adeg pan yw perthnasedd y Beibl dan warchae a syniadau am bregethu yn newid yn gyflym?

Cwestiynu swyddogaeth y Beibl mewn pregethu

Un o fanteision achlysuron dysgu arbrofol yw cael cyfle i ddysgu'r annisgwyl. Roedd ein disgwyliadau y byddai'r cyfranwyr yn fwy na pharod i droi at y Beibl fel testun yn anghywir. Codwyd nifer o bryderon am ddefnyddio'r Beibl.[1]

Ymgasglodd cwmni o Gristnogion i drafod y cysylltiad rhwng ffydd a gweithredoedd. Roedd rhai ohonynt yn weinidogion ordeiniedig mewn eglwysi, neu'n gweithredu fel caplaniaid, ac eraill yn gweithio mewn amryw o sefydliadau. Llwyddodd pawb i ddarlunio sefyllfaoedd a'u tynnodd hwy allan o'u cylchoedd proffesiynol cysurus.

Wedi nodi'r materion hynny a gododd o sefyllfaoedd gwahanol, anogwyd hwy gan y trefnwyr i symud ymlaen i ymchwilio i'r cysylltiadau Beiblaidd. A dyna pryd y mynegodd llawer eu pryderon ynglŷn â defnyddio'r Beibl mewn trafodaethau o'r fath.

I rai, roedd y darganfyddiadau a wnaed am fyd y testun yn peri iddynt ddweud 'nad oedd disgwyl iddynt feddu ar yr wybodaeth a'r gallu angenrheidiol i ddefnyddio'r ysgrythur mewn myfyrdod diwinyddol.'[2] Roedd eraill o'u plith a weithiai mewn sefyllfaoedd seciwlar yn lleisio'u 'amheuaeth am berthnasedd y Beibl'[3] i'r byd a'i broblemau. Roedd y sawl a weithiai ymhlith grwpiau ar y cyrion yn ddrwgdybus o'r Beibl fel testun a ddefnyddid i orthrymu merched a lleiafrifoedd.'[4]

Mae darluniau o Dduw'r Beibl fel casäwr gwragedd, ac un sy'n homoffobaidd a hiliol, yn amlwg yn llenyddiaeth yr anffyddwyr newydd. Mae'n amlwg nad yw arferion rhai eglwysi yn cydymffurfio â'r hyn sy'n cael ei dderbyn yn gymdeithasol o ran cydraddoldeb a bod yn gynhwysol, ac amlygir hyn yn aml yn y cyfryngau. Nid oedd 'testunau dychrynllyd' y Beibl yn gymorth i gyflwyno Duw fel un cariadus a chynhwysol.[5]

Er bod y pryderon yma am y Beibl wedi codi yng nghyd-destun trafodaethau ar ddiwinyddiaeth ymarferol, mae'n bosibl eu bod yn adlewyrchu teimladau a diffyg hyder rhai pobl o fewn yr eglwys ynglŷn â'r defnydd o'r Ysgrythur.

Mae'r diffiniad o bregethu a awgrymwyd ar ddiwedd Pennod 1 yn dechrau drwy awgrymu fod pregethu yn cynnwys 'darganfod gair yr Arglwydd yn y Beibl'. Mae'r diffiniad hwn yn gwbl ddiedifar wrth osod y Beibl ar y blaen i'r ddiwinyddiaeth a'r weithred o bregethu. Os yw rhai Cristnogion, er hynny, yn teimlo braidd yn anghyffyrddus wrth drafod y Beibl, pa gwestiynau sy'n codi ynglŷn â'r doethineb o roi lle mor flaenllaw i'r ymrafael â'r Ysgrythur yn y broses o bregethu? Pan ddaw hi at yr orchwyl o ddatblygu ffurfiau perthnasol a chyfoes o bregethu, i ba raddau y mae'r Beibl yn adnodd neu yn rhwystr?

Ffurf normadol pregethu Cristnogol

Un o'r nodweddion a fu'n sylfaen i'r Llawlyfr hwn yw'r dybiaeth, a fynegwyd yn glir gan Thomas Long, mai 'pregethu beiblaidd yw ffurf *normadol* pregethu Cristnogol.'[6]

Mae astudiaethau hanesyddol, fel gwaith Brilioth a nodir ym Mhennod 1, yn dangos fod gwreiddio'r bregeth yn yr Ysgrythur yn nodwedd gyson yn hanes Cristnogaeth. Felly 'pan bregethodd Iesu yn y synagog yn Nasareth (Luc 4), fe gododd destun, a chan amlaf mae pregethwyr Cristnogol wedi gwneud yr un fath ers hynny.'[7]

Wrth dynnu sylw at hyn, mae Long nid yn unig yn honni fod pregethu beiblaidd wedi bod yn arferiad cyffredin dros y blynyddoedd, ond dadleua hefyd mai dyma'r norm, neu'r safon y dylid gwerthuso pob pregeth arni.

> Mae pregethu Beiblaidd yn normadol hefyd yn ail ystyr cadarn y norm. Pregethu sy'n cynnwys ymwneud amlwg â thestun beiblaidd yw'r safon y dylid mesur pob math o bregethu arni. Os gofynnir am bregeth benodol, 'A yw hon yn bregeth Gristnogol?' yr hyn a ofynnwn mewn gwirionedd yw a ellir ystyried hyn yn dystiolaeth ffyddlon i Dduw yn Iesu Grist, ac mae ateb y cwestiwn hwnnw yn mynd â ni at y stori feiblaidd lle down i gyfarfod â Duw yn Iesu Grist ... Felly, honnwn fod pregethu beiblaidd yn normadol yn y ddwy ffordd. Yr Ysgrythur yw'r safon y dylid mesur pregethu arni

a dylai pregethu arferol wythnosol gynnwys pregethau wedi'u sylfaenu ar destunau beiblaidd. Dylai pregethu beiblaidd o'r math yma fod yn rheol ac nid yn eithriad.[8]

MUNUD I FEDDWL

- Sut ydych chi'n ymateb i honiad Long y dylai pregethu beiblaidd fod yn rheol ac nid yn eithriad?
- Pa gwestiynau y dymunwch eu codi?
- Beth yw'ch dealltwriaeth chi o'r ymadrodd 'pregethu beiblaidd'?

Mae'n anodd dadlau â'r ffaith mai pregethu o destun beiblaidd fu'r arfer yn hanes Cristnogaeth. Ond mae parhau i wneud hynny dim ond am ein bod 'wedi arfer gwneud hynny' yn strategaeth annoeth, yn enwedig mewn cyfnod o newid cyflym ac ysbeidiol. Felly pa ffactorau eraill sydd yn rhaid eu hystyried wrth feddwl am werth y Beibl yn y broses o bregethu?

Diwinyddiaeth fer o ddatguddiad

Un o'r rhesymau dros ddiogelu cysylltiad cryf rhwng pregethu a'r Beibl yw'r cwestiynau sy'n codi ynglŷn â'r datguddiad dwyfol. Er nad oes 'neb wedi gweld Duw erioed' (Ioan 1:18), ffydd yr Eglwys yw'r ffaith mai drwy Iesu Grist y mae'r gwirionedd am Dduw wedi'i ddatguddio. O fewn y dealltwriaeth hwn o ddatguddiad, mae i'r Beibl swyddogaeth bwysig oherwydd ei fod yn dwyn tystiolaeth i'r Crist sy'n datguddio'r gwirionedd am Dduw.

Mae'r persbectif hwn yn cael ei fynegi gydag eglurder nodweddiadol gan Colin Gunton, sy'n dweud:

> Gall y cread fod yn datguddio gogoniant Duw, ond does 'nemor un ym mhob cant' yn ei gydnabod am yr hyn ydyw mewn gwirionedd. Rhaid gwahaniaethu, felly, rhwng y datguddiad cyffredinol mewn natur, sydd yn wir yn bodoli, a'r gallu dynol i'w feddiannu. Mae angen yr hyn a elwir

yn ddatguddiad arbennig, oherwydd am nifer o resymau ni allwn yn aml weld yr hyn sydd o flaen ein llygaid ... Dyna oedd safbwynt Calvin – os na wnawn ystyried y Beibl fel pâr o sbectolau, byddwn yn annhebygol o adnabod hyd yn oed y datguddiad cyffredin am yr hyn ydyw.[9]

> Yn union fel hen ddynion gyda'u llygaid pŵl a'u golygon diffygiol yn edrych ar gyfrol brydferth o'u blaenau, ond yn methu darllen dim ohono heb gymorth sbectol; felly mae'r Ysgrythur yng nghyd-destun ein diffyg dealltwriaeth ni yn chwalu'r niwl ac yn datguddio i ni'r gwir Dduw.[10]

Awgryma'r ddealltwriaeth hon o ddatguddiad dwyfol nad yw'n bosibl dadorchuddio'r gwir am gymeriad Duw ar sail rheswm dynol yn unig. Os gadewir ni i ddilyn ein trywydd ein hunain gallwn gynhyrchu pob math o syniadau diddorol am natur Duw. Ond o edrych yng ngoleuni'r datguddiad beiblaidd bydd llawer o'r darluniau poblogaidd o'r duwdod yn datblygu i fod yn ddim byd mwy na gwawdluniau camarweiniol.

Ymysg y safbwyntiau cystadleuol am Dduw ac ysbrydolrwydd y dyddiau hyn, mae i bregethu beiblaidd ei berthnasedd, oherwydd tasg pregethu yw cyhoeddi'r stori feiblaidd er mwyn mynegi a datguddio cymeriad Duw. O gyflawni'r orchwyl hon mae'r pregethwr i ryw raddau yn etifeddu mantell proffwydoliaeth feiblaidd.

Etifeddu mantell y proffwyd

Mewn astudiaeth gynnar ar yr Hen Destament, ceisiais ysgrifennu traethawd ar waith y proffwydi cyn y gaethglud, megis Amos a Hosea. Swm a sylwedd y gwaith hwn oedd ceisio gofyn y cwestiwn, ai arloeswyr crefyddol oeddent ynteu gwarchodwyr traddodiad.

Dim ond rhai blynyddoedd yn ddiweddarach, wrth chwilio am ddeunydd ar gyfer darlithiau ar lyfr Amos, y dechreuais sylweddoli beth yn union yr oedd cwestiwn y traethawd yn gofyn i mi i'w ystyried? Syrthiodd y geiniog o'r diwedd wrth i mi ddarganfod disgrifiad James Limburg o swyddogaeth y proffwyd.

I lawer o bobl darlun o gymeriad anghyffredin a dewr yw'r darlun o broffwyd, gyda hwnnw'n taflu ffrwydron geiriol at offeiriaid a brenhinoedd. Awgrymodd Limburg fod galwad y proffwyd yn golygu gweithgaredd llawer mwy eang na hynny.

> Disgrifiwyd gwaith y proffwyd fel gwaith sy'n ymwneud â'r dyfodol (rhag-ddweud), annerch y presennol (dweud) a chofio'r gorffennol (ail-ddweud). Mae adrodd stori am fawrion weithredoedd Duw yn dal yn rhan o bregethu ac addysgu. O wrando'r stori a'i pherchenogi, gall pobl Dduw ailddarganfod pwy ydynt. Cânt eu hatgoffa o'r hyn a wnaeth Duw drostynt a'u hysgogi i ymateb mewn gweithredoedd o gariad.[11]

Mewn amrywiol ffyrdd bydd y pregethwr cyfoes yn etifeddu pob un o'r tasgau hyn o *rag-ddweud*, *dweud* ac *ail-ddweud*.

Rhag-ddweud

Mae pregethu'n digwydd mewn cyd-destun lle gall adroddiadau cyson am ryfeloedd a sôn am ryfeloedd achosi ymdeimlad o anobaith. Yn wir, mae un awdur cyfoes ar genhadaeth yn honni ein bod yn byw mewn cyd-destun 'ôl ôl-foderniaeth a nodweddir gan awyrgylch o bryder ac ofn'.[12]

Mewn ymateb i'r fath anobaith, gelwir ar y pregethwr i beidio â dyfalu pryd y daw diwedd y byd ond i gyhoeddi gobaith bywiol ar sail atgyfodiad Crist. I Tom Wright, mae'r gobaith beiblaidd o 'fywyd *wedi* "bywyd wedi marwolaeth"',[13] a'r weledigaeth am ddyfodiad teyrnas Dduw, yn ysbrydoli credinwyr i 'adeiladu *ar gyfer* y deyrnas' yn awr, yn hyderus nad yw ein llafur yn yr Arglwydd 'yn ofer' (1 Corinthiaid 15:58).[14] Mae Cristnogion yn paratoi eu hunain ar gyfer teyrnas Dduw, gan gredu 'y bydd popeth a wnawn mewn ffydd, gobaith a chariad yn y presennol, mewn ufudd-dod i'r Arglwydd dyrchafedig ac yn nerth yr ysbryd, yn cael ei gynaeafu a'i drawsffurfio yn ei ymddangosiad Ef.'[15]

Dweud

Mae Walter Brueggemann yn awgrymu mai gorchwyl gweinidogaeth broffwydol yw tanseilio,[16] neu *ddatgymalu'r* bydolwg brenhinol, imperialaidd o gynnal 'status quo' anghyfiawn sy'n atgyfnerthu grym yr elît crefyddol a gwleidyddol.

Nid yw, er hynny, yn annog y dylem fwrw ein dicter dall yn erbyn helbulon cymdeithas, oherwydd i Brueggemann, nid yn unig y mae gweinidogaeth broffwydol yn *datgymalu* safbwyntiau'r byd anghyfiawn, ond y mae hefyd yn ceisio *bywiogi* cymdeithas amgenach. Nid yw'r math yma o *ddweud* yn golygu gweithredu protest ddigyswllt ond mae'n cynnig ffordd o fyw a phatrwm o weinidogaeth sy'n ymgorffori ac yn cyfathrebu gweledigaeth o fyd gwahanol. Felly, awgrym Brueggemann yw hyn:

> Nid yw gweinidogaeth broffwydol yn golygu gweithredoedd ysblennydd o ymgyrchu cymdeithasol neu fynegiadau brathog o ddigofaint. Yn hytrach, mae gweinidogaeth broffwydol yn golygu bwrw golwg amgenach ar realiti a gadael i bobl weld eu hanes eu hunain yng ngoleuni rhyddid Duw a'i ewyllys am gyfiawnder.[17]

Ail-ddweud

Un agwedd o waith y proffwyd a anwybyddid yng nghyfnod yr Hen Destament oedd ailadrodd stori'r Cyfamod rhwng Iawe a phobl Israel. Drwy ail-ddweud yr hanes hwn, ceisiai'r proffwyd atgoffa'r Israeliaid o'r hanes a ffurfiodd eu hunaniaeth fel pobl Dduw.

A ninnau'n byw mewn cyfnod o anwybodaeth feiblaidd o safbwynt ein cymdeithas ac hefyd, yn drist iawn, oddi fewn i'r eglwys, mae angen ail-ddweud yr hen, hen hanes fel y gall pobl Dduw gofio a darganfod pwy ydynt mewn gwirionedd. Mewn cyd-destun o'r fath mae gan bregethu beiblaidd ei ran i'w chwarae drwy wahodd pobl i ymgolli yn yr hanes beiblaidd, yn y fath fodd ag i allu perchnogi'r stori.

Mae'r awgrym fod pregethu'n golygu *ail-ddweud* y stori feiblaidd sy'n rhoi ffurf i'r gymuned Gristnogol, yn ffordd arall o fynegi fod y pregethwr yn gweithredu fel diwinydd cymunedol. Bydd pregethwyr sy'n ceisio cynorthwyo pobl i fyw'r bywyd Cristnogol llawn mewn cyfnodau cyfnewidiol a heriol yn barod i roi o'u hamser i ail-ddweud stori Duw, fel y gall pobl Dduw gael eu hatgoffa o'r gymdeithas wahanol y gelwir hwy i fod â rhan ynddi.[18]

Hyd yn hyn yn y bennod ceisiwyd dadlau fod pregethu beiblaidd yn haeddu ei le fel y ffurf normadol o bregethu Cristnogol. I gefnogi'r honiad hwn, cyfeiriwyd at swyddogaeth unigryw'r Beibl yn dwyn tystiolaeth i'r Crist sy'n datguddio Duw i'r ddynolryw. Mae sylfeini beiblaidd cadarn hefyd yn angenrheidiol os yw pregethu i feddu dimensiwn proffwydol. Y stori feiblaidd sy'n tynnu darlun amgenach o realiti ac sydd hefyd yn cynorthwyo i ffurfio cymeriad y gymdeithas o gredinwyr.

Wedi dadlau dros y pwysigrwydd o bregethu beiblaidd, mae'n angenrheidiol gofyn dau gwestiwn pellach:

1. Sut mae'r pregethwr yn dewis testun o'r Beibl i bregethu yn ei gylch?
2. Wedi dewis ei destun, sut mae mynd ati i'w ddehongli er mwyn iddo fedru dechrau ar ei siwrnai o destun i bregeth?

Dewis testun

Fel myfyriwr diwinyddol roedd yn bosibl i mi bregethu'r un bregeth mewn nifer o fannau gwahanol, gan obeithio y gallwn ei gwella wrth fynd ymlaen. Roedd addasu i weinidogaeth sefydlog lle'r oedd galw arnaf i bregethu'n gyson i'r un gynulleidfa yn dod â'i ofynion a'i gyfrifoldebau newydd. Rhaid cyfaddef i mi wastraffu llawer iawn o amser bob wythnos yn ceisio penderfynu ar destun i bregethu yn ei gylch, cyn dechrau ystyried beth i'w ddweud.

Mewn rhai traddodiadau mae gan y pregethwr rwydd hynt i ddewis fel y myn. Mae yna fantais mewn gallu ymateb i faterion sydd wedi codi yn ystod yr wythnos. Ar y llaw arall, i'r rhai sydd yng nghyfnod cynnar eu taith bregethwrol gall hyn lyncu llawer iawn o amser. Rwy'n gynyddol werthfawrogi ceisiadau i bregethu ar feysydd arbennig oherwydd bod hynny'n fy ngorfodi i ddalu sylw i gyfres o destunau beiblaidd.

Bydd llawer o bregethwyr yn ei chael hi'n fanteisiol i gynllunio cyfres o bregethau ar wahanol rannau o'r Beibl. Yn aml yn ystod misoedd yr haf, a llai o alwadau eglwysig gennyf, rwyf wedi manteisio ar y cyfle i fynd i'r afael â llyfr neu lyfrau o'r Beibl – er mwyn cynllunio cyfres o bregethau ar gyfer yr hydref. Mae sawl ffordd o fynd ati i gynllunio cyfres o bregethau, ond rwy'n gwybod o brofiad fod treulio pedair i chwe wythnos ar un gyfres yn gallu bod yn dreth ar bregethwr a chynulleidfa fel ei gilydd.

Dilyn darlleniadur

Mewn nifer o draddodiadau mae'r dewis o destunau ar gyfer y Sul yn cael ei ddarparu gan gylch o ddarlleniadau neu lithiadau mewn darlleniadur. Y cylch tair blynedd – gydag ambell amrywiad – yw'r un a ddefnyddir gan nifer o enwadau'r brif ffrwd, sef y Llithiadur Diwygiedig Cyffredin. Drwy ddilyn patrwm y flwyddyn Gristnogol mae'r llithiadur yn argymell tri darlleniad gwahanol ar gyfer pob Sul: darlleniad o'r Hen Destament; darlleniad o'r Efengylau, yn ogystal ag un o'r Epistolau neu ran arall o'r Testament Newydd. Darllenir Mathew, Marc a Luc bob blwyddyn yn olynol, tra bydd y dewisiadau o Efengyl Ioan yn cael eu plethu i'r rhaglen ar ryw adeg yn ystod pob blwyddyn o'r cylch.

Nid oes yr un llithiadur yn cynnwys pob adran o'r Beibl. Er hynny, mae dilyn y drefn yma'n arbed y pregethwr a'r gynulleidfa rhag cael eu rhwymo i bregethau sy'n seiliedig ar nifer fechan o hoff destunau dro ar ôl tro. Gall hyn hefyd arwain at ddisgyblaeth ysbrydol, drwy annog pregethwyr i ymchwilio a phregethu ar destunau na fyddant fel arfer yn mentro arnynt.

ASTUDIAETH ACHOS

O'R LLITHIADUR

Gellir dod o hyd i'r llithiadur mewn unrhyw lyfr gwasanaeth safonol. Weithiau rwy'n ei chael hi'n fanteisiol defnyddio gwefan llithiadur ar-lein sy'n darparu cyfres o ddarlleniadau ar gyfer Sul arbennig, yn ogystal â chrynodeb o'r darlleniadau a ddefnyddir yn ystod y tymor hwnnw yn y flwyddyn Gristnogol.

Gellir dod o hyd i'r Llithiadur Diwygiedig Cyffredin ar-lein yn http://lectionary.library.vanderbilt.edu.

Mae bwrw golwg fras ar y darlleniadau a awgrymir yn dangos fod yma ffynhonnell gyfoethog o ddeunydd a syniadau ar gyfer pregethu.

Er enghraifft, wrth baratoi ar gyfer gwasanaeth i'w ddarlledu ar y pedwerydd Sul wedi'r Pentecost ym Mlwyddyn A o'r cylch tair blynedd, gwelais y darlleniadau canlynol.

Tymor wedi'r Pentecost Blwyddyn A	Darlleniad cyntaf a salm	Darlleniad cyntaf a salm am yn ail	Ail ddarlleniad	Darlleniad o'r Efengyl
Priod 9 (14) pedwerydd Sul wedi'r Pentecost 6 Gorffennaf 2014	Genesis 24:34-38, 42-49, 58-67; Salm 45:10-17 **neu** Caniad Solomon 2:8-13	Sechareia 9:9-12 Salm 145:8-14	Rhufeiniaid 7:15-25a	Mathew 11:16-19, 25-30

Cam 1

Ar yr olwg gyntaf mae nifer o bosibiliadau yn deillio o'r darlleniadau a awgrymir ar gyfer y pedwerydd Sul wedi'r Pentecost.

Cefais fy nenu'n naturiol i'r darlleniad o'r Efengyl lle mae Iesu'n estyn gwahoddiad: 'Dewch ataf fi, bawb sy'n flinedig ac yn llwythog, ac fe roddaf fi orffwystra i chwi' (adn. 28).

Ychydig wythnosau ynghynt daeth rhywun at y drws gan ofyn nifer o gwestiynau mewn perthynas â pherson Crist. Atgoffwyd fi gan y sgwrs nad oes gan lawer o bobl ddealltwriaeth glir am bwy yw Crist. Efallai mai dyna pam y sylwais ar y gosodiad syfrdanol yn adnod 27 sy'n cyfeirio at y berthynas unigryw rhwng y Mab a'r Tad: 'Traddodwyd i mi bob peth gan fy Nhad. Nid oes neb yn adnabod y Mab, ond y Tad, ac nid oes neb yn adnabod y Tad, ond y Mab a'r rhai hynny y mae'r Mab yn dewis ei ddatguddio iddynt.'

Cam 2

Wedi darllen y darlleniad 'Cyntaf' o'r Hen Destament, dyma feddwl a oedd llunwyr y llithiadur wedi bwriadu creu cyswllt rhwng yr hanesyn yn Llyfr Genesis a'r darn oedd i'w ddarllen o'r Efengyl.

O ddarllen Genesis 24 am was Abraham yn cael ei anfon i chwilio am wraig i Isaac deuthum i'r canlyniad ei bod hi'n annhebygol fod cysylltiad uniongyrchol rhyngddynt. Deuthum i'r canlyniad fod angen ychydig o wreiddioldeb homiletig i awgrymu tebygrwydd rhwng gwahoddiad Rebeca i deithio i gyfarfod a phriodi Isaac, 'A ei di gyda'r gŵr hwn?' (Genesis 24:58) a gwahoddiad Iesu, 'Dewch ataf fi.'

Teimlais ychydig o ryddhad yn ddiweddarach o ddarllen y nodiadau ychwanegol yn y llithiadur a oedd yn egluro:

> Mae darlleniadau 'Cyntaf' yr HD yn dilyn storïau/themâu pwysig, i'w darllen drwy'r amser, gan ddechrau ym Mlwyddyn A gyda Genesis a gorffen ym Mlwyddyn C gyda'r proffwydi diweddar. *Gellir defnyddio'r darlleniadau ychwanegol sy mewn llythrennau yn lle hynny, neu'n ychwanegol at hynny.*[19]

Yn yr achos hwn y darlleniadau mewn llythrennau italaidd oedd Salm 45:10-17 neu Ganiad Solomon 2:8-13. Gellid defnyddio'r ddau ddarlleniad yma ochr yn ochr mewn pregeth wedi'i seilio ar yr adran o Genesis, oherwydd gwelwn briodas frenhinol yn gefndir i Salm 45 ac y mae'r adnodau o Ganiad Solomon yn rhan o lyfr barddoniaeth sy'n dathlu y rhodd o gariad mewn ffordd ddiamwys a nwydus.

Tra gallai Genesis 24, Salm 45 a Chaniad Solomon Pennod 2 gyfrannu'n bendant at bregeth ar gariad a phriodas, nid yw'n ymddangos eu bod yn cyfrannu'n uniongyrchol at bregeth sy'n canolbwyntio ar eiriau Iesu yn Efengyl Mathew.

Cam 3

Aeth y troednodiadau yn eu blaen i egluro fod darlleniadau "Eiledol Cyntaf" yr HD yn dilyn y traddodiad hanesyddol o gyplysu'n thematig y darlleniad o'r HD a'r darlleniad o'r Efengyl. *Gellir defnyddio'r darlleniadau ychwanegol mewn llythrennau italaidd yn lle hynny, neu'n ychwanegol at hynny.*[20]

Felly, mae'n haws gweld y cysylltiad posib rhwng y darlleniad 'Cyntaf Ychwanegol' o Sechareia 9:9-12 a'r darlleniad o'r Efengyl. Mae darlleniad Cristnogol o Sechareia 9 yn dehongli'r adran mewn termau Meseianaidd, ac yn cynnig mewnwelediad i'r arweinydd a'r gwaredwr hir-ddisgwyliedig yr oedd Israel yn gobeithio amdano. Daw'r brenin yng ngweledigaeth Sechareia 9 fel un 'gostyngedig ac yn marchogaeth ar asyn'; ac y mae'r gostyngeiddrwydd hwnnw wedi'i ymgorffori yn Iesu sy'n dweud 'addfwyn ydwyf a gostyngedig o galon' (Mathew 11:29).

Cam 4

Mae'r gyfres o 'Ail ddarlleniadau' a awgrymir ar gyfer y tymor wedi'r Pentecost ym Mlwyddyn A wedi'u codi'n bennaf o lythyr Paul at y Rhufeiniaid. Byddai gan unrhyw un a ddymunai ddatblygu cyfres o bregethau ar Rhufeiniaid ddigon o ddewis, oherwydd ar 16 o'r Suliau yn y tymor hwn daw'r 'Ail' ddarlleniad o'r llythyr hwnnw. Gallai cyfres fel hon gyd-fynd â phatrwm y flwyddyn Gristnogol, am y byddai nifer o bregethwyr am ganolbwyntio ar fywyd a thystiolaeth yr Eglwys yn ystod yr wythnosau'n dilyn y Pentecost.

Y darlleniad a awgrymwyd ar gyfer y pedwerydd Sul wedi'r Pentecost oedd Rhufeiniaid 7:15-25a. Cafwyd trafodaeth fywiog iawn ar yr adran hon dros y blynyddoedd. Ai ysgrifennu'n hunangofiannol a wna'r apostol er mwyn disgrifio ei brofiad ei hun? A yw'n disgrifio brwydr ysbrydol cyn ei dröedigaeth at Grist, neu wedi hynny? Neu ai 'araith cymeriad' sydd yma yn disgrifio brwydr y Cenedl-ddynion sy'n ofni Duw neu'r Iddewon sy'n hyddysg yn y gyfraith ond eto'n analluog 'i ryddhau eu hunain oddi wrth eu nwydau a'u chwantau drwy weithredoedd y gyfraith?'[21]

Wrth geisio datblygu'r bregeth, mae'n bosibl chwilio am gysylltiadau rhwng y frwydr a ddisgrifir yn Rhufeiniaid 7 a gwahoddiad Iesu yn Mathew 11. Oherwydd mae'n ymddangos fod Iesu'n cynnig gorffwysfa i bobl sy'n brwydro dan faich trefn grefyddol orthrymus.

Ar yr achlysur hwn roeddwn yn ceisio dirnad gair yr Arglwydd o'r Beibl ar gyfer cwmni o bobl a oedd yn gwrando ar y radio am 7.30 o'r gloch ar fore Sul. Oherwydd cyfyngiad amser deuthum i'r canlyniad y byddwn yn gorgymhlethu'r sefyllfa petawn yn ceisio gwneud cyfiawnder â'r frwydr yn Rhufeiniaid 7 a'r gwahoddiad mawr yn y darlleniad o'r Efengyl.

Cam 5

Wedi 'byw' gyda'r adrannau hyn am dipyn, teimlais mai iawn fyddai canolbwyntio ar ran o'r darlleniad o'r Efengyl. Mae'r darn o Mathew 11 yn ddiwinyddol gyfoethog, oherwydd ei fod nid yn unig yn cynnwys gwahoddiad diddorol gan Iesu ond hefyd yn taflu goleuni ar un sy'n Fab tragwyddol i Dad tragwyddol. Mae yma fan hyn fwy na digon i ysgogi nifer o bregethau.

Os carech weld y bregeth a ddeilliodd o'r broses hon trowch i Atodiad 1.

Adnoddau ar gyfer gweithio gyda llithiadur

Adnodd defnyddiol ar gyfer pregethu o'r llithiadur yw cyfres y *Feasting on the Word Commentary* a gyhoeddir gan Wasg Westminster John Knox. Mae'r gyfres 12 cyfrol yn darparu esboniadaeth ar y darlleniadau gosod ar gyfer pob Sul yng nghylch tair blynedd y Llithiadur Diwygiedig Cyffredin.

MUNUD I FEDDWL

Gweithio gyda'r llithiadur

- Chwiliwch am ddarlleniadau o'r llithiadur ar gyfer y Sul nesaf (neu'r Sul pregethu nesaf).
- Efallai y bydd y wefan ganlynol yn ddefnyddiol http://lectionary.library.vanderbilt.edu
- Darllenwch y darlleniadau ar gyfer y Sul hwnnw.
- Pa ddarlleniad sy'n apelio fwyaf atoch?
- A yw'r darnau'n addas ar gyfer y flwyddyn Gristnogol?
- Beth yw'r cysylltiad rhwng y darlleniadau, os oes cysylltiad o gwbl?
- Pa ddarn yr hoffech ei ddefnyddio ar gyfer llunio pregeth?
- Beth garech chi ei gynnwys?

Dewis testunau ar gyfer pregethau

'Y mae i bob cynllun dewis testun ar gyfer pregethau ei gryfderau a'i wendidau. Pregethwn o'r Beibl er mwyn sicrhau fod Gair Duw yn cael ei gyhoeddi, ac mae'r llithiadur yn cynnig llwybr diogel rhag pregethu ar hoff destunau. Os na fydd pregethwyr yn ofalus, er hynny, gall dilyn llithiadur arwain at anallu i lefaru'n broffwydol ar bynciau penodol, neu faterion cyfoes ac athrawiaethol. Er mwyn osgoi'r perygl hwn, gall pregethwyr ddelio â phynciau pwysig yn ôl y galw, pregethu athrawiaethau wrth iddynt godi o'r cyd-destun, a chefnu ar y llithiadur (mewn enwadau sy'n caniatáu hynny) ar adegau rheolaidd yn ystod y flwyddyn er mwyn pregethu ar gyfres o bynciau cyfoes neu athrawiaethol.'[22]

- Meddyliwch fel yr ewch ati i ddewis testun o'r Beibl ar gyfer pregethu.
- Pa faterion y mae Paul Scott Wilson yn eu codi ynglŷn â dewis testunau?
- Beth yw oblygiadau hyn ar gyfer eich ffordd o ddewis testunau ar gyfer eich pregethau?

Dysgu darllen y Beibl o'r newydd

Yn rhan o'r syniad fod pregethu yn ymwneud â chanfod neges ysbrydol o'r Beibl y mae'r rheidrwydd i ddarllen y testun yn ofalus. Mae 'darlleniad manwl' o'r maes a ddewiswyd yn dynodi'r cam cyntaf o'r broses pregethu. Y gorchymyn cyntaf a phennaf i bob pregethwr yw 'Darllenwch y Testun'; ac y mae'r ail yn debyg iddo, 'Darllenwch y Testun am yr eildro.'

Gyda'r holl alwadau sydd arnom hawdd iawn yw tynnu'n sylw o'r angen i ddarllen y testun yn ofalus. Mae'n bwysig fan yma ein bod yn pwysleisio pa mor werthfawr yw darllen a myfyrio ar y testun neu'r testunau *cyn* ymgynghori â doethineb yr esboniadau.

Un ffordd o bwyllo'n ddigonol er mwyn talu sylw i'r testun fyddai darllen cyfieithiadau gwahanol. Gallai darllen y testun yn uchel nifer o weithiau fod yn ffordd arall o'i 'glywed' mewn ffyrdd gwahanol. Ym Mhennod 3 cynigir yr hen arfer Cristnogol, y *Lectio Divina* fel ffordd arall o drwytho ein hunain mewn adran benodol o'r Beibl.

Y gobaith yw y bydd y darlleniad cyntaf yn gymorth i ganfod cyfres o gwestiynau a syniadau a fydd yn eu tro yn cynnwys hadau pregeth arbennig. Wedi cywain y syniadau dechreuol, y cam nesaf yw ymchwilio'n ddyfnach i'r testun, oherwydd disgwylir i bregethwyr gychwyn ar daith o ymchwil beiblaidd a diwinyddol ar ran y gynulleidfa, fel y gallant weithredu fel tystion i'r hyn a ddarganfuwyd ganddynt.

Wrth symud i'r cam nesaf fe welwch fod gwerth mewn tynnu ar brofiadau a syniadau eraill sydd wedi myfyrio ar yr adrannau hyn. Gall esboniadau gyfoethogi ein dealltwriaeth o ddarn o'r ysgrythur mewn amrywiol ffyrdd. Gwnânt hynny drwy ein cyfeirio at rai pethau y byddem fel arfer wedi'u hanwybyddu, yn ogystal â'n cynorthwyo i ateb rhai o'r cwestiynau a godwyd ar ein darlleniad cyntaf. Mae bod yn agored i farn eraill yn medru bod yn anghyffyrddus pan yw'r farn honno yn herio ein rhagdybiaethau.

Un her sy'n wynebu'r pregethwr cyfoes wrth iddo geisio mentro i fyd y testun hynafol[23] yw datblygu'r arfer da o drin a dehongli deunydd beiblaidd.

Mae'r Eglwys yn ogystal â'r diwylliant seciwlar yn cael anhawster i ddehongli'r Beibl ar ddechrau'r unfed ganrif ar hugain. A yw'r Beibl yn awdurdod ar ffydd a gweithredoedd yr Eglwys? Os felly, ym mha ffordd? Pa arferion darllen sy'n cynnig y dull mwyaf priodol o ddeall y Beibl? Sut mae beirniadaeth hanesyddol yn goleuo neu'n tywyllu neges yr Ysgrythur? Sut mae perthnasu darlleniadau cyn-fodern Cristnogol â methodoleg hanesyddol, yn ogystal â darlleniadau ffeministaidd, diwinyddiaeth rhyddhad ac ôl-fodern?[24]

Rhan o'r her fan yma yw bod posib i unrhyw lyfr gosod ar esboniadaeth feiblaidd ein llethu gyda rhestr hirfaith o ddulliau dehongli beiblaidd. Y newyddion da yw nad oes rhaid i mi feddu dealltwriaeth o'r holl ddulliau esboniadol yma cyn i mi allu darllen y Beibl drosof fy hun.

A chamu oddi wrth y dulliau niferus sydd ar gael, gwelir mai un ffordd o ddod i'r afael â'r strategaethau gwahanol o ddehongli'r Beibl yw drwy sylwi ar dri grŵp eang o ddulliau.

Taith i dri byd gwahanol

Mewn arolwg defnyddiol o'r pwnc hwn, mae W. Randolph Tate[25] yn cyfeirio'n gyntaf at yr 'ymdriniaeth awdur-ganolog o ystyr' wrth sôn am ddulliau dehongli sy'n canolbwyntio'r sylw ar *y byd y tu ôl i'r testun (beiblaidd)*. Hynny yw, mae dulliau o'r fath yn canolbwyntio ar sut y daeth y testun i fodolaeth. Mae'r dull beirniadaeth-hanesyddol o ymdrin ag astudiaethau beiblaidd, gyda'i ddiddordeb mewn beirniadaeth ffynhonnell a beirniadaeth ffurf yn amlygu'r dull 'awdur-ganolog' yma.

Mae Tate hefyd yn disgrifio dulliau 'testun-ganolog o ystyr', sy'n canolbwyntio ar archwilio'r *'byd y tu mewn i'r testun'*. Yma, mae canolbwynt y sylw ar gynnwys y testun penodol. Yn rhannol, y mae dulliau fel hyn yn nodi y bydd yr awdur yn colli rheolaeth ar 'ystyr' y testun, unwaith y bydd wedi gadael ei ddwylo, oherwydd daw pobl o hyd i ystyron gwahanol iddo. Mae canolbwyntio ar y 'byd y tu mewn i'r testun' hefyd yn golygu talu mwy o sylw i ffurf derfynol y testun, gan ystyried y nodweddion llenyddol. Mae cydnabod fod y Beibl yn cynnwys mathau gwahanol o ddeunyddiau, er enghraifft, yn awgrymu na fydd un math arbennig o ddehongli yn debygol o fodloni pawb. Mae'n amlwg fod darllen y naratif Hebreig yn gofyn am sgiliau esboniadol gwahanol i'r hyn sy'n angenrheidiol ar gyfer dehongli'r adrannau apocalyptaidd megis llyfr Datguddiad.

Mae Tate hefyd yn cyfeirio at y dull 'darllenydd-ganolog o ystyr' sy'n ein hatgoffa fod 'darllenwyr gwahanol yn dehongli testun yn wahanol'.[26] Mae'r cynnydd mewn darlleniadau rhyddfrydol, ffeministaidd ac ôl-drefedigaethol o destunau beiblaidd yn gydnabyddiaeth fod y ffordd y darllenwn y Beibl yn cael ei ddylanwadu gan ddiwylliant, cyd-destun, dosbarth a rhyw. Mae'r math hwn o esboniadaeth yn canolbwyntio'r sylw yn fwy ar y *'byd y tu blaen i'r testun'*.

Syncronig, diacronig a dirfodol

Mae Michael Gorman yn bwrw golwg ddefnyddiol arall ar bethau ac yn dadlau:

> Gellir diffinio esboniadaeth fel dadansoddiad hanesyddol, llenyddol a diwinyddol manwl o'r testun. Byddai rhai yn ei alw'n 'ddarlleniad ysgolheigaidd' ac yn ei ddisgrifio fel darllen mewn dull sy'n 'canfod synnwyr y testun drwy wneud cofnod cyflawn a systematig o ffenomena'r

testun a mynd i'r afael â'r rhesymau sy'n dadlau dros neu yn erbyn dehongliad penodol ohono.' Disgrifiad addas arall o esboniadaeth yw 'craff ddarllen', ymadrodd a fenthycwyd o astudiaeth o lenyddiaeth. Mae 'craff' ddarllen yn golygu rhoi ystyriaeth fwriadol, gair am air ac ymadrodd am ymadrodd, i bob rhan o'r testun er mwyn ei ddeall yn llawn. Yr enw ar roddir ar y sawl sy'n gwneud hyn yw '*exegete*' (esboniwr).[27]

O ystyried esboniadaeth fel ymchwiliad, ymddiddan a chelfyddyd, awgryma fod 'efallai dair ffordd o ystyried esboniadaeth', sef yn *syncronig, diacronig* a *dirfodol*.[28] Er bod Gorman yn defnyddio terminoleg wahanol i Tate, y mae yntau hefyd yn cyfeirio'r darllenydd at yr angen i gymryd y testun, yr awdur a'r darllenwyr i ystyriaeth wrth weithio gyda'r Beibl. Mewn cyferbyniad i ddull 'darllenydd-ganolog' Tate, mae dull dirfodol Gorman yn rhoi mwy o bwys ar y syniad fod darllenwyr yn ymwneud yn ymwybodol â deunydd beiblaidd er mwyn cael eu trawsffurfio.

Gall trafodaeth fel hon fod yn ddigon pell o feddwl yr unigolyn sydd wrthi'n paratoi pregeth. Gellir gweld rhyw gymaint o werth yn hyn oll i'r pregethwr yn yr awgrymiadau isod o eiddo Gorman. Yn yr enghraifft hon mae'n awgrymu rhai cwestiynau y gallai defnyddwyr y tri dull uchod eu gofyn, wrth iddynt ganolbwyntio ar y Bregeth ar y Mynydd yn Efengyl Mathew.

Dull Esboniadol	Cwestiynau a allai godi
Syncronig 'Edrych ar ffurf derfynol y testun yn unig a wna'r dull hwn, y testun fel y mae yn Y Beibl.' Y byd y tu mewn i'r testun.	• Beth yw rhannau gwahanol y Bregeth, a sut maen nhw'n ymdoddi i'w gilydd i greu cyfanwaith llenyddol? • Beth mae awdur yr Efengyl hon yn ei gyfleu drwy awgrymu lleoliad y Bregeth, cyfansoddiad y gynulleidfa cyn ac ar ôl y Bregeth, ac ymateb y gynulleidfa iddi? • Beth yw diben y Bregeth ym mhortread yr Efengyl o Iesu ac o'r disgbl? • Sut fyddai darllenydd neu wrandäwr o'r ganrif gyntaf yn deall ac yn ymateb i'r Bregeth hon?

Dull Esboniadol	Cwestiynau a allai godi
Diacronig 'Yn canolbwyntio ar darddiad a datblygiad y testun, gan ddefnyddio dulliau pwrpasol i ddatgelu'r agweddau hyn ... gelwir y casgliad o ddulliau hyn yn aml fel y *dull hanesyddol-feirniadol*, a dyma ddewis llawer, os nad y mwyafrif, o ysgolheigion beiblaidd yn yr unfed ganrif ar hugain.' Y byd y tu ôl i'r testun.	• Pa ffynonellau ysgrifenedig neu lafar a fabwysiadwyd, addaswyd ac a gyplyswyd gan awdur yr efengyl i lunio'r 'Bregeth' hon? • Beth yw gwahanol adrannau'r Bregeth (gwynfydau, gweddïau, damhegion, dywediadau cryno, a.y.b.), a beth yw eu tarddiad a'u datblygiad yn y traddodiad Iddewig, gyrfa ddaearol Iesu, a/neu fywyd yr eglwys fore? • Beth mae defnydd yr efengylydd o ffynonellau yn ei ddweud am ei ddiddordebau diwinyddol? • I ba raddau y mae'r ddysgeidiaeth yma yn cynrychioli geiriau neu syniadau'r Iesu hanesyddol?
Dirfodol 'Gellir disgrifio'r dull hwn o esboniadaeth fel dull hunanfeirniadol: nid yw darllenwyr yn trin y testun fel crair hanesyddol neu lenyddol, ond fel rhywbeth i arbrofi arno – rhywbeth a allai neu a ddylai effeithio ar eu bywyd. Cymerir y testun yn ddifrifol.' Y byd y tu blaen i'r testun.	• I ba fath o ffydd ac ymarfer cyfoes y mae'r darllenydd cyfoes yn cael ei alw gan y Bregeth? • Sut gallai'r testun am 'droi'r foch arall' dramgwyddo, neu hyd yn oed orthrymu'r rhai sy'n cael eu sathru'n wleidyddol ac yn gymdeithasol? • A yw caru gelyn yn golygu ymwrthod â'r defnydd o drais ym *mhob* sefyllfa? Beth mae cofleidio'r ddysgeidiaeth yn y Bregeth ynglŷn ag ymwrthod â thrais yn ei olygu'n *ymarferol*? • Beth yw'r gweithredoedd ysbrydol a ddisgwylir gan unigolion ac eglwysi wrth fyw neges y Bregeth yn y byd cyfoes?[29]

Manteisio ar dri byd

Mae mantais i'r pregethwr o archwilio'r tri 'byd'. Drwy wrando ar
gyfraniadau'r tri dull yma, mae ein dealltwriaeth o'r adran ysgrythurol yn
dyfnhau a datgelir i ni oleuni a all ein cynorthwyo i lunio pregethau effeithiol.

Y byd y tu ôl i'r testun

Er enghraifft, mae'r adnod agoriadol yn llyfr Haggai yn egluro mai 'Yn ail
flwyddyn y Brenin Dareius, yn y chweched mis, ar y dydd cyntaf o'r mis' (Hag.
1:1) y cyflawnodd y proffwyd ei weinidogaeth.

Oherwydd mai hwn oedd y 'brenin Dareius I Hystaspes a gipiodd orsedd
Persia wedi marwolaeth Cambyses (522-521 cc),'[30] gellir lleoli neges gyntaf
Haggai i'r bobl yn y flwyddyn 520 cc.

Mewn geiriau eraill, mae gweinidogaeth y proffwyd yn digwydd yn y
cyfnod wedi Alltudiaeth Babilon a'i brofiadau erchyll, ac yn dilyn dinistr
Jerwsalem yn 587 cc. Wedi i'r cydbwysedd grym symud yn yr Hen Ddwyrain
Agos, ymddangosodd goruchwyliaeth newydd a ganiataodd i rai o'r alltudion
ddychwelyd adref. Ond chwalwyd eu gobeithion o weld eu mamwlad yn
adfeilion. Wedi cyfres o gynaeafau gwael a chyda costau byw yn codi i'r
entrychion, roedd y dasg o ailadeiladu bywyd y genedl yn un llethol a
thorcalonnus.

Mae deall rhyw gymaint am y byd poenus sy'n gefndir i'r testun yn
gymorth i ddod â'r adran yn fyw i'r pregethwr a'r gynulleidfa fel ei gilydd.
Mae gwerthfawrogi'r modd y llefarodd Duw drwy'r proffwyd wrth bobl oedd
yn wynebu amgylchiadau anodd, yn gymorth i ni glywed neges o obaith gan
Dduw i gredinwyr digalon heddiw sy'n teimlo eu bod ar adegau yn nofio yn
erbyn y llif.

Felly hefyd, y mae angen i bregethwyr sy'n astudio dameg y Samariad
Trugarog yn y Testament Newydd (Luc 10:29-37) wybod am y byd y tu ôl
i'r testun, byd sy'n frith o dyndra ethnig a chrefyddol a gadwai Iddewon
a Samariaid ar wahân. O safbwynt yr athro Iddewig roedd y Samariad yn
heretic. Yn y ddameg, er hynny, y Samariad yw'r un sy'n ufudd i gyfraith Duw.

Y byd y tu mewn i'r testun

Mae talu sylw i'r testun ei hunan hefyd yn hanfodol, oherwydd o ddarllen y
darn o'r ysgrythur yn fanwl gall y pregethwr ddod o hyd i lawer o wybodaeth
ynglŷn â'i ystyr. Amlygir hyn yn ddigon doniol yn y modd y mae stori Jona'n
datblygu. Mae ailadrodd y ferf 'mynd i lawr' yn rhannau agoriadol y stori (1:3,
5; 2:6) yn awgrymu'n gynnil, er yn rymus, fel y mae bywyd y rhai sy'n cefnu ar
Dduw yn mynd ar ei oriwaered.

Pwysleisia adnod 3 fod anufudd-dod Jona yn *enciliad* oddi
wrth yr Arglwydd am yr ailadroddir y ferf *yārad*, 'mynd i lawr':
'Aeth i lawr i Jopa ...' Mae'r ferf yn digwydd eto yn adnod 5, 'tra
oedd Jona wedi mynd i (lawr i) grombil y llong ...' ac yna yn 2:6,
'euthum i lawr ...' Gwelir Jona yn ei anufudd-dod, yn disgyn ar
ei ben o bresenoldeb yr Arglwydd, ac yn y gerdd ym mhennod
2 mae'n disgyn i gyfeiriad Sheol, mangre'r meirw. Felly mae
awdur y stori hon yn defnyddio symbolau geiriol i ddarlunio
goblygiadau dychrynllyd anufudd-dod Jona. Mae dianc oddi wrth
Dduw yn gyfystyr â marw. Yn nhraddodiad adrodd stori dda nid
yw hynny'n amlygu ei hun ar y dechrau ond mae'n ymddangos yn
raddol wrth i'r stori fynd yn ei blaen.[31]

Y byd y tu blaen i'r testun

Mae John Drane yn disgrifio'r profiad a'i gorfododd i gwestiynu'r
rhagdybiaethau a ffurfiai ei ddealltwriaeth o destun beiblaidd cyfarwydd.
Chwalwyd ei ragdybiaethau esboniadol wrth iddo gyfrannu mewn astudiaeth
Feiblaidd ar ddameg y Samariad Trugarog o dan arweiniad geneth ifanc
ar domen sbwriel "Smokey Mountain" ar ynysoedd y Philipinau. Daeth y
trobwynt pan ofynnodd yr arweinydd y cwestiwn: 'Nawr pwy ydych chi yn y
stori hon?'

Cymerais yn ganiataol fy mod yn gwybod yr ateb i'r cwestiwn
hwnnw hefyd. O leiaf gwyddwn pwy y carwn fod. Roedd hynny'n
hawdd. Gwelais y posibilrwydd mai fi oedd yr offeiriad neu'r
Lefiad, a aeth heibio i'r ochr arall gan adael y dyn clwyfedig ar
ochr y ffordd. Gwyddwn yr hoffwn fod yn Samariad, a wnaeth

ddaioni drwy fynd â'r truan i le diogel – er yn fy nghalon roeddwn
yn amau y gallaswn efallai fod (fel llawer o bobl y gorllewin)
yn debyg i'r gwesteiwr, a gyflawnodd ddaioni dim ond am
fod rhywun arall wedi'i dalu i wneud hynny. Beth bynnag, pan
gawsom gyfle i rannu meddyliau, doedd gen i ddim amheuaeth
beth oeddwn am ei ddweud. Roedd hi'n dda o beth nad fi
gafodd siarad yn gyntaf, oherwydd sylweddolais yn fuan fy mod
yn ymateb yn wahanol i bawb arall. Nid oeddent hwy'n teimlo
fod ganddynt benderfyniadau anodd wrth geisio uniaethu eu
hunain gyda chymeriadau'r stori. Gwyddent yn syth pwy oeddent:
y person a glwyfwyd ac a adawyd yn gorwedd ar ochr y ffordd.
Sylweddolais yn syth beth oedd yn digwydd. Er i mi ddadlau â mi
fy hun pwy allaswn fod, mewn gwirionedd roedd fy newisiadau'n
hynod gyfyngedig gan i mi gymryd yn ganiataol, pwy bynnag
oeddwn, y byddwn yn un o'r cymeriadau o awdurdod yn y stori.
Ni wawriodd arnaf y gallwn fod yn dlawd a di-rym fel y dyn ar
ochr y ffordd. Fedrwn i ddim credu yr hyn a wnaethwn. Ystyriwn
fy hun yn un o bobl y byd ac yn wleidyddol gywir – eto, a minnau
wedi fy amgylchynu â golygfeydd ac arogleuon y fath dlodi
amlwg, daliais i ddarllen y stori Feiblaidd gyda hen ragdybiaethau
imperialaidd fy niwylliant, gan gymryd yn ganiataol, os oeddwn
yno o gwbl, y byddai gennyf reolaeth dros rywun.[32]

Bydd dod yn fwy ymwybodol o'n rhagdybiaethau wrth ddarllen y Beibl yn
gymorth i bregethwyr mewn amryw o ffyrdd. Yn un peth, bydd yn fy ngwneud
yn fwy effro i'r perygl o feddwl mai fy narlleniad i o'r testun yw'r unig
ddehongliad dilys. Ar y llaw arall, mae hefyd yn fy annog i ofyn y cwestiynau a
mynegi'r ofnau a all godi yn y byd lle rwy'n byw fy mywyd bob dydd.

Yn fwy arwyddocaol efallai yw'r ymwybyddiaeth fod *y byd y tu blaen
i'r testun* yn creu'r posibilrwydd y gall fy nealltwriaeth i o'r Beibl gael ei
gyfoethogi gan syniadau pobl eraill. Oherwydd mewn cyfnod pan yw mwyafrif
Cristnogion y byd yn byw yng ngwledydd y De, mae gwrando ar sut mae pobl
mewn rhannau eraill o'r byd yn darllen y Beibl yn gallu rhoi golwg newydd
ar hen destunau. Dadleua Philip Jenkins 'y gall ceisio deall sut mae rhannau
o'r Beibl yn cael eu darllen mewn mannau eraill o'r byd fod yn brofiad
gostyngedig', ac awgryma 'y gall faint a fynnir o destunau beri syndod'.[33]

Darllenwch Lyfr Ruth, er enghraifft, a dychmygwch beth sydd ganddo i'w ddweud mewn byd o newyn dan fygythiad rhyfel ac anhrefn cymdeithasol ... Neu darllenwch Salm 23 fel dogfen wleidyddol sy'n ymwrthod ag awdurdod seciwlar anghyfiawn. I Affricaniaid ac Asiaid, mae'r salm yn gwrthwynebu'n llwyr yr honiadau gan wladwriaethau anghyfiawn eu bod yn gofalu'n dyner am eu dinasyddion – tra'n dyrchafu eu hunain i'r entrychion. Ymateb Cristnogion yn syml yw hyn, 'Yr Arglwydd yw fy mugail – nid chi ydyw!' Y mae'r drygioni a gondemnir gan y Salm o natur wleidyddol ac ysbrydol fel ei gilydd, gormes teyrn a diafol, ac mae hyn eto yn ychwanegu at ei neges rymus. Yn ogystal â'i swyddogaeth wleidyddol, defnyddir Salm 23 yn aml iawn mewn gwasanaethau iacháu, ymwared a rhyddhad.[34]

Gall safbwyntiau byd-eang fod yn adnoddau gwerthfawr i bregethwyr sy'n ceisio ymwrthod â bod yn orgyfarwydd â Salm 23, oherwydd ei chysylltiad amlwg â darparu cysur mewn angladdau.

Datblygu darlleniad diwinyddol cyfunol o'r testun

Mae'n amlwg y gall pregethwyr ddysgu llawer gan bob un o'r dulliau hyn, a dadl Tate yw y dylid mabwysiadu dull integredig ystyrlon sy'n cynnwys y tri dull y sonia amdanynt. Meddai: 'canfyddir yr ystyr o ganlyniad i drafodaeth rhwng byd y testun a byd y darllenydd, trafodaeth sy'n deillio o fyd yr awdur'.[35]

Bydd rhai esbonwyr yn dueddol o restru'r dehongliad o'r Ysgrythur fel dull 'darllenydd-ganolog'. Ond mae sail dros weld darlleniad diwinyddol o'r Ysgrythur fel dull cyfunol sy'n tynnu ar y tri dull yma, tra eto'n darllen y Beibl yn unol â ffydd yr Eglwys.

Ym Mhennod 1 awgrymwyd fod pregethu yn fath o ddiwinyddiaeth ymarferol wedi'i fwriadu i berthnasu 'yr holl wybodaeth ddynol, yn ogystal â'n gweithgareddau dyddiol, gyda'r datguddiad o Dduw yng Nghrist'.[36] Mae hyn yn disgrifio pregethu fel ffordd o 'weithredu diwinyddiaeth' neu'n ffurf ar 'ffydd yn ceisio dealltwriaeth', ac mae'n cynnwys y drafodaeth deirffordd o'r byd y tu ôl i'r testun, y byd y tu mewn i'r testun a'r byd y tu blaen i'r testun.

Dadleua Daniel J. Trier:

Mae pob dehongliad diwinyddol o'r Ysgrythur yn edrych drwy sawl lens ar hyd y ffordd ond eto'n ceisio cyfuno'r safbwyntiau amrywiol i un weledigaeth ddealladwy o bwy yw Duw a'r hyn y gelwir ni iddo yng Nghrist. Dyma'r lens lletaf ac mae'n gosod dehongli beiblaidd yn ei gyd-destun cywir. Gall manylion hanesyddol a llenyddol ymddangos mewn goleuni gwahanol wedyn; at hynny, er eu bod yn dderbyniol ar gyfer ymchwil arbenigol, ni fydd rhai o'r materion yma'n hanfodol ar gyfer deall a chyfathrebu neges y testunau. Bwriad astudio'r Ysgrythurau yw dod i nabod Duw, ac nid olrhain gweithgarwch cymdeithasol Paul o angenrheidrwydd na gwneud dewisiadau amhosibl rhwng cyflyrau gwrthrychol a goddrychol.[37]

ASTUDIAETH ACHOS: TAITH DRWY DRI O FYDOEDD MATHEW 5:38-48

Wrth baratoi pregeth ar Mathew 5:38-48, pa gymorth sydd ar gael drwy edrych ar dri byd y testun?

1 Y byd y tu blaen i'r testun

Y lle gorau i ddechrau yw yn y fan lle cawn ein hunain fel darllenwyr yn eistedd o flaen y testun, ac yn cydnabod ei bod hi'n werthfawr ystyried ein rhagdybiaethau wrth ddod at y testun.

Bydd yn gymorth i ni hefyd ystyried y cwestiynau y dymunem eu gofyn am y testun, yn ogystal â rhai o'r cwestiynau y bydd aelodau ein cynulleidfa yn debygol o'u gofyn.

Er enghraifft, yn wyneb yr alwad ysgytwol i garu ein gelynion, y cwestiynau sy'n debygol o godi yw hyn:

- A oedd Iesu o ddifrif pan ddywedodd y dylai ei ddilynwyr garu eu gelynion?
- Onid yw hyn yn gwbl anymarferol yn y byd sydd ohoni?
- A yw caru gelynion ac estyn maddeuant i bobl yn golygu anwybyddu trais a drygioni?
- Beth yn y byd yw ystyr hyn heddiw?

2 Y byd y tu ôl i'r testun

Gall meddwl am y byd y tu ôl i'r testun godi cwestiynau megis:

- A oedd cardota'n arfer cyffredin yn y cyfnod hwnnw?
- Pwy fyddai'n cael eu hystyried yn gymdogion a phwy oedd y gelynion?
- Pa fath o gotiau neu glogynnau a wisgid gan bobl?

Wrth ymchwilio i'r hyn sydd y tu ôl i'r testun, gellir cywain gwybodaeth werthfawr mewn esboniadau cyfoes. Mae peth gwybodaeth i'w gael yn rhai o'r esboniadau un-gyfrol ar y Beibl.

- Tokunboh Adeyemo (gol. cyff.), *Africa Bible Commentary* (Grand Rapids, MI: Zondervan: 2006).
- John Barton a John Muddiman (gol.), *The Oxford Bible Commentary* (Rhydychen: Oxford University Press, 2007).
- D. A. Carson, R. T. France, Alec Motyer a Gordon J. Wenham (gol.), *New Bible Commentary: 21st Century Edition* (Nottingham: InterVarsity Press, 1994).

Ceir myfyrdodau byr ond defnyddiol ar y testun yng nghyfres Tom Wright *New Testament for Everyone*, sy'n cynnwys dau esboniad byr ar Efengyl Mathew.

- Tom Wright, *Matthew For Everyone, Part 1: Chapters 1-15* (Llundain: SPCK, 2012).

Bydd pregethwyr sy'n astudio rhannau o'r Beibl yn elwa'n sylweddol o droi at esboniadau mwy manwl:

- Craig E. Evans, *Matthew.* New Cambridge Bible Commentary (Caergrawnt: Cambridge University Press, 2012).
- Douglas Hare, *Matthew.* Interpretation: A Bible Commentary for Teraching and Preaching (Louisville, KY: Westminster John Knox Press, 1993/2009).
- Cynthia A. Jarvis ac E. Elizabeth Johnson (gol.), *Matthew, Volume 1, Chapters 1-13.* A Feasting on the Word Commentary: Feasting on the Gospels (Loouisville, KY: Westminster John Knox Press, 2013).

O dreiddio'n ddyfnach i'r byd y tu ôl i'r testun arbennig hwn o Efengyl Mathew cwyd cwestiynau ynglŷn â'r ffynonellau hanesyddol a gwreiddiau'r Bregeth ar y Mynydd. Wrth ystyried y digwyddiadau y tu ôl i'r testun, mae nifer o ysgolheigion yn awgrymu fod Mathew a Luc wedi codi rhyw gymaint o'u deunydd o ffynhonnell (Q) nad yw ar gael i ni bellach fel ffynhonnell ar wahân. Yng nghofnod Luc o'r bregeth, a adwaenir yn arferol fel y Bregeth ar y Gwastadedd (Luc 6:17-49), fe dybir fod Luc wedi cynnwys deunydd o ffynhonnell Q heb fawr o waith golygyddol pellach.

Gan fod y Bregeth ar y Mynydd yn Efengyl Mathew yn hwy na chofnod Luc, mae hyn wedi arwain llawer o awduron i'r dybiaeth fod Mathew wedi manteisio ar y cyfle i gasglu enghreifftiau eraill o ddysgeidiaeth Iesu a phlethu'r holl ddeunydd i fewn i adroddiad mwy cynhwysfawr o ddysgeidiaeth ganolog Iesu. O ganlyniad:

> Yn yr unfed ganrif ar bymtheg roedd John Calfin eisoes wedi penderfynu fod y bregeth yn mynegi bwriad yr efengylydd' o gasglu holl brif benawdau dysgeidiaeth Iesu am y bywyd duwiol a sanctaidd i un adran ... '[38]

Mae meddwl am y byd y tu ôl i'r testun yn ein hatgoffa hefyd fod Iesu wedi byw a gweithio mewn gwlad wedi ei meddiannu gan fyddin estron, atgas. Gallai milwyr yr Ymerodraeth orfodi dinasyddion i gario'u paciau am filltir. Felly rhaid gwerthfawrogi fod dysgeidiaeth Iesu wedi deillio mewn gwlad dan orthrwm llywodraeth filitaraidd.

Mae'r ymadrodd 'Clywsoch fel y dywedwyd' yn adnodau 38 a 43 yn mynd â ni y tu ôl i'r testun at natur Iddewig cynulleidfa Iesu. Heb unrhyw eglurhad pellach cymerir yn ganiataol fod ei wrandawyr, a darllenwyr cyntaf yr Efengyl hon, yn gyfarwydd â chynnwys y gyfraith yn yr Hen Destament.

3 Y byd y tu mewn i'r testun

Mae'n bwysig talu sylw hefyd i'r byd y tu mewn i'r testun; neu o'i roi mewn ffordd arall, mae'n hanfodol talu sylw i union destun Efengyl Mathew. Wrth i ni symud ymlaen i ystyried cynnwys y testun yn fwy gofalus, bydd nifer o gwestiynau eraill yn debygol o godi:

- Pwy sy'n cael eu cyfarch?
- Pam cyflwyno'r ddysgeidiaeth hon?
- Beth yw arwyddocâd ailadrodd 'Clywsoch fel y dywedwyd ... ond rwyf fi'n dweud wrthych'?

- Beth yw'r cysylltiad rhwng y darn hwn a gweddill y Bregeth ar y Mynydd?
- Beth yw'r berthynas rhwng yr adran hon a 'thestun' ehangach Efengyl Mathew?
- Pa adlais o adrannau'r Hen Destament a glywn ni yma?

Mae'n amlwg fod y Bregeth ar y Mynydd yn rhan o 'destun' ehangach Efengyl Mathew. Mae'n chwarae rhan strategol yn yr Efengyl, ac mae awgrymiadau o'i ystyr yn weladwy yn rhannau eraill yr Efengyl. Er enghraifft, yn Mathew 4:23 pwysleisir i Iesu fynd drwy Galilea gyfan yn 'dysgu'. Yna ar ddiwedd yr Efengyl yn Mathew 28:16-20, anfonir y disgyblion i'r holl fyd i ddysgu'r credinwyr newydd i ufuddhau i bopeth a ddysgodd Iesu.

Ceir pum achlysur pan yw:

Mathew yn diweddu neges bwysig o eiddo Iesu gyda fformiwla debyg, 'pan orffennodd Iesu ... ' (7:28; 11:1; 13:53; 19:1; 26:1). Mae'r drefn hon nid yn unig yn gweithredu fel clo, ond fel pont yn cyfeirio'n ôl at yr araith orffenedig ac ymlaen at barhâd yr adroddiad, a thrwy hynny yn perthnasu geiriau a gweithredoedd Iesu ac yn clymu'r neges a'r adroddiad gyda'i gilydd.[39]

Mae Mathew 5:38-48 yn rhan o'r Bregeth ar y Mynydd sy'n ffurfio'r gyntaf o'r 'areithiau' hyn yn Efengyl Mathew. Noda M. Eugene Boring: 'Eisoes yn yr ail ganrif ystyrid fod Mathew yn strwythuro ei Efengyl mewn pump o "lyfrau" mewn efelychiad o'r Pumllyfr ac fel dealltwriaeth wahanol o'r Gyfraith Iddewig.'[40]

Gwelir fod y syniad hwn yn cytuno â'r awgrym fod Mathew yn cyflwyno ei ddeunydd am Iesu mewn ffordd sy'n tynnu sylw at y tebygrwydd rhwng Moses, a dderbyniodd y Gyfraith ar Fynydd Sinai, a Iesu (y Moses newydd?), sy'n cyhoeddi Cyfraith newydd (neu wedi'i hadnewyddu) wrth iddo ddringo mynydd arall i draddodi ei Bregeth ar y Mynydd.

I'r sawl sydd â llygaid i weld, mae'r ymadrodd, 'clywsoch fel y dywedwyd ... ond rwyf fi'n dweud wrthych ... ' yn cynnwys Christoleg ddiamheuol. Mae'r fformiwla'n cyfeirio at awdurdod digyffelyb Iesu,[41] yr un y mae ei ddehongliad radical o'r gyfraith ddwyfol yn arddangos awdurdod sy'n rhagori ar eiddo Moses. Os nad oedd neb ar y ddaear yn debyg i Moses, yna pwy oedd yr Iesu hwn?

Tri byd yn gorgyffwrdd?

Ar y darlleniad cyntaf o Mathew 5:38-48 ceir awgrym nad yw'r tri byd yn unedau hollol ar wahân. Daw'n glir fod elfen o orgyffwrdd rhwng y cwestiynau a'r materion a godir gan y tri dull gwahanol. Er hynny, awgryma'r esiampl hon y byddai o fudd i'r pregethwr edrych ar y testunau beiblaidd drwy'r tri 'gwydr' yma.

MUNUD I FEDDWL

Sylwodd Graham Stanton fod pobl wedi gofyn amryw o gwestiynau ynglŷn â'r Bregeth ar y Mynydd dros y blynyddoedd.

Darllenwch y pum cwestiwn canlynol, a ofynnir gan Stanton, ynglŷn â sut y dylid dehongli'r bregeth.

A chymryd pob cwestiwn yn ei dro, â pha un o'r tri 'byd' y mae'r cwestiynau yn ymwneud?

- Y byd y tu ôl i'r testun?
- Y byd y tu mewn i'r testun?
- Y byd y tu blaen i'r testun?

1 Ai dehongli neu egluro Cyfraith Moses a wna Iesu? Neu a yw'n cyflwyno dysgeidiaeth newydd radical? A yw Iesu'n cael ei bortreadu fel y 'Moses newydd' sy'n mynd 'i fyny'r mynydd' (Mth. 5:1) er mwyn cyflwyno 'neges newydd' ar gyfer 'pobl newydd' ar 'Fynydd Sinai newydd'?

2 Beth yw'r berthynas rhwng Mathew 5-7 ac efengyl gras Paul? A fwriadwyd i'r Bregeth (fel Cyfraith) wneud y darllenwyr yn ymwybodol o'u hangen am ras? Neu a yw'r Bregeth yn *rhagdybio* maddeuant a derbyniad Duw o'r pechadur ac yn hynny o beth yn gosod amodau gwir ddisgyblaeth?

3 At bwy y mae'r Bregeth yn cyfeirio? Gwŷr a gwragedd yn gyffredinol, neu'r sawl sydd wedi ymrwymo eu hunain i ffordd Iesu? ... Er bod nifer o adrannau'r Bregeth yn tanlinellu 'moeseg y

disgybl Cristnogol', mae adnodau olaf yr efengyl yn awgrymu fod dysgeidiaeth Iesu yn rhan o'r neges sydd i'w chyhoeddi i'r 'holl fyd' (Mth. 28:18-20).

4 A ddylid dehongli pob rhan o'r Bregeth yn llythrennol, fel y mae rhai wedi honni? Neu a yw rhai dywediadau (megis Mth. 5:22, 39, 43) yn ormodiaeth? A yw'r Bregeth yn gasgliad o gorff o werthoedd moesol, neu yntau yn egwyddorion neu ymagweddau neilltuol ar gyfer 'aelodau'r deyrnas'? ...

5 I ba raddau y mae dywediadau unigol yn cael eu lliwio gan ddisgwyliadau (Iesu neu Mathew) o'r dyddiau diwethaf (h.y. eschatoleg)? Er enghraifft, a yw Iesu'n cymeradwyo agwedd ysgafn tuag at fwyd a dillad yn Mathew 6.25-34 oherwydd y pwyslais ar y dyddiau diwethaf neu am mai dyma yw'r agwedd gywir waeth pryd y daw'r diwedd?[42]

Casgliad

Patrwm defnyddiol ar gyfer trafod esboniadaeth, neu ddehongli'r ysgrythur yw nodi tri lleoliad lle gallai'r dehongliad hwnnw ddigwydd. Yn gyntaf, 'y tu ol i'r tesun', sef archwilio byd yr awdur, materion megis pwy ysgrifennodd y llyfr, pwy yw'r gynulleidfa, y cyd-destun hanesyddol, y lleoliad daearyddol a phwrpas y llyfr. Yn ail, 'y tu mewn i'r testun', sef archwilio materion megis iaith wreiddiol y llyfr, ei ddull, ei strwythur a'i ddefnyddiau llenyddol. Yn olaf, 'y tu blaen i'r testun', sef canolbwyntio ar y safbwyntiau a'r diddordebau a ddygir gan y darllenydd at y testun. [43]

Bydd rhai yn cael anhawster gweld cysylltiad rhwng eu hastudiaeth academaidd o'r Beibl a'r gorchwyl o sefyll o flaen cynulleidfa i bregethu. Bydd meddwl am ddehongli'r Beibl fel siwrnai i dri byd yn un ffordd o ddangos sut y gall astudiaeth ddifrifol o'r testun alluogi a chyfoethogi pregethu. Mae'n dangos hefyd sut y gall y broses o baratoi pregethau gael ei gyfoethogi gan adnoddau ysgolheictod beiblaidd.

Yn y bennod nesaf edrychwn ar ffyrdd eraill o wrando ar y Beibl wrth i ni geisio dirnad y neges y dymunwn ei throsglwyddo. Cyn symud ymlaen, er hynny, mae angen egluro nad yw'r pwyslais ar bregethu beiblaidd yn golygu fod yn rhaid i bob pregeth fod o'r un natur. Nid yw'r Llawlyfr hwn yn awgrymu mai ystyr pregethu beiblaidd yw sicrhau fod pob pregeth yn cael ei llunio yn 45 munud o hyd ac y dylai roi esboniad, adnod am adnod, ar ran neilltuol o'r Beibl. Oherwydd fel y mae David Day yn awgrymu, gall esboniadaeth feiblaidd fabwysiadu ffurfiau tra gwahanol.

Mae'r gair 'esboniadaeth' yn amwys. Fe'i defnyddir yn aml mewn ffordd gyfyngedig i olygu esboniad dadansoddol, adnod am adnod, o'r testun. Nid wyf am awgrymu'r fath beth. I mi, mae esboniadaeth yn golygu unrhyw broses a fydd yn sicrhau fod deallttwriaeth hanfodol o'r testun, yn ogystal â'i rymuster, yn cael ei gyfathrebu. Bydd y dull yn amrywio'n fawr. Yn wir, nid yw esboniadaeth gywir yn cael ei chydnabod bob amser fel pregeth ... Er hynny bydd y testun beiblaidd yn sylfaen i unrhyw gyfathrebu Cristnogol ... Fy ngobaith felly yw y bydd pregethu fel arfer rheolaidd yn cynnwys esboniadaeth ar unrhyw ddarn ysgrythurol.[44]

Fel y gwelwn ym Mhenodau 5-8, gellir mabwysiadu dulliau amrywiol wrth i ni geisio pregethu gyda gronyn o Ysgrythur. Ac fel yr awgryma Pennod 5, nid gwaith y pregethwr yw dadlwytho pob darn o wybodaeth am adran o'r Beibl ar wrandawyr blinedig. Yn hytrach, ei orchwyl yw ceisio dirnad y neges y mae Duw am ei chyflwyno o'r adran arbennig a ddewiswyd i gwmni o bobl ar achlysur arbennig.

Nodiadau

1. Helen Cameron, John Reader, Victoria Slater a Christopher Rowland, *Theological Reflection for Human Flourishing: Pastoral Practice and Public Theology* (London: SCM Press, 2012) 74.
2. Cameron et al., *Theological Reflection for Human Flourishing* 82.
3. Cameron et al., *Theological Reflection for Human Flourishing* 83-84.
4. Cameron et al., *Theological Reflection for Human Flourishing* 85.
5. Cameron et al., *Theological Reflection for Human Flourishing* 85.
6. Thomas G. Long, *The Witness of Preaching: Third Edition* (Louisville: WJKP, 2016) 51.
7. Long, *The Witness of Preaching* 51.
8. Long, *The Witness of Preaching* 51-52.
9. Colin E. Gunton, *A Brief Theology of Revelation*, (Edinburgh: T & T Clark, 1995) 61.

10. John Calvin, *Institutes of the Christian Religion*, I.vi.1.

11. James Limburg, *Hosea – Micah* (Atlanta: John Knox Press, 1988) 93.

12. Ann Morisy, *Bothered and Bewildered: Enacting Hope in Troubled Times* (London: Continuum, 2009) 3.

13. N. T. Wright, *Surprised by Hope* (London: SPCK, 2007) 157.

14. Wright, *Surprised by Hope* 218-44

15. Wright, *Surprised by Hope* 157

16. Walter Brueggemann, *The Word Militant: Preaching a Decentering Word*, (Minneapolis, MN: Fortress Press, 2007). Gweler e.e. pennod 10 'Preaching a Sub-Version.'

17. Walter Brueggemann, *The Prophetic Imagination: Second Edition* (Minneapolis, MN: Fortress Press, 2001) 116 ymlaen.

18. Gweler hefyd: Peter Stevenson, 'Where have all the prophets gone?' *Ministry Today* 56 (2012) 5-15.

19. Gweler y Llithiadur ar-lein ar y wefan a westeir gan Vanderbuild Divinity Library http://lectionary.library.vanderbilt.edu/

20. Gweler http://lectionary.library.vanderbilt.edu/

21. Stanley K. Stowers, 'Romans 7.7-25 as a Speech-in-Character (προσωποποιία) yn Troels Engberg-Pedersen (gol.), *Paul in his Hellenistic Context* (Edinburgh: T & T Clark, 1994) 180-202.

22. Paul Scott Wilson, *The Four Pages of the Sermon: A Guide to Biblical Preaching* (Nashville: Abingdon Press, 1996) 37.

23. Sidney Greidanus, *The Modern Preacher and the Ancient Text* (Eerdmans: Grand Rapids / IVP: Leicester, 1988).

24. Ellen F. Davis a Richard B. Hays, 'Learning to Read the Bible Again' *Christian Century*, April 20, 2004, 23-34.

25. W. Randolph Tate, *Biblical Interpretation: An Integrated Approach* (Peabody, Mass: Hendrickson, 2008) 1-7.

26. Tate, *Biblical Interpretation*, 4.

27. Michael J. Gorman, *Elements of Biblical Exegesis: A Basic Guide for Students and Ministers Revised Expanded Edition* (Grand Rapids: Baker Academic, 2010) 10.

28. Gorman, *Elements of Biblical Exegesis* 13.

29. Gorman, *Elements of Biblical Exegesis* 15-20.

30. R. L. Smith, *Micah-Malachi: Word Biblical Commentary* 32 (Dallas: Word, 1998) 152.

31. Elizabeth Achtemeier, *New International Biblical Commentary: Minor Prophets 1* (Peabody: Hendrickson, 1996) 260.

32. John Drane, *Evangelism for a New Age: Creating Churches for the Next Century* (London: Marshall Pickering, 1994) 37-39.

33. Philp Jenkins, 'Liberating Word: The power of the Bible in the global South' *Christian Century*, July 11, 2006, 25.

34. Philp Jenkins, 'Liberating Word' 25-26.

35. Tate, *Biblical Interpretation* 5.

36. Howard Peskett a Vinoth Ramachandra, *The Message of Mission* (Leicester: IVP, 2003) 22-23.

37. Daniel J. Trier, *Introducing Theological Interpretation of Scripture: Recovering a Christian Practice* (Apollos: Nottingham, 2008) 203.

38. M. Eugene Boring, 'The Gospel of Matthew' yn Leader E. Keck et al., *The New Interpreter's Bible Volume 8* (Nashville: Abingdon Press, 1995) 172.

39. Boring, 'The Gospel of Matthew' 111.

40. Boring, 'The Gospel of Matthew' 112.

41. Donald Hagner, *Matthew 1-13: Word Biblical Commentary Vol 33a* (Dallas: Word, 1998) 116.

42. Graham Stanton, 'Sermon on the Mount/Plain' yn Joel B. Green et al., *Dictionary of Jesus and the Gospels* (Leicester: IVP, 1992) 740.

43. Cameron et al., *Theological Reflection for Human Flourishing* 81.

44. David Day, *A Preaching Workbook* (London: Lynx, 1998) 15.

3

Chwilio am Drwbwl

Os am gyflwyniad fideo i Bennod 3 ewch i
studyguidepreaching.hymnsam.co.uk

Dianc rhag trwbwl

Tra'n fyfyriwr yn y coleg diwinyddol cefais gyfle i bregethu yn y dosbarth
pregethu yn flynyddol. Yr un fyddai'r patrwm o wythnos i wythnos. Disgwylid
i un o'r myfyrwyr arwain gwasanaeth byr a phregethu. Yn yr olygfa nesaf
o'r ddrama caed y staff a'r myfyrwyr i dynnu llinell mesur dros y cyfan a
chyflwyno awgrymiadau ar sut i wella'r bregeth ar gyfer y tro nesaf.

Yn fy ail flwyddyn dewisais bregethu ar Salm 139 a oedd bryd hynny, fel
sy'n wir heddiw, yn un o'm hoff ddarnau o'r Beibl. Wrth gynllunio'r oedfa,
sylwais fod y llyfr emynau a ddefnyddiwyd gan y coleg yn cynnwys detholiad
o adnodau o'r salm wedi eu trefnu ar gyfer eu darllen gan y gynulleidfa. Felly
penderfynais wahodd pawb i rannu yn y darlleniad o'r darn cyfarwydd hwn.

Yn eu doethineb, roedd golygyddion y llyfr emynau wedi hepgor yr
adnodau a oedd yn cynnwys y ffrwydrad ffyrnig: 'Fy Nuw, O na fyddit ti'n
lladd y drygionus.' Mae'n bosibl eu bod yn credu nad oedd teimladau o'r fath
yn gweddu i addoliad Cristnogol. Rhaid cyfaddef nad oeddwn yn poeni rhyw
lawer am hynny gan nad oedd y geiriau'n addas ar gyfer yr hyn y dymunwn
ei ddweud. Roedd hepgor y geiriau'n ymddangos fel syniad da ar y pryd, hyd
nes y daeth y sesiwn adborth pan ddywedodd y Prifathro: 'Mr Stevenson, pam
wnaethoch chi hepgor adnodau 19-21 yn y darlleniad?'

Ac wrth ddarllen y papurau adborth yn ddiweddarach sylwais fod un o'm cyd-fyfyrwyr wedi nodi'r un peth:

> *Beth am ddiwedd y Salm?*
> *Mae hyn yn brofiad dynol.*
> *Byddai hyn wedi gwreiddio'r mater yn well efallai.*
> *Gweld Duw ar waith yng nghanol dicter a gwendid dynol ...*
> *Er hynny, maent yn eiriau caled ...*

Ar y pryd cefais gryn drafferth i ateb cwestiwn pwysig y Prifathro. Roedd fy ateb clogyrnaidd ond yn dangos fod yr adnodau yn fy nychryn ac nad oeddwn yn gwybod sut oedd delio ag adrannau mor gythryblus yng nghyd-destun pregethu.

Cofiais am yr achlysur hwnnw ddegawd yn ddiweddarach, wrth gyfarfod â cherddorion ac arweinwyr addoliad i drefnu gwasanaethau'r dyfodol. 'Y Sul nesaf,' eglurais, 'rwy'n pregethu ar Salm 139 a thybiais a fyddai gennych unrhyw syniadau y gallaswn eu hystyried wrth baratoi'r bregeth.'

Roedd eu hymateb yn syndod ac yn galondid i'w glywed, oherwydd eu hadwaith yn gyntaf oedd gofyn: 'Fedrwch chi ein cynorthwyo i ddeall y rhan honno o'r Salm sy'n datgan, 'Fy Nuw, O na fyddit ti'n lladd y drygionus.'

Bu'r profiadau hynny'n gymorth i mi ddechrau gweld mai camgymeriad oedd osgoi'r adrannau caled hynny yn hytrach na delio â'r anawsterau. Mae profiad y blynyddoedd wedi fy argyhoeddi fod pregethwyr wrth fynd i'r afael â thestunau anodd yn ennyn sylw a chynnwrf ac yn chwistrellu egni a diddordeb i'w pregethau. Nid syndod felly oedd darganfod mai un gyfres o bregethau a ddenodd y diddordeb mwyaf oedd cyfres ar 'Ddywediadau Anodd Iesu'.

Edrych am drwbwl

A'r profiad hwnnw wedi aros yn y cof roedd yn ddiddorol gweld fod un athro yn annog pregethwyr i fynd i edrych am 'drwbwl' yn y testun. Mae Eugene Lowry, a fydd yn cael sylw pellach ym Mhennod 7, yn ysgrifennu'n chwareus am ofynion anodd paratoi pregeth.[1] Yn eironig mae'n awgrymu:

fod pregethu'r bregeth yn orchwyl hawdd. Paratoi un sy'n werth ei phregethu yw'r gwaith anodd. Fel Eleias yn yr ogof, disgwyliwn am y llais Dwyfol. Chwiliwn ym mhobman am y Gair. Yn aml, po mwyaf y chwiliwn, lleiaf a gawn.[2]

Mae'n ailadrodd y cyngor mai'r 'gorchwyl cyntaf wrth baratoi pregeth yw *gwrando ar y testun*'.[3] Dyna pam ei bod yn bwysig gwrando ar y testun beiblaidd drosom ein hunain, gan ei ddarllen yn uchel efallai cyn troi am gymorth arbenigol mewn esboniadau.

Awgryma y gallwn o wrando'n ofalus ar y testun beiblaidd, '*edrych am drwbwl*':

> Beth sydd am y testun nad yw'n gweddu? Oes unrhyw beth rhyfedd yma? Nid yw 'drwgdybiaeth ideolegol' yn gyfforddus i ni bob amser, yn enwedig os byddwn yn cael ein cynnwys yn ei wrthrych. Ond 'drwgdybiaeth' yn ei ystyr gadarnhaol o *archwilio'r ansicrwydd* yw'r union beth a allai fod o gymorth yma. Trwbwl o fewn, o gwmpas, ac ynglŷn â'r testun yw'r cyfle i ddarllen o'r newydd. Wrth arwain gweithdai llithiadurol, byddaf yn gofyn yn aml i'r myfyrwyr i ymrannu mewn grwpiau bychain ac i edrych am yr hyn sy'n *rhyfedd* yn y darn. Bydd unrhyw beth yn gymorth yn y fan hon os yw yn ein rhyddhau o'r arferol, yr hawdd ei dderbyn, y cyffredin a'r gwirionedd diniwed na fydd yn newid bywydau.[4]

Wynebu'r trwbwl yn Salm 139

Wrth ddychwelyd at y salm a achosodd gymaint o drafferth i mi yn nyddiau cynharaf fy mhregethu, mae'n bosibl gweld fel y gall mynd i'r afael â'r trwbwl fod o gymorth i ddatguddio deunydd gwerthfawr i'r pregethwr.

Bydd Cristnogion sy'n darllen Salm 139 yn ei chael yn anodd, os nad yn amhosibl, dychmygu Iesu'n gweddïo: 'Fy Nuw, O na fyddit ti'n lladd y drygionus.' Er hynny, er bod teimladau o'r fath yn mynd yn groes i'r alwad i 'garu ein gelynion', nid yw'n ddigon o gyfiawnhad dros hepgor adnodau 19-22 o'r weithred o addoli a phregethu.

Cyn edrych ar y cwestiynau y mae adnod 19 yn eu codi, y mae'n werth sylwi y gallai fod mathau eraill o drafferthion yn llechu yn y cefndir i Salm 139. Oherwydd y mae'n bosibl fod y salmydd wedi'i gyhuddo o eilunaddoliaeth a bod yr apêl yn adnodau 23-24 yn gadarnhad o'i ddiniweidrwydd.[5] Sylfaenir yr awgrym hwn ar y posibilrwydd fod yr ymadrodd 'ffordd a fydd yn loes i mi' yn adnod 24 yn gyfystyr â 'ffordd eilunaddoliaeth ... neu wrthgiliad'.[6] Mae'r sefyllfa'n difrifoli pan eglurir mai'r gosb am hyn fydd marwolaeth. (Deut. 13:13-16; 17:2-7).[7]

O gofio hyn oll mae'n bosibl dehongli'r salm fel gweddi o ddiolchgarwch, yn codi o wefusau rhywun a gafodd ei gamgyhuddo a'i gael yn ddieuog gan Dduw. O wynebu'r cyhuddiadau difrifol hyn, aeth y crediniwr â'i apêl i'r llys uchaf posib, a chyflwyno ei achos gerbron y Duw sy'n gwybod ei holl feddyliau (adnodau 1-6). Dyma'r Arglwydd sy'n bresennol ym mhob profiad, da neu ddrwg (adnodau 7-12). Mae'r salmydd yn hapus i osod ei achos yn nwylo'r un y bu ei ofal ohono yn gyson ers cyn ei eni (adnodau 13-18).

Byddai dehongli'r salm yng nghyd-destun profiad anodd y salmydd o gael ei gamgyhuddo yn gwneud dicter y geiriau yn adnod 19 yn fwy dealladwy, ond nid yw'n datrys yr anawsterau sy'n gysylltiedig â hwy.

Awgryma Stephen Dawes fod y ffordd y bydd pobl yn ymateb i'r problemau sy'n deillio o'r fath ddicter yn erbyn gelynion, yn disgyn yn fras i 'ddau ddull gwahanol, er yn aml yn gwau i'w gilydd'.[8]

Mae'r hyn a eilw'n ddull 'Seicolegol' i'r adrannau trafferthus hyn:

> yn dechrau drwy dderbyn fod y teimladau a fynegir yn yr adnodau hyn yn real, ac yn eiddo i bobl real, gan gynnwys pobl y ffydd heddiw. Pan yw pobl yn cael eu bygwth, eu brifo, eu cywilyddio neu'u cystuddio, yn enwedig mewn sefyllfa o ddiymadferthedd, fe all ac fe fydd eu hymateb yn llawn dicter.[9]

Mewn geiriau eraill, y mae'r adnodau hyn yn caniatáu i ni weld dynoliaeth amrwd y salmydd, sydd â'i ymateb i ddrygioni a chasineb yn rhyfedd o gyfarwydd. Gall llawer ohonom uniaethu ein hunain â'r teimladau hyn, oherwydd nid yw'n anodd dychmygu y gwnaem ymateb i bwysau eithafol yn y fath fodd. Ymhlith pethau eraill, mae'r amlygiad hwn o ddicter yn dangos fod Duw yn ddigon mawr i gymryd ein poen a'n dolur, ein hwylofain a'n galar, yn ogystal â'n clod a'n moliant. Mae'r geiriau o ddigofaint yn Salm 139:19 yn syrthio'n fyr o'r cariad a ymgorfforwyd yn Iesu, ond nid yw dynoliaeth amrwd y salmydd yn lleihau dim ar fawredd y Duw yr addola.

... yn ddiniwed, ac yn blentynnaidd braidd, mae 139 ar ganol ei emyn o fawl yn taflu i'r pair (19) 'Fy Nuw, O na fyddit ti'n lladd y drygionus' – fel pe tasai'n syndod fod y fath feddyginiaeth syml ar gyfer anhwylderau dynol heb wawrio ar yr Hollalluog.[10]

Yr ail ddull a ddisgrifir gan Dawes yw'r un a elwir ganddo yn ddull 'Cyfiawnder', sy'n rhoi llais i'r dyhead ar i'r barnwr dwyfol ymyrryd i'n 'gwared rhag yr Un drwg' unwaith ac am byth. Heb unrhyw arlliw o eilunaddoliaeth neu wrthgiliad, mae'r salmydd yma'n rhoi ei deyrngarwch i Dduw yn y frwydr dros gyfiawnder, oherwydd:

> bydd pobl sy'n eiddo Duw (adn. 1-18) ac sy'n ceisio byw yn ôl bwriad Duw (adn. 23-24) yn wynebu gwrthwynebiad gan y rhai sy'n gwrthwynebu Duw ... Er bod adn. 19-20 yn ymddangos fel petaent yn galw am ddial personol, mae eu hystyr yn lletach a dyfnach; gofynnant i Dduw osod pethau'n iawn yn y byd; mewn geiriau eraill, 'gwneler dy ewyllys'.[11]

Mewn geiriau eraill, mewn byd syrthiedig lle mae llawer yn gwrthwynebu ewyllys Duw, mae'r salmydd yn datgan yn uchel a chlir ei fod ef o blaid y cyfiawnder dwyfol.

Daw'r salm i ben nid ar nodyn o ddialedd ond gyda gweddi o ymostyngiad ac ymddiriedaeth (adn. 23-24). Awgryma Kenneth Slack fod yr adnodau olaf hyn yn gadael y darllenydd i ateb cwestiynau personol treiddgar. Gofynna:

> A yw'r salmydd yn sylweddoli'n sydyn nad yw drygioni mor syml â hynny? Beth am ei feddyliau *ef ei hun*? Beth mae Duw yn ei wybod amdano mewn gwirionedd? ... Os bydd Duw yn fy chwilio, meddylia'r salmydd, ac yn twrio i'm hymysgaroedd – yn yr union ffordd y bûm yn ei foliannu – beth fydd e'n ei ddarganfod? Pa gymhellion a ddatgelir, pa haenau tywyll o fethiant a drwgdeimlad a phopeth arall? Pe bai Duw yn delio â'r drygionus yn y ffordd a geisiaf i, beth fyddai fy nhynged i?[12]

Mae mynd i'r afael â'r salm yn y ffordd yma yn dystiolaeth bellach o werth cymryd tri 'byd' y testun o ddifrif. Mae'r cwestiynau dealladwy sy'n codi heddiw am eiriau blin adnodau 19-21 yn deillio o'r *byd y tu blaen i'r testun*. Gall meddwl am y sefyllfa bersonol sydd y *tu ôl i'r testun* ddyfnhau ein dealltwriaeth o'r adran. Mae talu sylw agos i'r *byd y tu mewn i'r tesun* hefyd yn chwarae ei ran oherwydd y mae'r geiriau penodol yn adnod 24 yn awgrymu beth yw natur y cyhuddiad yn erbyn y salmydd.

Gweithio'n homiletaidd gyda'r trwbwl yn Salm 139

Mae sawl ffordd wahanol o ddatblygu pregeth sy'n cymryd yr holl salm i ystyriaeth. Un ffordd yn unig yw'r canlynol.

Cyflwyniad	Un ffordd o gyflwyno'r salm fyddai gofyn i aelodau'r gynulleidfa i feddwl am eu hoff ddarnau o'r Beibl. I rai pobl mae Salm 139 yn ffefryn sy'n ysbrydoli a chysuro.
1 Gweledigaeth o Dduw	Nid yw'n anodd gweld pam mae'r salm hon yn denu. Mae'n cyfleu darlun calonogol o'r: • Duw sydd yn ein hadnabod (adn. 1-6); • Duw sydd gyda ni bob amser ac ym mhobman (adn. 7-12); • Duw sydd â'i ofal trosom yn ymestyn yn ôl i'r cyfnod cyn ein geni (adn. 1-6). Gyda'r fath weledigaeth o Dduw nid yw'n syndod i'r salmydd floeddio: 'Mor ddwfn i mi yw dy feddyliau, O Dduw' (adn. 17).
2 Ochneidio mewn poen	Ond yna wedi i ni gael ein codi i'r entrychion, down yn ôl i'r ddaear yn sydyn! Oherwydd ceir newid dramatig yn yr awyrgylch yn adn. 19, lle clywir y salmydd yn ochneidio: 'Fy Nuw, O na fyddit ti'n lladd y drygionus.' Beth wnawn ni o'r ochenaid yma felly? Pan graffwn ar y testun, sydd o bosib yn adlewyrchu profiad rhywun a gamgyhuddwyd o addoli duwiau eraill, efallai y down i ddeall beth sy wedi achosi ei ddicter. Ni chynhwysir teimladau o'r fath yn y salmau i'n hannog i ymateb yn y ffordd yma, ond eu bwriad yw datguddio dynoliaeth amrwd a ffaeledig y person a gafodd weledigaeth ysbrydoledig o Dduw.

3 Ildio mewn gweddi	Disgrifiodd un aelod eglwysig ei phrofiad o gael ei magu mewn eglwys lle'r oedd llun o lygad mawr wedi'i baentio ar y mur, yn symbol o'r syniad fod Duw yn gwylio ei bobl. Fel plentyn nid oedd y llun yn gysur iddi, ond yn hytrach fe gododd ofn arni. Eto, i'r salmydd, mae gwybod mai Duw yw'r un 'nad oes dim yn guddiedig iddo' yn achos llawenydd. Oherwydd mae'n ymddiried fod y Duw sy'n gwybod y stori'n llawn yn dal i ofalu amdano a'i garu. Ac felly mae'n ildio ei fywyd i Dduw gan weddïo 'Chwilia fi, O Dduw ... '
Casgliad	Mae dyfodiad Iesu Grist yn ein hargyhoeddi mai'r Duw a ŵyr y cyfan y gellir ei wybod amdanom yw'r un sy'n cynnig ei gariad yn ddiamod i ni. Mae gwybod fod Mab Duw wedi ein caru a'n prynu â'i waed yn anogaeth i ni roi ein bywydau yn nwylo Duw ac i weddïo 'Chwilia fi, O Dduw ... '

Chwilio am drwbwl yn y testun

Ym Mhennod 2 trafodwyd fel y mae talu sylw i dri byd y testun yn ein galluogi i fwrw ati i 'graff ddarllen' adrannau o'r Ysgrythur megis Mathew 5:38-48. Nid yw'n anodd gweld fod digon o drwbwl yn ein disgwyl yn y fan honno. Er enghraifft, mae llond lle o drwbwl yn adnod 43, lle mae Iesu yn gorchymyn i'w ddilynwyr garu eu gelynion!

Ond a yw hi'n ymarferol i ni wneud hynny, ac a yw hynny o fewn ein gallu dynol? Edrychwch beth ddigwyddodd i'r person a ddywedodd wrthyn am garu ein gelynion!

Mae'r ymarferiad canlynol yn eich gwahodd i ddarllen darn arall o'r Efengylau lle gellir dod o hyd i sawl math arall o drwbwl.

MUNUD I FEDDWL

- Darllenwch Luc 9: 18-27.
- Pa drwbwl welwch chi yma?
- Sut all y trwbwl hwnnw fod yn fan cychwyn ar gyfer pregethu?

Darganfod y trwbwl yn Ioan 13

Bu'n fraint cael pregethu mewn nifer o wasanaethau ordeinio dros y blynyddoedd. Ar un achlysur yn ddiweddar fe'm gwahoddwyd gan y person oedd yn cael ei ordeinio i bregethu ar Ioan 13. Roeddwn eisoes wedi pregethu ar rannau o'r bennod mewn Gwasanaethau Cymun ar ddydd Iau Cablyd. A minnau'n dymuno edrych o'r newydd ar y bennod gofynnais i gwmni o fyfyrwyr dreulio amser gyda mi yn bwrw golwg drosti.

Yn sgil trafodaeth ar dri byd y testun cafwyd hyd i ddeunydd crai defnyddiol ar gyfer pregethu.

Wrth werthfawrogi'r *byd* diwylliannol *y tu ôl i'r testun* syfrdanwyd ni gan natur ymddygiad Iesu. Oherwydd yn niwylliant y Dwyrain Canol yn y ganrif gyntaf, gorchwyl ar gyfer 'caethweision Cenhedlig, a gwragedd a phlant, oedd golchi traed'.[13]

O dalu sylw manwl i'r *byd y tu mewn i'r testun* cafwyd mwy na digon o ddeunydd ar gyfer llawer o bregethau. Er enghraifft, ar ddechrau Ioan 13 eglurir fod 'Iesu'n gwybod fod ei awr wedi dod.' Rhaid darllen y sylw yma yng nghyd-destun ailadrodd 'awr' Iesu drwy Efengyl Ioan (gw. Ioan 2:4; 7:30; 8:20; 12:23, 27; 13:1; 17:1). Atgoffir ni drwy'r pwyslais ar ddyfodiad yr awr nad damwain drychinebus a welir yn y digwyddiadau oedd i ddilyn ond gweithred o gynllun dwyfol.

Wrth gydnabod ein lle yn y *byd y tu blaen i'r testun*, daethom â'n cwestiynau at y testun. Swyddogaeth Jwdas oedd byrdwn nifer o'r cwestiynau a gododd. Yn gynnar yn y bennod dywedir fod 'y diafol eisoes wedi gosod yng nghalon Jwdas fab Simon Iscariot y bwriad i'w fradychu ef' (Ioan 13:2). Wrth i'r naratif ddatblygu, gwelir Iesu'n rhybuddio ei gyfeillion fod un ohonynt yn mynd i'w fradychu, a phan fydd hyn yn digwydd, bydd yr Ysgrythur wedi'i chyflawni (Ioan 13:18). Felly, ai penderfyniad gwirfoddol oedd hyn yn hanes Jwdas, neu a wnaeth Duw ddiystyru ei ryddid fel y gallai'r Ysgrythur gael ei chyflawni? Yn sicr, mae digon yma i fynd i'r afael ag ef wrth lunio pregeth.

Ochr yn ochr â'r cwestiynau cymhleth hyn am y berthynas rhwng sofraniaeth ddwyfol a rhyddid dynol, gofynnodd rhywun y cwestiwn syml, ond praff: 'A olchodd Iesu draed Jwdas?'

Mae bwrw golwg fras ar Ioan 13 yn datgelu fod digon o *drwbwl* yn y testun ac o gylch y testun. Wrth gynllunio'r bregeth ar gyfer y gwasanaeth ordeinio, gwneuthum ddefnydd bwriadol o'r *trwbwl yn y testun*.

Defnyddio'r trwbwl yn Ioan 13 mewn pregeth

Yn y bregeth ordeinio soniais am y profiad o gael sioc wrth newid bylb i awgrymu fod fy nghyfaill wedi dewis darn syfrdanol o'r Ysgrythur ar gyfer ei gwasanaeth ordeinio. Roedd y syniad y gallai rhywun gael ei ddal yn ôl gan weithred o 'sioc' a 'thrwbwl' yn gymorth i ddal y bregeth at ei gilydd.

I ddechrau, eglurais fod Ioan 13 yn cynnwys gweithred o *sioc ysgytiol* oherwydd ei fod yn disgrifio sut y cymerodd Iesu ran y gwas i olchi traed y disgyblion (Ioan 13:2-5). Mae golchi traed yn dipyn o sioc i'r system heddiw, yn arbennig am fod pobl yn byw mewn cymdeithas lle mae cymaint yn cystadlu ac yn ymladd i gyrraedd y brig. Roedd yn fwy fyth o sioc yn nyddiau Iesu.

Oherwydd 'ym myd Iesu byddai gweision yn golchi traed eu meistr wedi iddo ddychwelyd o'i daith, neu wraig efallai'n golchi traed ei gŵr, ond nid y ffordd arall.' [14]

Mae awdur arall yn gwneud yr un pwynt wrth egluro 'y byddai'r weithred wasaidd o olchi traed yng ngolwg yr Iddew yn waith na ddylid disgwyl i weision Iddewig ei gyflawni ... neilltuwyd y dasg honno i gaethweision Cenhedlig, gwragedd a phlant.' [15]

A dyma Iesu'r athro, Iesu'r meistr, yn rhoi sioc i bawb yn yr ystafell drwy ymostwng i gyflawni gwaith y gwas a golchi traed ei ddisgyblion.

Yn y diwylliant patriarchaidd a fodolai bryd hynny roedd gweithred Iesu, fel dyn, yn syfrdanol ac yn ysgytiol. Roedd y ffaith fod Iddew wedi cymryd rhan y gwas yn y ffordd yma yn arwydd broffwydol, ac yn cwestiynu'r arfer o stereoteipio ar sail rhyw, a thrwy hynny yn herio dynion – a merched – ym mhob oes i ddilyn ei esiampl. (Ioan 13:14-15).

Mae gweithred Iesu'n ysgytiol am ei bod yn troi'r patrwm arferol wyneb i waered – aiff i gyfeiriad sy'n wahanol i'r arfer gyffredin, lle mae pobl yn rhuthro am y copa.

Wrth wylio gweithred ysgytiol Iesu, cawn ein gorfodi i ofyn: 'Beth mae hwn yn ei wneud?' 'Beth sy'n mynd i ddigwydd os na chedwir at y *status quo*?' 'Beth sy'n mynd i ddigwydd os na fydd gweision yn ufuddhau i'w meistri?' 'I ba beth mae'r byd yn dod?'

Mae'r weithred ysgytiol hon o eiddo Iesu yn ennyn *ymateb ysgytiol* gan Simon Pedr (Ioan 13:6-10). Mae'n amlwg oddi wrth yr Efengylau fod gan Pedr ddawn arbennig i gamddeall. Hwyrach mai'r peth mwyaf syfrdanol ynglŷn â Pedr oedd iddo dreulio tair blynedd yng nghwmni Iesu heb ddeall beth oedd pwrpas dyfodiad Iesu yn y lle cyntaf.

Yn y fan yma cydnabyddais yn gyhoeddus fy nyled i fyfyrwyr y seminar am eu cymorth wrth baratoi'r bregeth a chyfeiriais at eu cwestiwn: 'A olchodd Iesu draed Jwdas?'

Os ydym yn cael ein syfrdanu fod Pedr yn dal heb ddeall Iesu wedi tair blynedd o fod yn ddisgybl iddo yn ei ysgol ddiwinyddol – cawn fwy o sioc o glywed y gallai un o'i gyfeillion ei fradychu fel hyn.

Fel y dywedodd un pregethwr: 'ymhlith y disgyblion y mae un sy'n parhau yng ngwasanaeth galluoedd yr oes hon. Mae brad wrth galon yr Eglwys, ac fe ŵyr Iesu hynny ac fe wyddai o'r dechrau. Rhaid i'w ddisgyblion wybod hefyd, a chael eu rhybuddio rhag i'w ffydd ddatgymalu.'[16]

A gwyddom mai'r gwir o hyd yw bod *'brad wrth galon yr Eglwys'* oherwydd mai pobl fel chi a fi yn parhau i wadu Iesu fel y gwnaeth Pedr maes o law, a'i fradychu fel y gwnaeth Jwdas, drwy'r drwg a wnawn a'r daioni na wnawn.

Ond rhag i ni deimlo'n gwbl ddigalon, gadewch i mi gyhoeddi ychydig o newyddion da o ganol y gwadu a'r bradychu.

A olchodd Iesu draed Jwdas?

Credaf mai'r ateb yw 'Do' – golchodd draed Jwdas yn ogystal â thraed gweddill y disgyblion. Drwy olchi eu traed dangosodd cymaint oedd ei gariad tuag atynt oll – gan gynnwys Jwdas.

Os darllenwn ymlaen yn y bennod hon cawn hyd i fanylyn sy'n hawdd iawn ei golli, sef i Iesu wlychu darn o fara mewn llestr o berlysiau a'i roi i Jwdas (Ioan 13:23-30).

Pan edrychwn ar *y byd y tu ôl i'r testun*, gwelwn fod gwlychu bara mewn llestr o berlysiau a'i gynnig i rywun, yn y diwylliant hwnnw, yn arwydd o gariad a chyfeillgarwch. Felly hyd at y diwedd, drwy olchi ei draed a gwneud yr arwydd hwn o gariad a chyfeillgarwch, roedd Iesu'n cynnig ei gariad i Jwdas.

Crynhoir y cyfan yn dda gan y pregethwr sy'n egluro: 'Yma mae Iesu, sydd eisoes wedi anrhydeddu Jwdas drwy roi lle iddo wrth ei ochr, yn rhoi arwydd distaw arall o gariad a chyfeillgarwch drwy wlychu'r tamaid bara a'i gynnig iddo.'[17]

Ac mae hyn yn galondid i mi oherwydd mae'n cyfeirio at y gwirionedd fod y Crist atgyfodedig yn parhau i gynnig ei gariad er ein bod yn baglu ac yn methu mor aml, hyd yn oed pan fyddwn yn ei wadu drwy'r drwg a wnawn a'r da na wnawn.

Felly, beth yw'r sioc fwyaf?

- Jwdas yn bradychu Iesu?
- Neu Iesu'n dal i garu Jwdas?
- Ein bod ni'n bradychu Iesu?
- Neu fod Iesu'n dal i'n caru?

Aeth y bregeth yn ei blaen i gyfeirio at ddadleuon y gwleidyddion sy'n pysgota am ein pleidleisiau adeg etholiadau. Fe'm hysgogwyd fan hyn i awgrymu na fyddai Iesu'n debygol o fod yn llwyddiannus mewn etholiad oherwydd iddo wneud yr *awgrym ysgytiol* ein bod i ddilyn ei esiampl drwy wasanaethu eraill mewn hunanaberth (Ioan 13:12-17).

Tua diwedd y bregeth, tynnais sylw at fanylyn yn *y byd y tu mewn i'r testun*, drwy gyfeirio at Ioan 13:4, sy'n crybwyll fod Iesu wedi 'rhoi ei wisg o'r neilltu'. Mae'n ddiddorol mai'r gair a ddefnyddir yma yw'r un a ddefnyddiwyd yn gynharach yn Efengyl Ioan, lle mae Iesu'n siarad am y Bugail Da yn *rhoi* ei fywyd dros y defaid (Ioan 10:11, 15, 17, 18). Mae darlleniad manwl o'r testun yn ein hatgoffa fod y weithred ysgytiol yma o eiddo Iesu yn arwydd broffwydol o'r groes lle bydd yn rhoi ei fywyd mewn gweithred aruchel o gariad dros eraill.

Felly, mae hon yn stori sy'n ysgwyd rhywun i'r byw nid yn unig am fod cysgod y groes yn disgyn arni, ond am fod y cysgod hwnnw yn disgyn ar y weinidogaeth Gristnogol yr oeddem yn ei hystyried yng nghyd-destun y gwasanaeth ordeinio.

Mae'r weinidogaeth Gristnogol yn galw ar bobl i ffordd o fyw sy'n cynnwys:

- Rhoi'n bywyd dros eraill.
- Codi'r groes bob dydd.
- Galluogi cyd-gredinwyr i godi'r groes bob dydd.
- Gwahodd pawb i godi'r groes bob dydd.
- Dilyn Iesu drwy wasanaethu Duw ac eraill mewn hunanaberth.

Pwysigrwydd edrych am drwbwl

Nid ystryw homiletaidd glyfar ar ran y pregethwr yw chwilio am drwbwl yn y testun er mwyn deffro cynulleidfaoedd cysglyd. Bydd unrhyw bregethwr sy'n cymryd y Beibl o ddifrif yn dod ar draws digon o drwbl yn hwyr neu'n hwyrach. Pan ddigwydd hynny, bydd yn hanfodol yn ddiwinyddol a bugeiliol i beidio 'cerdded o'r tu arall heibio' a chwilio am destun mwy llawen ar gyfer y Sul.

Yn y byd budr, go iawn, mae pobl sy'n gwrando pregethau yn gwybod o brofiad nad oes sicrwydd y bydd 'pethau'n siŵr o wella'.[18] Bydd methiant i ddelio â dimensiwn trwblus y testun – a bywyd bob dydd – yn ein pregethu, yn ei gwneud yn anos i gyfathrebu ffydd ddilys ac aeddfed sy'n ddigon cadarn i wynebu heriau bywyd.

MUNUD I FEDDWL

Darllenwch y darn canlynol o erthygl gan Mathew Boulton, sy'n dadlau'n ddiwinyddol dros adfer y defnydd o alarnadau mewn addoliad Cristnogol.

Credaf fod mwy nag un ddadl dros yr adferiad hwn, a'r pennaf ohonynt yw ei fod yn ymwneud ag anghenion emosiynol a seicolegol cynulleidfaoedd dioddefus fel fy eiddo i; mae a wnelo'r dadleuon â'r cyhuddiad fod eglwysi Cristnogol yn anwybyddu'r ymdeimlad o ddicter a phoen yn eu litwrgïau, a'u bod i bob pwrpas yn cefnu ar bobl ddigofus a phoenus, ac yn eu gadael i ddioddef ar wahân i'r cynulliad o addolwyr, a thrwy hynny yn eu tyb hwy, ar wahân i Dduw.

Dyma broblem diwinyddiaeth fugeiliol ac ymarferol, ac mae'n fater brys ... awgrymaf fod ffurfiau o alarnadu yn cyflawni gwaith anhepgorol yn y bywyd litwrgaidd Cristnogol, nid yn unig drwy weinidogaethu i bobl sydd wedi ymgolli mewn dicter ac anobaith, ond hefyd am eu bod yn gwneud i ni ailystyried y modd yr addolwn Dduw – hynny yw, yn ein hymgais i ddiolch, parchu, gofyn, a mwy na dim arall, moliannu Duw. Mae'r alarnad, mewn gair, yn gwneud gwir fawl yn bosibl. Y berthynas gymhleth rhwng mawl a galarnad sy'n gwneud gwir addoli'n bosibl, ac felly os esgeuluswn y litwrgïau hyn, yr ydym nid yn unig yn peryglu priodoldeb ein mawl, ond hefyd ein cyd-symud i gyfeiriad Duw mewn addoliad.[19]

- Beth yw eich barn am ei sylwadau?
- I ba raddau y tybiwch fod ei sylwadau yn berthnasol i bregethu?

Gwneud synnwyr o'r trwbwl yn y testun

Fel ysgolhaig yr Hen Destament, mae Walter Brueggemann yn ein hannog i dalu mwy o sylw i adrannau cythryblus, megis y Salmau Galarnad.

Mewn erthygl arloesol, mae'n rhoi golwg newydd ar bethau drwy awgrymu fod y 'dilyniant o *gyfeiriad - di-gyfeiriad - ailgyfeiriad* yn gymorth i ddeall swyddogaeth a dibenion y Salmau.'[20] Mae cydnabod y ddeinameg hon yn gymorth i egluro swyddogaeth y salmau ym mywyd ac addoliad pobl Dduw yn y gorffennol, ac mae hefyd yn cynnig adnoddau ar gyfer meithrin ffydd heddiw. Ar y sail yma, mae'n rhannu'r salmau yn dair adran sy'n adlewyrchu y gwahanol agweddau ym mhrofiadau pobl o Dduw.[21]

Mae'r *Salmau Cyfeiriad*, megis Salm 145, yn llawn ffydd, ymddiriedaeth a hyder yn y Duw sy'n sicrhau fod popeth yn dda drwy ei gariad nerthol. O dan y pennawd hwn, mae Brueggemann yn cynnwys 'rhai o'r Salmau Esgyniad (e.e. 127; 128; 131; 133) sy'n adlewyrchu'r bywyd teuluol iach. Dyma lais diolchgarwch a ffyddlondeb diffuant am fendithion gwerthfawr.'[22]

Yn y *Salmau Di-gyfeiriad*,[23] mae credinwyr yn protestio ar goedd i Dduw am y dioddefaint a'r anghyfiawnder y maent yn ei brofi. Mae'r fath alarnadu yn deillio o brofiadau ingol a thrychinebus ac maent yn codi amheuaeth am y ffydd a etifeddwyd ganddynt. Mae cwestiynu'r ffydd a fu'n annwyl ganddynt yn amlwg yn yr alarnad sy'n cwmpasu Salm 42 a 43, ac yn y gri drallodus yn Salm 22:1, 'Fy Nuw, fy Nuw, pam yr wyt wedi fy ngadael?' Dadl Brueggemann yw bod y Salmau Di-gyfeiriad:

> yn fynegiant o deimladau'r sawl sy'n cael fod eu hamgylchiadau wedi newid i fod nid yn gymaint yn anghyfleus ond yn beryglus, ac ni hoffant hynny. Dyma leisiau gŵyr a gwragedd caethiwus yn ceisio cyfarwyddo â'u sefyllfa newydd, yn ceisio bwlch yn y clawdd, yn chwilio yn y tywyllwch am arfau cudd, yn trethu nerfau ac amynedd y rhai a wnaethai gam â hwy ... Mae llefarwyr y Salmau hyn mewn cyflwr bregus ac mae llais y realiti anobeithiol, ofnus a llawn casineb wedi ei ollwng yn rhydd heb y ddysgeidiaeth gonfensiynol ddeallus arferol.[24]

Cyfeiria Brueggemann hefyd at y *Salmau Ailgyfeiriad*,[25] sy'n dathlu'r Duw a ddaw i gyfarfod â'i bobl yn eu blinder ac sy'n esgor ar ffydd ddyfnach ac annisgwyl. Mae'r emynau dathlu hyn 'yn adlewyrchu profiad digamsyniol pobl sydd wedi darganfod fod y byd wedi dod i ben a bod creadigaeth newydd wedi ei roi. Er i fywyd ddatgymalu cafodd ei ailffurfio'n wyrthiol.'[26] O ganlyniad, mae'r addolwr yn gwahodd eraill i ddathlu'r realiti newydd; 'Canwch i'r Arglwydd gân newydd, oherwydd gwnaeth ryfeddodau' (Salm 98:1).

Homileteg a chyfeirio – dargyfeirio – ailgyfeirio

Mae'n ymddangos fod y ffordd yma o ddarllen y Beibl wedi dylanwadu ar agwedd Barbara Brown Taylor tuag at bregethu, oherwydd mae'n egluro pan ddaw'n fater o lunio pregethau mai'r peth cyntaf a wna yw meddwl 'yn nhermau cyfeiriad, di-gyfeiriad ac ailgyfeiriad.'

Byddaf yn ysgrifennu'r llythrennau o dan ei gilydd ar y dudalen – C,D,A – a cheisio llenwi'r bylchau. Mae a wnelo Cyfeiriad â'r hyn a wyddom, neu y tybiwn ein bod yn ei wybod am y testun. Dyna fy nod cyntaf: dechrau gyda'r wybodaeth am y testun sy'n gyffredin i ni. Bydd hynny'n rhoi cyfle i bobl ddod i arfer â mi wrth i mi geisio ennill eu hymddiriedaeth.

Os llwyddaf, mae gobaith y gwnânt aros gyda mi wrth symud ymlaen i'r cam nesaf yn y sgwrs. Mae'r dargyfeirio'n digwydd pan fyddaf yn newid fy mhersbectif ar y testun. Fel arfer, mae'n cyd-fynd â'r rhan honno lle dyfnhaodd fy niddordeb yn fy astudiaeth ... Beth sy'n tarfu ar y cydbwysedd?

Ond nid wyf am adael pobl yn ddi-gyfeiriad, ac felly'r trydydd cam yw ailgyfeirio. Wedi bwrw'r testun oddi ar ei echel, sut daw pethau i drefn eto? Fy ngobaith yma yw cael ychydig o newid yn y persbectif – cyn lleied â phum gradd hyd yn oed – a hynny fel bod y darn yn darllen o'r newydd. Gyda llaw, nid yw hyn yn cael ei gynhyrchu ar gyfer y gynulleidfa. Os na wnaf brofi symudiad yn y ffordd rwy'n gweld pethau, wnaiff y gynulleidfa ddim chwaith. Mae'n bwysig fy mod yn aros am ryw fath o ddatguddiad ac yna'n ei drosglwyddo gorau y gallaf.

Tra'n credu y dylai pregethwyr arbrofi gyda phob math o ddulliau, cefais y dull hwn yn ddibynadwy.[27]

Salm 139 a chyfeirio – dargyfeirio – ailgyfeirio

Wrth edrych eto ar yr amlinelliad o'r bregeth ar Salm 139 a ddatblygwyd eisoes yn y bennod hon, mae'n ymddangos fod rhyw broses o *gyfeirio – dargyfeirio – ailgyfeirio* ar waith.

Cyfeirio Rhannu'r hyn sy'n gyffredin i ni yn y darn.	Mae'r pregethwr yn creu perthynas ac ymddiriedaeth gyda'r gynulleidfa drwy gadarnhau'r elfennau allweddol yng ngweledigaeth y salmydd o Dduw. Gyda'n gilydd rydym am gadarnhau ein ffydd a'n hymddiriedaeth yn y Duw sydd â'i ofal drosom yn estyn yn ôl i'r cyfnod cyn ein geni.
Dargyfeirio Dargyfeirio rhyw ychydig yn y drafodaeth.	Mae'r llef ingol – 'O Dduw, O na fyddit ti'n lladd y drygionus' – yn taro nodyn annymunol, ac yn achosi rhyw gymaint o ddargyfeirio i'r drafodaeth. Nid ydym yn disgwyl clywed iaith mor waedlyd mewn capel – felly beth wnawn ni?
Ailgyfeirio Wedi bwrw'r darn oddi ar ei echel, sut mae adfer y sefyllfa?	Fel diwinydd y gymuned, gorchwyl y pregethwr yw helpu'r gynulleidfa i feddwl yn feiblaidd ac yn Gristnogol am y cwestiynau sy'n codi o'r geiriau. Yn y cyd-destun hwn, efallai y bydd ailgyfeirio yn golygu helpu pobl i sicrhau gweledigaeth newydd o Dduw sy'n fwy nac abl i ddelio â'n hemosiynau brau. Mae adnabod y math yma o Dduw yn cynnig sylfaen i ffydd sy'n ddigon cadarn i wynebu sefyllfaoedd cythryblus bywyd.

Adnoddau i fyfyrio ar drwbwl

Awdur arall sy'n gwneud y defnydd gorau o drwbwl yng ngwasanaeth pregethu yw Paul Scott Wilson. Yn ei *Four Pages of the Sermon*[28] mae'n mynd drwy'r camau canlynol:

1 Trwbwl yn y Beibl.
2 Trwbwl yn y Byd.
3 Gweithredoedd Duw yn y Beibl.
4 Gweithredoedd Duw yn y Byd.

'Dyma'r broblem ... dyma ymateb yr efengyl ... dyma'r goblygiadau.'
  Mae un o'r canllawiau cynllunio pregeth a ddefnyddir gan Thomas Long yn cysylltu â'r drafodaeth am ddelio gyda thrwbwl mewn pregethau.
  'Fe'i gelwir weithiau yn ffurf "efengyl-cyfraith" neu "datrysiad problemau", ac mae'n cychwyn drwy archwilio'r benbleth ddynol ac yn cyhoeddi honiad y bregeth mewn ymateb i hynny. Mae ar ei fwyaf effeithiol pan fo'r gwrandawyr yn rhannu angen neu argyfwng'.[29]

Y trwbwl yw does neb yn gwrando

Gosodwyd Sedeceia fab Joseia yn frenin ar yr orsedd yng ngwlad Jwda gan Nebuchadnesar yn lle Coneia fab Jehoiacim; ond ni wrandawodd ef, na'i weision na phobl y wlad, ar eiriau'r Arglwydd a lefarwyd trwy'r proffwyd Jeremeia.

Jeremeia 37:1-2

Yn Jeremeia 37 cawn fod y brenin, Sedeceia, mewn trwbwl mawr. Llywodraethwr diymadferth ydoedd a ddyrchafwyd i'w swydd gan y gorchfygwr Nebuchadnesar, Brenin Babilon. O gael ei ddal yn y canol rhwng galluoedd mawr yr Aifft yn y de a Babilon yn y gogledd, nid yw Sedeceia'n gwybod ble i droi. Yng ngoleuni symudiadau diweddaraf y lluoedd, mae ei gynghorwyr yn awgrymu cynghrair gyda'r Aifft. 'Mae'r brenin, y creadur truenus ag ydyw, mewn perygl ac wedi'i ddal yn y canol rhwng y pwerau mawr'.[30]

Mae persbectif diwinyddol *y byd y tu mewn i'r testun* yn awgrymu mai achos ei fethiant yw ei amharodrwydd i wrando ar Dduw. O gymharu â Jeremeia a ufuddhaodd i 'air yr Arglwydd' (e.e. Jeremeia 1:4, 11; 2:1; 3.6; 11:1; 13:1; 15:16), wnaiff Sedeceia ddim 'gwrando'.

> **37.1-2:** Creadur at ddefnydd Babilon yw Sedeceia (cf. 2 Bren. 24:17). Mae'n llywodraethu ar drugaredd Nebuchadnesar. Mae'r ffaith mai pyped ydoedd yn sicr o fod wedi ennyn gwrthwynebiad y 'gwir wladgarwyr'. Dyma ffaith gyntaf teyrnasiad Sedeceia. Er hynny, un manylyn bach yw'r ffaith Fabilonaidd. Y broblem ganolog yw'r ffaith nad oedd Sedeceia'n barod i 'wrando' (shema). Wrandawodd neb – y brenin, ei lys, y ddinas na'i dinasyddion. 'Gwrando' yw thema allweddol y rhan yma o'r testun. Yn nefnydd yr un gair hwnnw amlyga'r testun, nid yn unig bwysigrwydd eiriolaeth Jeremeia, ond traddodiad y tora o ufudd-dod a ffyddlondeb. 'Gwrando' yw cydnabod mai Iawe a thraddodiad y tora sy'n darparu'r sail i fywyd a grym. Mae penderfyniad Sedeceia i wrthod gwrando yn benderfyniad i anwybyddu traddodiad, gwrthod y proffwyd, chwalu'r hunaniaeth ddiwinyddol, a diystyru pwrpas trosgynnol mewn gwleidyddiaeth grym. Mae gwrthod gwrando yn dychmygu fod y brenin yn hunanlywodraethol ac yn hunanddigonol. O wrthod gwrando, yn ôl awgrym y testun, seliodd y brenin ei dynged ei hun a'i bobl. Nid yw ei ddyfodol yn dibynnu ar ei ddyfeisgarwch a'i allu ei hun, ond yn hytrach ar ei barodrwydd i dderbyn realiti diwinyddol ei fywyd a'i deyrnasiad, sef realiti teyrnasiad Iawe.[31]

Gwrando ar y testun

Hwyrach nad ydym fel unigolion yn wynebu'r un pwysau personol a gwleidyddol ag a'i gwnaeth hi'n anodd i Sedeceia 'wrando' ar air yr Arglwydd. Er hynny, yn oes y newyddion 24 awr, y negeseuon testun ar ein ffonau symudol a chyflenwad dyddiol o e-byst, mae digon o bethau eraill i ddenu'n sylw rhag pwyllo'n ddigonol i ddarllen y testun beiblaidd a gwrando ar Dduw.

Hyd yn hyn mae'r bennod hon wedi awgrymu ymgodymu'n fywiog gyda'r trwbwl yn y testun fel paratoad defnyddiol ar gyfer pregethu. Daeth yr amser nawr i newid gêr ac arafu'r broses drwy ddefnyddio dull clasurol y *Lectio Divina* i ddarllen y testun.

... arfer o ysbrydolrwydd beiblaidd, neu ymwneud trawsnewidiol â'r Gair, sy'n hen ond eto'n mwynhau deffroad yn ein cyfnod ni yw lectio divina. Disgrifir yr arfer yn Actau 8:26-39 lle mae swyddog y Frenhines Candace yn darllen a myfyrio ar Gân y Gwas yn Eseia (53:7-8), darn y mae'n cael anhawster ei ddeall. Mae'n gofyn i Philip am oleuni. Mae cyfraniad Philip yn arwain at dröedigaeth y swyddog, yn ogystal â'i fedydd maes o law.

Gellir olrhain yr arfer o lectio divina ymhlith Cristnogion yn ôl i dadau a mamau'r diffeithwch pan oedd eu hysbrydolrwydd yn cynnwys myfyrio'n weddigar ar destunau beiblaidd. Yn ddiweddarach yn y mynachlogydd Benedictaidd fe'i trefnwyd a'i ffurfioli o amgylch Rheol Sant Bened (c.540). Yn y pen draw, yn ei glasur ysbrydol *Scala Claustralium* (Ysgol y Mynaich), darparodd y Carthwsiad Guigo II 'ddull' trefnus o ymarfer y lectio divina. Addaswyd y gyfrol gan athrawon ysbrydol cyfoes ar gyfer ein cyfnod ni.

Proses pedwar cam yw lectio divina sy'n dechrau gyda *darlleniad* (lectio) hamddenol ac ail ddarlleniad y testun. Weithiau fe ddysgir y testun ar y cof. Drwy ddysgu'r testun yn ei ffurf lafar, symudir ymlaen i *fyfyrio* ar ei ystyr (meditatio). Mae esboniadau'r oesoedd canol yn tystio y gallai'r broses hon arwain at ledu'r dychymyg a dyfnhau'r profiad ysbrydol.

Heddiw byddai'r ail gam hwn yn golygu astudio'r testun gyda chymorth esboniadau, neu ddarllen y testun yng nghyd-destun y litwrgi a thrwy hynny destunau beiblaidd eraill o'r ddau destament a wêl yr eglwys yn berthnasol. Pwrpas y 'meditatio' yw dealltwriaeth ddyfnach o ystyr y testun yng nghyd-destun bywyd a phrofiad y person ei hunan.

Gan fod y testun yn cael ei weithio'n arbrofol, mae'r myfyrdod yn esgor ar *weddi* (oratio) neu ymateb i Dduw, sy'n llefaru yn y testun a thrwyddo. Enynnir gweddïau o ddiolchgarwch, mawl, tristwch, edifeirwch, penderfyniad a deisyfiad mewn ymateb i'r Gair.

Yn olaf, gall gweddi daer gyrraedd yr eithafion a'r undod hwnnw gyda Duw y mae meistri mawr y bywyd ysbrydol wedi ei alw'n *gorffwys* (contemplatio). Mae wedi derbyn ystyron amrywiol yn hanes ysbrydolrwydd Cristnogol, ond yn y cyd-destun hwn mae'n arwydd o weddi ysblennydd mewn undod, heb ddelwedd ac heb eiriau, gyda Duw yn yr Ysbryd.[32]

Mae digon o adnoddau a chanllawiau ar-lein i unrhyw un sy'n dymuno ymarfer *Lectio Divina*. Er enghraifft, mae Cymdeithas y Beibl ym Mhrydain a Chymdeithas y Beibl yn America yn darparu canllawiau ar gyfer y dull hwn o ddarllen y Beibl. Mae'r adnoddau'n cynnwys deunydd ar gyfer unigolion neu grwpiau (gw. Atodiad 2). Mae cymharu gwahanol ganllawiau ar gyfer y dull hwn yn dangos fod y broses bedrwbl yn aros yr un fath, er bod y labelau'n amrywio.

Yn *Imaginative Preaching*,[33] mae Geoff New yn trafod profiadau wyth o weinidogion a gytunodd i ddefnyddio'r dull *Lectio Divina* a'r dull Myfyrio Ignataidd fel rhan o'u paratoadau pregethu am bedwar mis. Ceir atodiad defnyddiol yn y llyfr hwn yn darparu canllawiau ymarferol ar gyfer pregethwyr sy'n dymuno defnyddio'r disgyblaethau ysbrydol hyn fel cymorth i ymwneud gweddigar â'r testun beiblaidd.

Does dim yn gymhleth ynglŷn â'r dull hwn ac mae'r canllawiau syml canlynol, a dynnwyd o nifer o ffynonellau, yn darparu un ffordd yn unig o wneud hynny. Os ydych eisoes yn gyfarwydd â'r arfer hwn, efallai y carech symud ymlaen at yr ymarfer 'Gwrando am bregethu' isod.

Dechrau gyda *Lectio Divina* – Darllen Dwyfol

Gair Duw yw'r Beibl, bob amser yn fyw ac yn weithredol, a phob amser yn newydd. Ystyr *Lectio Divina* yw 'darllen dwyfol' (neu 'darllen ysbrydol') ac mae'n disgrifio ffordd o ddarllen a gweddïo'r Ysgrythur lle'r ydym yn agored i'r hyn y mae Duw yn dymuno ei ddweud wrthym.

1 Darllen / Gwrando – Mae *Lectio Divina* yn cychwyn drwy ddatblygu'r gallu i wrando'n astud wrth ddarllen, i glywed 'gyda chlust y galon' yr hyn yw gair Duw i ni'n bersonol. Dyma ffordd cwbwl wahanol o ddarllen papur newydd, llyfrau neu hyd yn oed y Beibl. Darllenwch ac ail-ddarllenwch y darn hyd nes y bydd rhan ohono yn dal eich sylw.

2 Myfyrdod – Wedi dod o hyd i air neu adran sy'n llefaru wrthym yn bersonol, treuliwn amser yn cnoi cil arno ... a chaniatawn iddo gyfathrebu â'n meddyliau, ein gobeithion, ein hatgofion a'n dyheadau. Caniatawn i air Duw fod yn rhywbeth personol, yn air sy'n ein cyffwrdd ac yn effeithio dyfnderoedd ein bod.

3 Ymateb: Gweddi – Y math yma o weddïo yw'r hyn y dymunwn ei ddweud o ganlyniad i'n myfyrdod. Ymgomio gyda Duw ydyw, sgwrs gariadus gyda'r Un a'n gwahoddodd i'w freichiau; a chynnig ein bywyd i Dduw. Yn y weddi hon caniatawn i'r gair a ddaeth atom, a'r gair y myfyriwn arno, ein cyffwrdd a'n newid yn sylfaenol.

4 Gorffwys / Ystyried – Yn olaf gorffwyswn ym mhresenoldeb yr Un sydd drwy Ei Air, wedi'n gwahodd i dderbyn ei anwes drawsnewidiol. Nid oes rhaid atgoffa neb a fu mewn cariad, fod adegau mewn bywyd lle nad oes angen geiriau. Felly hefyd yn ein perthynas â Duw. Yr enw a roddir yn y traddodiad Cristnogol am seibiant tawel ym mhresenoldeb yr Un sy'n ein caru yw – gorffwys.[34]

MUNUD I FEDDWL

Gwrando ar gyfer pregethu

- Dewiswch y darn o'r Ysgrythur y bwriadwch bregethu yn ei gylch. Gall fod yn un o'r darlleniadau ar gyfer y Sul arbennig hwnnw yn y Llithiadur Cyffredin Diwygiedig neu ran o'r Beibl o gyfres o bregethau.
- Darllenwch ac ail-ddarllenwch y darn yn araf gan ddefnyddio y dull *Lectio Divina*.
- Wrth wrando fel hyn, beth a glywch?
- Ym mha ffordd y gall yr hyn a glywch gyfrannu at bregeth?

Galwad i wrando

> Yna anfonodd y Brenin Sedeceia, a'i dderbyn i'w ŵydd a'i holi'n gyfrinachol yn ei dŷ, a dweud, 'A oes gair oddi wrth yr ARGLWYDD?'
>
> Jermeia 37:17

Mae'r cyfarfyddiad hwn rhwng y proffwyd a'r 'brenin ofnus, awyddus, enbydus ac olaf Jwda'[35] yn ysgogi Brueggemann i fyfyrio ar gymhellion cymysg pregethwyr a gwrandawyr wrth ddod i addoli. Synhwyra ddyhead am glywed gair gobeithiol gan yr Arglwydd a fydd yn taflu goleuni newydd ar fywyd yn gyfan ac nid yn unig ar anghenion 'ysbrydol' yr unigolyn.

> Rhyfeddod pregethu yw fod pobl yn bresennol. Wrth gwrs mae pob math o resymau am hynny, pob math o gymhellion cymysg gan gynnwys rhai annheilwng. Gellir cymharu cymhellion cymysg y gynulleidfa dros fod yn bresennol gydag eiddo'r pregethwr i gyflawni ei alwedigaeth. Yng nghanol y cyfan, heb os nac oni bai, mae rhyw ryfeddod tawel lle mae'r gynulleidfa yn debyg i'r brenin ofnus, awyddus ac enbydus Sedeceia ...
>
> Ymddangoswn fel Sedeceia: A oes gair oddi wrth yr Arglwydd? Daeth y brenin yn 'gyfrinachol' i ofyn ... nid yn annhebyg i Nicodemus a ddaeth 'liw nos' at Iesu (Ioan 3:2). Daeth y brenin am fod ei ddinas dan warchae'r Babiloniaid. Daeth y brenin oherwydd fod ei 'gynllun cynnal' a'i 'wasanaeth cudd' wedi defnyddio'u hadnoddau, ac am na wyddai ble i droi. Daeth y brenin i geisio sicrwydd nad dyma'r diwedd iddo. Daeth y brenin am iddo glywed i Dduw gyflawni gwyrthiau yn y gorffennol, a gobeithai fod un arall i ddod (gw. Jer. 21:2). Mewn cyfnod digalon ac anobeithiol, daeth yn ei wendid i geisio gobaith. Gobaith ofnus ydyw, sydd yn rhannol wedi'i sylfaenu ar draddodiad ffydd ac hefyd, yn rhannol, ar amwysedd dwfn amgylchiadau byw. Gellir disgrifio'r math hwn o obaith yn hynodrwydd diwinyddol neu'n gymhelliad dynol cyffredin. Beth bynnag, ymddangosodd y brenin. Roedd yn barod i wrando, hyd yn oed os y cafodd hynny yn annioddefol, mor annioddefol,

fel yr aeth i'r drafferth o egluro nad dod i wrando a wnaeth (Jer. 37:24-28). Ac yn yr un modd, dychmygaf yr awn ninnau ati i bregethu, nid yn annhebyg i Sedeceia, yn rhyw hanner obeithiol, yn betrusgar, yn teimlo cywilydd bod yno, ond yn rhyw led gredu nad ein sefyllfa bresennol yw gwirionedd olaf ein bywyd.[36]

Nodiadau

1. Eugene Lowry, 'Surviving the Sermon Preparation Process', *Journal for Preachers* 24:3 (2001) 28-32.
2. Lowry, 'Surviving the Sermon Preparation Process' 28.
3. Lowry, 'Surviving the Sermon Preparation Process' 29.
4. Lowry, 'Surviving the Sermon Preparation Process' 29.
5. J. Clinton McCann, Jr., 'The Book of Psalms' yn Leander E. Keck et al., *The New Interpreter's Bible Volume 4* (Nashville: Abingdon Press, 1996) 1235.
6. A. A. Anderson, *The Book of Psalms, Volume 2, Psalms 73-150: New Century Bible Commentary* (Grand Rapids: Eerdmans, 1972) 912.
7. Anderson, *The Book of Psalms*, 912.
8. Stephen Dawes, *SCM Studyguide to The Psalms* (London: SCM Press, 2010) 84-86.
9. Dawes, *SCM Studyguide to The Psalms*, 85.
10. C. S. Lewis, *Reflections on the Psalms* (London: Fontana, 1961) 24.
11. McCann, Jr., 'The Book of Psalms' 1237.
12. Kenneth Slack, *New Light on Old Songs* (London: SCM Press, 1975) 40.
13. G. R. Beasley-Murray, *John: Word Biblical Commentary, Cyf. 36:* (Dallas: Word, 2002) 233.
14. J. Ramsey Michaels *John, New International Biblical Commentary*, (Peabody: Hendrickson, 1989) 238.
15. G. R. Beasley-Murray, *John* 233.
16. Lesslie Newbigin, *The Light Has Come: An Exposition of the Fourth Gospel* (Edinburgh: Handsel Press, 1982) 169.
17. Newbigin, *The Light Has Come* 173.
18. *D:Ream* 'Things can only get better', *D:Ream On, Vol 1*, 1994.
19. Matthew Boulton, 'Forsaking God: a theological argument for Christian Lamentation' *Scottish Journal of Theology* 55:1 (2002) 58-78.
20. Walter Brueggemann, 'Psalms and the Life of Faith: A Suggested Typology of Function' *Journal for the Study of the Old Testament* 17 (1980) 3-32.
21. Walter Brueggemann, *The Message of the Psalms: a Theological Commentary* (Minneapolis: Augsburg Publishing House, 1984).

22. Brueggemann, 'Psalms and the Life of Faith' 7.

23. Mae Brueggemann hefyd yn disgrifio'r rhain fel *Psalms of Dislocation*.

24. Brueggemann, 'Psalms and the Life of Faith' 12.

25. Neu *Psalms of New Orientation*

26. Brueggemann, 'Psalms and the Life of Faith' 10.

27. Barbara Brown Taylor, 'Bothering God' in Jana Childers (gol.), *Birthing the Sermon: Women Preachers on the Creative Process*, (St. Louis: Chalice Press, 2001), 153-168 (156-157).

28. Paul Scott Wilson, *The Four Pages of the Sermon: A Guide to Biblical Preaching*, (Nashville: Abingdon Press, 1999).

29. Thomas G. Long, *The Witness of Preaching: Third Edition* (Louisville: WJKP, 2016) 163.

30. Walter Brueggemann, *A Commentary on Jeremiah: Exile and Homecoming* (Grand Rapids: Eerdmans, 1998) 354.

31. Brueggemann, *A Commentary on Jeremiah* 355.

32. Sandra M. Schneiders 'Biblical Spirituality' *Interpretation* 56: 2 (2002) 133-142 (139-140).

33. Geoff New, *Imaginative Preaching: Praying the Scriptures so God Can Speak Through You* (Carlisle: Langham Global Library, 2015). Gweler Appendix C 'Preacher's Manual: *Lectio Divina* and Ignatian Contemplation in Preaching,' 129-155

34. Canllawiau ar gyfer *Lectio Divina* a baratowyd gan y Parchg Ddr Chris Ellis ar gyfer Encil Coleg Bedyddwyr De Cymru, Medi 2013.

35. Walter Brueggemann, *The Word Militant: Preaching a Decentring Word* (Minneapolis: Fortress Press, 2007) 3.

36. Brueggemann, *The Word Militant* 3-4.

4

Pregethu mewn Cyd-Destun

Os am gyflwyniad fideo i Bennod 4 ewch i
studyguidepreaching.hymnsam.co.uk

Cyrhaeddodd e-bost yn fy ngwahodd i bregethu mewn eglwys na fûm i yno o'r blaen. Os wyf ar gael ar ddyddiad penodol, cysylltaf â'r eglwys a gofynaf ychydig o gwestiynau. Pa fath o wasanaeth a ddisgwylir? A ydynt yn dilyn cyfres o bregethau neu a oes disgwyl i'r pregethwr bregethu o'r llithiadur ar gyfer y diwrnod hwnnw? A fydd plant yn bresennol, a pha fath o emynau sy'n gyfarwydd i'r gynulleidfa? Os oes gan yr eglwys wefan, edrychaf ar honno er mwyn cael syniad o'r hyn y gallaf ei ddisgwyl. Efallai y caf sgwrs â chyfaill a fu'n pregethu yno er mwyn cael ychydig mwy o gefndir. Rwyf am gael darlun mor llawn ag y gallaf am y gynulleidfa wrth baratoi ar eu cyfer.

Bûm yn gwneud hyn am gyfnod cyn darganfod fod rhai ysgrifenwyr yn disgrifio'r broses hon drwy ddefnyddio'r ymadrodd 'dehongli'r gynulleidfa' (*exegeting the congregation*).[1] Yn wir, fel yr honna Haddon Robinson: 'rhaid adnabod y bobl yn ogystal â'r neges, ac er mwyn cael yr wybodaeth honno, dehonglwn yr Ysgrythur a'r gynulleidfa.'[2]

Mae pregethu effeithiol yn gofyn nid yn unig am ddehongli'r testun. Gofynna hefyd i ni ddehongli cynulleidfaoedd a'u cyd-destun ...

Mae dehongli cynulleidfaoedd yn bwysig yn fugeiliol a diwinyddol. Yn fugeiliol, os ydym yn mynd i bregethu'n effeithiol i gynulleidfa, rhaid gwneud mwy na dim ond adnabod unigolion.

> Rhaid eu hadnabod fel cyfangorff: pwy ydynt a beth ydynt fel cymuned ffydd, eu hanes, eu diwylliant, eu gobeithion a'u breuddwydion ar gyfer y dyfodol, yn ogystal â'u siomedigaethau a'u hymdrechion ...
>
> Bydd dehongli'r gynulleidfa'n gymorth i greu ymwybyddiaeth o fydoedd diwylliannol ein cynulleidfaoedd er mwyn i ni fedru siarad yn ystyrlon a pherthnasol yn eu plith.[3]

Wedi ychydig flynyddoedd o brentisiaeth yng nghwmni gweinidog profiadol, symudais 80 milltir i'r gogledd i eglwys yng ngorllewin Canolbarth Lloegr. Deuthum i weld yn fuan fod pregethau a gafodd dderbyniad gweddol dda mewn un sefyllfa yn syrthio'n ddarnau mân mewn un arall. Roeddwn yn dechrau dysgu fod angen i bregethu effeithiol fod yn lleol ac yn sefyllfaol, oherwydd os oes a wnelo pregethu â darganfod neges gan Dduw o'r Beibl *'ar gyfer y cwmni hwn o bobl, ar yr amser penodol'*, golyga fod yn rhaid i'r gwaith paratoi ddehongli'r gynulleidfa a'r cyfnod yr ydym yn byw ynddo, yn ogystal â'r Beibl. Felly, beth sy'n rhaid i ni dalu sylw iddynt er mwyn ein cynorthwyo i bregethu'n effeithiol mewn cyd-destun?

Erbyn hyn mae pregethu da yn llawer mwy lleol

Dywedodd Tom Long un waith 'efallai na fydd y pregethwyr gorau yn adnabyddus y tu hwnt i'w cynulleidfaoedd eu hunain.' Yn hytrach na thristáu am y peth dadleuodd fod hyn 'yn dystiolaeth fod pregethu da yn llawer mwy lleol bellach'.[4] Ni ddylai hyn fod yn syndod, oherwydd wrth i bregethwr fagu gwreiddiau o fewn cynulleidfa arbennig, daw ef neu hi i wybod y storïau am yr hyn sy'n eu gyrru. Y gobaith yw y bydd cyfarwyddo â'r gynulleidfa yn arwain at bregethu a fydd yn berthnasol i'w cyflwr.

Fel pregethwr achlysurol, bydd y broses o ddarganfod gwybodaeth yn gyfyngedig, ond mae Leonora Tubbs Tisdale yn awgrymu dull o chwilio diwylliant cynulleidfa sy'n canolbwyntio ar:

> rai arwyddion a symbolau allweddol o fywyd cynulleidfaol er mwyn gweld beth yw eu bydolwg, gwerthoedd ac ethos. Drwy wneud hynny byddwn hefyd yn dod yn fwy ymwybodol o 'ddiwinyddiaeth leol' pobl sy'n perthyn i

gymunedau ffydd. Er nad yw'r holl symbolau o gymorth ym mhob sefyllfa, bydd archwilio nifer dda ohonynt yn rhoi dealltwriaeth lawnach a mwy amrywiol o fywyd cynulleidfaol.[5]

Mae'r rhestr ganlynol yn cynnwys rhai o'r cwestiynau a awgrymir ganddi allai gynorthwyo pregethwyr i fynd dan wyneb diwylliant eglwys leol.

Saith symbol ar gyfer dehongli cynulleidfa

1 Adroddiadau a storïau cynulleidfaol
Pwy yw'r arwyr yn storïau'r gynulleidfa, a beth yw eu rhinweddau? Pwy yw'r dihirod, a beth yw eu nodweddion?

2 Defodau'r bywyd cynulleidfaol
Beth sy'n nodedig am arferion addoli'r gynulleidfa? ... A oes themâu diwinyddol cyffredin yn amlwg mewn emynau, gweddïau, pregethau neu anthemau, sy'n awgrymu rhywbeth am eu hunaniaeth?

3 Celfyddyd a phensaernïaeth
Beth a ddysgwch wrth graffu ar y darluniau, y bensaernïaeth a dodrefn yr addoldy?

4 Pobl
Pwy yw'r bobl ar ymylon y gynulleidfa a pham?

5 Digwyddiadau
Pa fath o weithgareddau sy'n cael y sylw, yr amser, yr egni a'r buddsoddiad mwyaf (mewn pobl ac arian)? Pa weithgareddau sydd wedi achosi'r ymryson mwyaf a pham?

6 Gwefan, a deunyddiau hanesyddol
Beth a ddysgwch wrth fwrw golwg dros y wefan a darllen unrhyw hanesion am fywyd y gynulleidfa?

7 Demograffiaeth
Beth yw demograffeg bresennol y gynulleidfa o ran oedran, rhyw, ethnigrwydd a dosbarth? Sut fyddech chi'n disgrifio'r aelod nodweddiadol? Beth sydd ar goll?[6]

MUNUD I FEDDWL

Ystyriwch eich cynulleidfa chi. Beth a ddysgwch am ei diwylliant drwy ofyn cwestiynau ar y pynciau hyn?

- Adroddiadau a storïau cynulleidfaol
- Defodau cynulleidfaol
- Celfyddyd a phensaernïaeth
- Pobl
- Digwyddiadau
- Gwefan a deunyddiau hanesyddol
- Demograffeg

Neu, o'i roi ffordd arall – beth ydych chi'n meddwl sydd angen i bregethwyr gwadd ei wybod os ydyn nhw am bregethu'n effeithiol yn eich eglwys chi?

Pregethwyr a'u cynulleidfaoedd

Yn ogystal ag astudio diwylliant cynulleidfaol, mae'r broses o ddehongli'r gynulleidfa yn golygu rhoi ystyriaeth i'r amrywiaeth o bobl a fydd yn debygol o wrando ar y bregeth.

Un dull gwerthfawr o 'ddehongli'r gynulleidfa' a argymhellir gan Leslie Francis yw'r un sy'n tynnu ar y syniadau sy'n deillio o'r Myers-Briggs Personality Type Indicator. Dadleua:

fod i wahaniaethau personoliaeth ... oblygiadau pwysig i athrawon a phregethwyr. Cydnabuwyd ers amser fod yn well gan bobl fewnblyg ac allblyg ddysgu mewn ffyrdd gwahanol, ac o ganlyniad byddai'n well ganddynt ddysgu eraill yn y ffordd y buasent hwy'n hoffi cael eu dysgu.[7]

Awgryma Francis fod y *Mathau Synhwyrol, Mathau Greddfol, Mathau Teimladol a Mathau Meddyliol* yn ymwneud â'r Beibl, ac â phregethau, mewn gwahanol ffyrdd. O gofio hyn mae'n bwysig fod pregethwyr yn hunanymwybodol. Golyga hynny eu bod yn ymwybodol o'r ffordd y mae eu blaenoriaethau eu hunain yn dylanwadu ar y ffordd y byddant yn delio â'r Beibl a'u dull o bregethu. Bydd bod yn hunanymwybodol, ac yn ymwybodol o eraill sy'n wahanol, yn gymorth i bregethwyr gynllunio pregethau a fydd yn debygol o gyfathrebu â phobl sy'n meddwl ac yn teimlo mewn ffyrdd gwahanol.[8]

P'un ai ydych yn medru defnyddio'r dull yma ai peidio, erys yr egwyddor sylfaenol mai manteisiol yw rhoi ystyriaeth fwriadol a sensitif i'r gwahanol fathau o bobl yn eich cynulleidfa. Ym Mhennod 9, bydd un ymarferiad yn eich annog i feddwl am bobl sy'n wahanol i chi, ac i geisio cyfansoddi cyflwyniad i bregeth a allai apelio at y cwmni hwnnw.

Ar y llaw arall mae Alice Mathews yn rhoi ystyriaeth i'r materion gwahanol sy'n gymorth i bregethwyr gyfathrebu'n fwy effeithiol â gwragedd. Mae'n cynnig chwe chwestiwn i gynorthwyo pregethwyr i feddwl am effaith pregethu ar wragedd:

- A oes tuedd i deipgastio gwyr a gwragedd i rôl ystrydebol?
- A ydym yn portreadu gwŷr a gwragedd fel bodau dynol cyflawn?
- A ydym yn dangos yr un parch tuag at wŷr a gwragedd?
- A ydym yn rhoi'r gydnabyddiaeth ddyladwy i wŷr a gwragedd am eu lefelau gwahanol o gyflawniad?
- A yw'n hiaith yn eithrio gwragedd pan fyddwn yn siarad am ddynoliaeth gyfan?
- A ydym yn defnyddio iaith sy'n ystyried ac yn disgrifio gwŷr a gwragedd yn gyfartal?[9]

MUNUD I FEDDWL

Meddyliwch am y bregeth ddiweddaraf i chi ei thraddodi neu'i gwrando.
- A wnaeth hi deipgastio gwŷr a gwragedd yn ôl yr hyn sy'n draddodiadol?
- A wnaeth hi bortreadu gwŷr a gwragedd fel bodau dynol cyflawn?
- A roddwyd yr un lefel o barch i wŷr a gwragedd?
- A wnaeth hi gydnabod gwŷr a gwragedd am eu lefelau gwahanol o gyflawniad?
- A ddefnyddiwyd iaith oedd yn eithrio gwragedd wrth siarad am ddynoliaeth gyfan?
- A ddefnyddiwyd iaith oedd yn trin gwŷr a gwragedd yn gyfartal?

Pregethu yn oes y cyfryngau

Os mai darganfod neges berthnasol *'ar gyfer y cwmni hwn o bobl, ar amser penodol'* yw pregethu, mae'n werth ystyried cyfnod a diwylliant y pregethwr a'i gynulleidfa.

Er nad oes gofod yma i fynd i fanylion mawr, yn sicr byddai o fudd astudio'r math yma o ddiwylliant er mwyn ceisio deall rhai o'r tueddiadau cymdeithasol a gwleidyddol sy'n ffurfio bywydau pobl.[10] Un ffordd o wneud hyn, yn syml ac yn ymarferol, yw magu ymwybyddiaeth o'r hyn y mae pobl yn ei wylio'n gyson ar y teledu. Yn ei ddamhegion dewisodd Iesu ddigwyddiadau pob dydd er mwyn egluro a chyfathrebu ei neges. I'r sawl sydd â llygaid i weld, mae'n cyd-destun diwylliannol ni yn cynnig awgrymiadau ar sut mae pobl yn byw, ynghyd ag adnoddau cyfoethog ar gyfer pregethu.

Un ymateb mewn oes o gyfryngau amrywiol yw defnyddio cyflwyniadau "PowerPoint" neu glipiau fideo wrth bregethu. Gellir dod o hyd i rai awgrymiadau ar sut i ddefnyddio "PowerPoint" ym Mhennod 10; ond yma hefyd mae'n werth gofyn i ba raddau mae defnyddio'r offer hwn yn cryfhau neu'n gwanhau'r pregethu. Weithiau mae gwylio rhai pregethwyr yn defnyddio "PowerPoint" yn union fel gwylio gêm dennis. A ddylwn fod yn edrych i'r chwith ar y sgrîn neu i'r dde lle mae'r pregethwr yn sefyll? Os mai cyfrwng person i berson yw pregethu, yna onid oes gwir berygl y bydd y sgrîn sy'n cystadlu am fy sylw yn llwyddo i'm llygad-dynnu rhag gwrando'n ofalus ar yr hyn y mae'r pregethwr yn ei ddweud? Mae sail rhesymol dros nodi rhybudd Richard Lischer: 'pan ofynnir i'r ymennydd amlorchwylio drwy wrando a gwylio ar yr un pryd, mae'n rhoi'r gorau i wrando bob tro'.[11]

Mae'r broblem yn dwysáu pan ddaw'n fater o gynnwys clipiau ffilm yn y bregeth, oherwydd fel yr awgryma Kate Bruce:

> Gall amodau diwinyddol y ffilm fod yn groes i ganolbwynt diwinyddol y bregeth; mae angen i bregethwyr fod yn ofalus wrth ddadansoddi'r ffilm. Mae delweddau yn denu'r llygaid, a phan fydd llun ar y sgrîn fe edrychant ar y llun yn hytrach na'r pregethwr.[12]

Yn yr un modd awgryma David Heywood:

> Mae'r cyferbyniad rhwng y gair llafar a'r gair ysgrifenedig yn golygu y dylem fod yn ofalus wrth ddefnyddio cyfryngau electronig fel ychwanegiad i'r gair llafar wrth bregethu. Darlun cyfarwydd mewn rhai cylchoedd yw

gweld y pregethwr yn defnyddio "PowerPoint" i bwysleisio prif bennau ei anerchiad. Wrth i hynny ddigwydd, mae'r gair llafar yn trawsnewid y gynulleidfa o fod yn gynulliad unedig i fod yn gasgliad o unigolion, a symudir y pwyslais oddi wrth fwriad y bregeth at yr wybodaeth sydd yn y cynnwys.

Er hynny, â Heywood ymlaen i awgrymu:

> Os ... defnyddir delweddau "PowerPoint" yn hytrach na geiriau, diogelir ac ychwanegir at y syniad o berthynas gynnes. Mae darluniau'n llefaru wrth agweddau greddfol ac emosiynol ein meddyliau, 'ochr dde'r ymennydd', a hynny mewn gwrthgyferbyniad â'r gair ysgrifenedig, sy'n dueddol o'n gwneud yn ddadansoddol ac yn unigolyddol.[13]

Mae taflu lluniau i ategu'r bregeth yn un ffordd ddefnyddiol o ddefnyddio "PowerPoint". Er enghraifft, mewn un bregeth ar Ioan 3, gosodais ar y sgrîn lun o Nicodemus yn ymweld ag Iesu, a baentiwyd gan yr arlunydd Affro-Americanaidd Henry Ossawa Tanner yn 1899. Gadewais y llun ar y sgrîn am ran o'r bregeth. Awgrymais fod y llun braidd yn dywyll a bod hynny mwy na thebyg yn fwriadol oherwydd i'r stori ddweud iddo ddod 'liw nos'.

Mae'n arwyddocaol iddo ddod **'liw nos'** – dan glogyn y tywyllwch.

- Pam hynny?
- Ai oherwydd mai gyda'r nos oedd yr unig gyfle i gael sgwrs hir ag Iesu?
- Neu a oedd Nicodemus yn ofni y byddai'r cyfarfyddiad yn effeithio ar ei statws yn y gymdeithas?
- Efallai ... ?

Nawr yn Efengyl Ioan mae'r iaith gan amlaf yn symbolaidd iawn, a phan ddywedir wrthym ei bod hi'n **'nos'** mae'r gair weithiau'n cynrychioli'r tywyllwch sy'n brwydro yn erbyn goleuni a chariad Duw. Mae'n cynrychioli'r rhai sydd wedi datgysylltu eu hunain o bresenoldeb Duw.

Ceir esiampl dda o hyn yn adroddiad Ioan o'r Swper Olaf. Ym Mhennod 13, sy'n disgrifio Jwdas yn mynd allan i fradychu Iesu, dywedir wrthym, 'Ac yn dilyn ar hyn, aeth Satan i mewn i hwnnw (Jwdas). Meddai Iesu wrtho, "Yr hyn yr wyt yn ei wneud, brysia i'w gyflawni." Nid oedd neb o'r cwmni wrth y bwrdd yn deall pam

---

y dywedodd hynny wrtho. Gan mai yng ngofal Jwdas yr oedd
y god arian, tybiodd rhai fod Iesu wedi dweud wrtho, "Pryn y
pethau y mae arnom eu heisiau at yr ŵyl", neu am roi rhodd i'r
tlodion. Yn union wedi cymryd y tamaid bara aeth Jwdas allan. Yr
oedd hi'n nos.' (Ioan 13:27-30)

Yr oedd hi'n nos.

Pan aeth Jwdas ati i fradychu Iesu, trodd ei gefn ar oleuni Iesu
a chamodd i'r tywyllwch. Pan gefnodd Jwdas ar oleuni Duw,
aeth i ganol tywyllwch drygioni mewn gwrthryfel yn erbyn Duw.
Cefnodd ar y goleuni a datgysylltodd ei hun o bresenoldeb Duw
– a dyna pam **yr oedd hi'n nos**.

Felly nid damwain yw ein bod yn cael gwybod mai'r **nos
ydoedd** pan ddaeth Nicodemus i weld Iesu. Mae'n ffordd o
ddweud fod Nicodemus yn y tywyllwch yn llwyr – cafodd ei ddallu
gan alluoedd y tywyllwch ac nid yw'n deall beth y mae Duw yn ei
wneud.

MUNUD I FEDDWL

Efengyl Technoleg

'Mae'r manteision sy'n deillio o daflu clipiau o *Friends* neu o osod
cyfres o bwyntiau bwled ar y sgrin yn fach iawn. Ynddynt eu hunain,
nid yw'r dulliau yma ond yn atgynhyrchu'r hyn sydd gennym eisoes
yn ein cartrefi a'n swyddfeydd. A dyna'r pwynt! Mae presenoldeb y
fath gyfryngau yn cysylltu'r bregeth (a'r eglwys a'r pregethwr) gyda
hudoliaeth, grym ac awdurdod yr un dechnoleg ag sy'n rheoli'r byd.
Y cyfrwng yn wir *yw'*r neges. Technoleg yw symbol newydd grym. Os
mai'r pulpud uchel a'r canopi oedd yr hen symbol, y symbol grym
newydd yw'r teclyn pell-reolaeth yn nwylo'r bugail.'[14]

- I ba raddau y cytunwch â sylwadau Richard Lischer?
- Pa gamau y dylid eu cymryd os yw'r pregethwr i sicrhau fod
  technoleg yn cefnogi'r gair llafar ac nid yn ei danseilio?

Pregethu ar achlysuron arbennig

Ar wahân i bregethu fel rhan o addoliad arferol yr eglwys, mae nifer o achlysuron eraill yn rhoi cyfle i bregethu. Nid bwriad y bennod hon yw darparu arweiniad ar gyfer yr holl achlysuron hynny. Y diben ar hyn o bryd yw tanlinellu mai'r hyn sy'n allweddol ym mhob sefyllfa, boed yn briodas, angladd, darllediad radio neu wasanaeth dinesig, yw cynllunio pregeth sy'n addas i'r cyd-destun hwnnw. Yn yr enghraifft ganlynol mae'r awgrymiadau ar bregethu mewn angladdau yn cynnig un ymgais i egluro'r elfennau sydd i'w hystyried.

Pregethu'n berthnasol mewn angladdau

Ym Mhennod 3 ystyriwyd rhai o'r ffyrdd y gallai 'chwilio am drwbwl' o gwmpas y testun fod yn gam defnyddiol yn y broses o gynllunio pregeth. Pan ymddiriedwyd i mi'r gwaith a'r fraint o bregethu mewn angladdau doedd dim angen mynd i chwilio am drwbwl, oherwydd bydd digon o deimladau cythryblus yn brigo i'r wyneb wrth i alarwyr a phregethwyr ddod wyneb yn wyneb â'u meidroldeb eu hunain. Felly wrth bregethu mewn angladdau does dim angen tarfu ar gydbwysedd y gwrandäwr,[15] gan mai gorchwyl y pregethwr yw cynnig geiriau'r efengyl sy'n gysur a gobaith. Mewn cyfnod o anwybodaeth am y stori Gristnogol, mae pregethu yng nghyswllt pobl alarus yn golygu eich bod yn eu cyfeirio'n dawel at galon y ffydd Gristnogol, sy'n cyhoeddi i Iesu Grist gael ei groeshoelio, iddo farw a chael ei gladdu ond ar y trydydd dydd fe gyfododd.

Mae angladdau'n amrywio o ran eu ffurf, a gall pregethu ar yr achlysuron hynny olygu cynnal gwasanaeth syml ar yr aelwyd neu draddodi pregeth fer mewn gwasanaeth byr yn yr amlosgfa leol. Bydd pregethu mewn gwasanaeth o ddiolch i ddathlu bywyd aelod eglwysig ffyddlon yn rhoi mwy o gyfle ac amser i'r pregethwr. Er hynny, y rheol gyffredinol yw y dylai'r bregeth fod yn fyrrach na'r arfer.

Pan yw amser yn brin a phan yw emosiynau'n frau, mae'n bwysig dewis eich geiriau'n ofalus. Yn hynny o beth, mae'n werth ysgrifennu sgript lafar,[16] oherwydd mae'r broses o baratoi sgript y bregeth yn gymorth i bwyso a mesur eich geiriau'n ofalus tra'n cydymdeimlo â'r teulu yn eu galar. Mae angladdau'n achlysuron emosiynol, nid yn unig i'r galarwyr ond hefyd i'r pregethwr. Bydd cael sgript i weithio arni ac os oes rhaid, i ddychwelyd ati, yn gymorth i bregethwr i symud yn ddiogel drwy'r cerrynt emosiynol annisgwyl sy'n corddi o dan yr wyneb.

Mae sgriptiau dwy bregeth angladdol wedi'u cynnwys yn Atodiad 3. Nid ydynt yn galw am ymateb syth gan y gynulleidfa ond eu bwriad yw cyfeirio'r gynulleidfa at Dduw sy'n ffynhonnell cysur a gobaith. Mae'r bregeth gyntaf yn canolbwyntio ar ddarlun o jig-so wedi'i chwalu, ac mae'n cyfleu darlun o fywyd teuluol ar chwâl o ganlyniad i'r brofedigaeth. Mae'r ail bregeth yn seiliedig ar Luc 24, ac mae'n cymharu emosiynau poenus y gwragedd a aeth at fedd Iesu i ddangos eu parch â'n teimladau ninnau wrth i ni ymgynnull mewn angladd i dalu'r gymwynas olaf ag anwyliaid a fu farw.

Adnodd gwerthfawr yn y cyd-destun hwn yw *Accompany Them with Singing: The Christian Funeral* gan Thomas G. Long (Louisville, KY: Westminster John Knox Press, 2009). Awgryma ddau beth sy'n gymorth i ddisgrifio pregeth angladdol Gristnogol.

Yn gyntaf, fel pob pregeth Gristnogol, mae'n feiblaidd a chyd-destunol. Aiff y pregethwr mewn gwasanaeth angladdol at yr Ysgrythurau i glywed y gair sy'n fywyd ac yn obaith, ond ni fydd yn mynd fel llechen wag. Â ag amgylchiadau'r angladd gydag ef neu hi – y farwolaeth *hon*, y bobl *hyn*, y golled *hon*, yr anghenion *hyn*. Yn ail, pregethir pregethau angladdol 'ar y ffordd' fel petai. Gan fod yr angladd yn ei hanfod yn orymdeithiol, pregethir y bregeth yn ffigurol wrth i'r eglwys gerdded at y bedd. Mae yn ddatganiad o'r hyn sydd gan yr efengyl i'w ddweud am y bobl sy'n cerdded y llwybr *hwn* yn cario corff y brawd *hwn* neu'r chwaer *hon*, i alaru dros y golled *hon* yng ngobaith llawen yr atgyfodiad.[17]

MUNUD I FEDDWL

- Meddyliwch am bregeth angladdol a fu o gymorth i chi. Sut fu hi o gymorth i chi?
- Os gwnaethoch wrando ar bregeth angladdol a barodd i chi deimlo'n anghyffyrddus, pam oedd hi'n anaddas yn yr amgyrchiad hwnnw?

Y bregeth yn ei chyd-destun

Mae Fred Craddock yn awgrymu 'os yw pregeth i gael ei deall ac i gyflawni ei phwrpas, rhaid ei chlywed yn ei chyd-destun neu ei chyd-destunau.' Aiff ymlaen i ystyried y cyd-destunau hanesyddol, bugeiliol, litwrgaidd a diwinyddol y mae'n rhaid eu deall os yw'r bregeth i fod yn berthnasol. Mae'r ymarferiad canlynol yn eich gwahodd i ystyried cyd-destunau eich pregethu chi.

MUNUD I FEDDWL

Y cyd-destun hanesyddol Un agwedd o'r cyd-destun hanesyddol a nodir gan Craddock yw'r pregethwyr yn ein hanes ni sydd wedi ffurfio'n syniadau a'n disgwyliadau o'r hyn sy'n nodweddu pregethu da.	• Pwy yw'r bobl bwysig yr ydych yn awyddus i'w plesio, neu y ceisiwch eu hefelychu, yn ddiarwybod i chi eich hunan, wrth bregethu?
Y cyd-destun bugeiliol 'Mae pregethu'n digwydd mewn cyd-destun bugeiliol ac mae mewn llawer ffordd yn cael ei ddylanwadu gan y cyd-destun hwnnw ... Bydd astudio a pharatoi yn golygu gwrando ar y gynulleidfa yn ogystal â'r testun. Nid yw dehongliad y plwyfolion yn eu cyd-destunau personol, gwleidyddol ac economaidd yn disodli'r dehongliad o'r Ysgrythurau ond mae'n cyd-gysylltu ag ef i greu'r neges.'[18]	• Beth yw'r cyd-destunau arbennig sy'n rhaid i chi eu hystyried wrth baratoi pregeth? • Beth yw rhan y gynulleidfa yn y cyfarfod pregethu?

Y cyd-destun litwrgaidd 'Wedi ystyried yr oedfa o addoliad fel cyd-destun y bregeth, rhaid pwysleisio nad yw pregethu'n digwydd mewn awyrgylch o addoliad yn unig, ond mae pregethu ynddo'i hun yn weithred o addoliad.'[19]	• Meddyliwch am eich gwasanaeth diweddaraf. I ba raddau y bu'r bregeth yn llwyddiant yng nghyd-destun cyflawn y gwasanaeth? • A oedd yr emynau, y caneuon a'r gweddïau yn ategu'r bregeth?
Y cyd-destun diwinyddol 'mae diwinyddiaeth yn galluogi pregethu i ymdrin â phynciau o bwys ac osgoi'r dibwys ... Mae diwinyddiaeth yn gosod agenda ehangach i'r pulpud: y cread, y drwg, barn, dioddefaint, gofal am y ddaear a chreaduriaid Duw, cyfiawnder, cariad, a chymodi'r byd â Duw. Nid yw'n amhriodol i ddiwinyddiaeth pregethu ofyn yng nghyswllt pregethu, Beth yw'r weledigaeth bennaf a osodir ger ein bron?'[20]	• Ystyriwch rhai o'r pregethau a bregethwyd gennych neu y gwrandawyd arnynt yn ystod y chwe mis diwethaf. I ba raddau roedd y materion mawr a nodir gan Craddock wedi eu cynnwys yn y pregethau hynny?

Wedi canolbwyntio yn y penodau agoriadol ar rai o ofynion *darganfod gair yr Arglwydd yn y Beibl, ar gyfer y cwmni yma o bobl, ar yr amser penodol hwn*, bydd y pedair pennod nesaf yn ystyried rhai o'r dulliau y gellir eu defnyddio yn y gwaith o gynllunio pregethau effeithiol.

Darllen pellach

Fred Craddock *Preaching* (Nashville: Abingdon Press, 1985), gweler Pennod 5, 'Interpretation: The Listeners.'

Leslie J. Francis, *Psychological Type and Biblical Hermeneutics: SIFT Method of Preaching*, yn David Day, Jeff Astley a Leslie J. Francis, (gol.), *A Reader on Preaching: Making Connections* (Aldershot: Ashgate, 2005) 75-82.

Leslie J. Francis ac Andrew Village, *Preaching with All our Souls: A study in Hermenutics and Psychological Type* (London: Continuum, 2008).

Thomas G. Long, *Accompany Them with Singing: The Christian Funeral*, (Louisville: WJKP, 2009).

Thomas H. Troeger a Leonora Tubbs Tisdale, *A Sermon Workbook: Exercises in the Art and Craft of Preaching* (Nashville: Abingdon Press, 2013); gweler Pennod 8, 'Exegeting the Congregation for Preaching' 56-65.

Haddon Robinson, *Expository Preaching: Principles and Practice* (Nottingham: IVP, 2001).

Nodiadau

1. Thomas H. Troeger a Leonora Tubbs Tisdale, *A Sermon Workbook: Exercises in the Art and Craft of Preaching* (Nashville: Abingdon Press, 2013); gweler Pennod 8, 'Exegeting the Congregation for Preaching.' 56-65.

2. Haddon Robinson, *Expository Preaching: Principles and Practice* (Nottingham: IVP, 2001) 28.

3. Troeger a Tubbs Tisdale, *A Sermon Workbook* 56.

4. Thomas G. Long, 'Preaching with Ordered Passion', *Leadership* 12.2 (Gwanwyn 1991) 137-138.

5. Troeger a Tubbs Tisdale, *A Sermon Workbook* 57.

6. Mae Leonora Tubbs Tisdale yn datblygu hyn ymhellach yn Troeger a Tubbs Tisdale, *A Sermon Workbook*) 58-60.

7. Leslie J. Francis, *Psychological Type and Biblical Hermeneutics: SIFT Method of Preaching*, yn David Day, Jeff Astley a Leslie J. Francis, (gol.), *A Reader on Preaching: Making Connections* (Aldershot: Ashgate, 2005) 75.

8. Gweler hefyd Leslie J. Francis a Andrew Village, *Preaching with All our Souls: A Study in Hermenutics and Psychological Type* (London: Continuum, 2008).

9. Alice P. Mathews, *Preaching that Speaks to Women*, (Grand Rapids / Leicester: Baker Books / IVP, 2003) 158-162.

10. Yn y cyd-destun Prydeinig, er enghraifft, mae'r cymdeithasegydd Grace Davie, yn *Religion in Britain: A Persistent Paradox* (Chichester: Wiley-Blackwell; 2015) yn darparu mewnwelediadau gwerthfawr i rai o'r pethau sy'n llunio agweddau pobl heddiw.

11. Richard Lischer, *The End of Words: The Language of Reconciliation in a Culture of Violence* (Grand Rapids / Cambridge: Eerdmans, 2005) 25.

12. Kate Bruce, *Igniting the Heart: Preaching and the Imagination* (London: SCM Press 2015) 111.

13. David Heywood, *Transforming Preaching: The Sermon as a Channel for God's Word* (London: SPCK, 2013) 24.

14. Lischer, *The End of Words* 27.

15. Gweler Pennod 7 sy'n ystyried syniadau Eugene Lowry am 'the homiletical plot.'

16. Am syniadau ynglŷn â pharatoi sgript lafar, gweler Pennod 9, 'First Steps on the Preaching Journey'.

17. Thomas G. Long, *Accompany Them with Singing: The Christian Funeral* (Louisville: WJKP, 2009) 187.

18. Fred B. Craddock, *Preaching* (Nashville: Abingdon Press, 1985) 39.

19. Craddock, *Preaching* 43.

20. Craddock, *Preaching* 49.

Cynllunio Pregethau

5

Rysáit ar gyfer Pregethu

Os am gyflwyniad fideo i Bennod 5 ewch i
studyguidepreaching.hymnsam.co.uk

I mi, mae pregethu fel ... coginio a gweini pryd da o fwyd. Rydych yn dechrau gyda chynhwysion amrwd, eu paratoi, eu rhoi yn y popty, yna ei adael i sefyll am ysbaid cyn ei weini i'r bobl.[1]

Y rysáit fara sylfaenol

Derbyniais lyfr ar bobi bara ar fy mhen-blwydd yn ddiweddar. Roedd y lluniau lliwgar o *focaccia*, *ciabatta* a bara surdoes mor ddeniadol fel yr oeddwn am fwrw iddi yn y fan a'r lle. Yna sylwais ar rybudd yr awdur i leygwyr fel fi, 'os ydych yn gwneud bara heb ddilyn y camau priodol ... rhaid i chi ailgychwyn'.[2] Cyn arbrofi gyda dulliau pobi cymhleth, mae'n bwysig meistroli'r 'rysáit Bara sylfaenol'.

Break Thou the Bread of Life,
Dear Lord, to me,
As Thou didst break the loaves
Beside the sea;
Beyond the sacred page
I seek Thee, Lord;
My spirit pants for Thee,
O Living Word![3]

Paratoi a chynnig bara'r bywyd yw un ffordd o ddisgrifio'r weithred o bregethu. Mae'r penodau canlynol yn nodi nifer o ryseitiau y gellir eu defnyddio wrth i ni baratoi i bregethu a bwydo pobl Dduw.

Mae'r bennod hon yn canolbwyntio ar un dull y gellir ei ystyried fel rysáit sylfaenol pregethu. Yn wir, byddai rhai'n honni y dylai pob pregethwr gyfarwyddo ei hun gyda'r rysáit yma.

Y bregeth ddatblygiadol

Ychydig flynyddoedd yn ôl darllenais draethawd lle'r oedd y myfyriwr yn adrodd ei brofiad o wrando ar nifer o bregethwyr. Doedd dim strwythur amlwg i rai o'r pregethau, a phenderfynodd yr awdur eu dosbarthu fel 'mwydro esboniadol'. Mae'n bosibl i chi gael yr un profiad; rwy'n gofyn i mi fy hun faint o'm pregethau i sy'n disgyn i'r dosbarth hwnnw.

Un ffordd o wneud yn siŵr nad yw pregethau yn gasgliad o feddyliau sanctaidd yw ceisio canfod dadl neu syniad all ddarparu'r llinyn cyswllt i ddal y cyfan gyda'i gilydd; neu a defnyddio terminoleg a awgrymwyd gan John Killinger, mae yna werth mewn cynllunio a chyflwyno 'pregeth ddatblygiadol'. Mae pregeth o'r math yma yn cynnwys 'un syniad canolog neu bwrpas penodol sy'n cymryd cyfres o ddau neu fwy o gamau cyn cyrraedd yr uchafbwynt'.

Mae lle i gredu fod y dull hwn yn darparu rysáit sylfaenol y gall pob pregethwr fanteisio arno, oherwydd dywed Killinger, 'dyma geffyl gwaith y pulpud Cristnogol, yr un y dysgir amdano mewn colegau ac a ddefnyddir ar fore Sul.'[4]

Nid yw'n anodd gweld pam fod y fath ddull wedi cael defnydd helaeth, oherwydd mae pregethau a darlithiau sy'n cynnwys dadl neu thema glir wedi bod yn ddulliau effeithiol o gyfathrebu dros y blynyddoedd. Ar y llaw arall os nad yw'r pregethwr yn glir ynglŷn â'i ddadl ganolog, ni fydd yn syndod os bydd rhai yn ei gynulleidfa wedi eu gadael yn y tywyllwch ynglŷn â'r hyn y mae'r pregethwr yn ceisio ei ddweud.

Darganfod y 'syniad mawr'

Mae'r syniad datblygiadol yma o bregethu yn debyg i ddull a boblogeiddiwyd gan Haddon Robinson. Wrth hyrwyddo un ffurf o *bregethu esboniadol* dadleua y dylai pregethwyr chwilio am y 'syniad mawr' yn y testun beiblaidd fel y gall hwnnw wedyn gynnig y 'syniad mawr' fydd yn dal y bregeth ynghyd.

Mae Robinson yn dadbacio'r cysyniad drwy awgrymu fod y 'syniad' yn cynnwys *pwnc* a *gwrthrych*, sy'n ategu'r *pwnc*. Wrth gyfeirio at Salm 117, er enghraifft, eglura nad moliannu Duw yn gyffredinol yw pwnc yr adran, oherwydd 'y pwnc penodol yw pam y dylai pawb foliannu'r Arglwydd'. Mae'r salmydd yn ôl Robinson yn cynnig dau brif reswm pam y dylid moliannu'r Arglwydd: 'yn gyntaf oherwydd bod ei gariad yn gryf ac yn ail am fod ei ffyddlondeb yn dragwyddol'.[5]

> Cyfathrebu cysyniad beiblaidd yw pregethu esboniadol. Mae'n tarddu ac yn cael ei drosglwyddo drwy astudiaeth hanesyddol, ramadegol a llenyddol o adran arbennig, lle mae'r Ysbryd Glân yn defnyddio personoliaeth a phrofiad y pregethwr i'w drosglwyddo i'r gwrandäwr.[6]

Mae'r pwyslais hwn ar ddod o hyd i'r syniad mawr mewn testun, yn rhan o broses fanylach Robinson o fynd i'r afael â'r testun a chynllunio pregeth. Mae canfod syniad y testun ac yna caniatáu iddo ffurfio'r bregeth yn ddull y mae llawer o bregethwyr yn ei gael yn ddefnyddiol. Mae'n ddull da, ac o'i wneud yn iawn mae gobaith y caiff y gwrandawyr neges glir i'w chludo adref.

Mae pwyslais Robinson ar gyfathrebu cysyniadau beiblaidd yn ddadleuol mewn mannau. Bydd dull sy'n pwysleisio cysyniadau yn gweddu i adrannau megis 1 Corinthiaid 1:18-25, lle mae Paul yn datblygu dadl ddiwinyddol am y groes yn ofalus. Ar y llaw arall, os bydd y pregethwr yn ceisio distyllu ambell stori, megis llyfr Ruth, i un syniad llywodraethol, mae perygl iddo bregethu yn *groes* i raen yr Ysgrythur yn hytrach na *gyda'r* graen. Gall parchu ffurf lenyddol y stori feiblaidd esgor ar bregethau sy'n cael eu llunio gan y plot a'r cymeriad yn hytrach nag awgrymiadau a syniadau.

Pregethu ffurf-sensitif

Mae'r dymuniad i gymryd ffurfiau llenyddol y testunau beiblaidd o ddifrif wedi ei hyrwyddo gan Thomas Long. Yn ei lyfr arloesol *Preaching and the Literary Forms of the Bible*, mae'n cymeradwyo'r 'syniad syml y gallai ac y dylai ffurf lenyddol a deinamig y testun beiblaidd fod yn elfennau pwysig wrth symud o'r testun i'r bregeth'.[7]

MUNUD I FEDDWL

Mae pregethwyr sydd wedi ceisio talu sylw i'r testun beiblaidd yn eu pregethu wedi hen synhwyro y dylai pregeth ar y salmau fod yn wahanol rhywsut i bregeth sy'n seiliedig ar y gwyrthiau, nid yn unig oherwydd yr hyn a *ddywedir* gan y ddau destun ond oherwydd *y ffordd* y mae'r testunau'n dweud yr hyn sydd ganddynt i'w ddweud. Barddoniaeth yw salm, naratif yw stori'r wyrth; ac oherwydd mai dwy ffurf lenyddol a rhethregol ydynt, 'deuant at' y darllenydd o gyfeiriadau gwahanol gydag effeithiau gwahanol. Yr hyn sy'n angenrheidiol felly, yw proses o ddatblygu pregeth gyda digon o wahaniaeth i adnabod a defnyddio'r gwahaniaethau wrth greu'r bregeth ei hun.'[8]

- Darllenwch Salm 8.
- Darllenwch Marc 4:35-41.
- Sut fyddech chi'n disgrifio'r gwahaniaeth rhwng y ddau ddarn?
- Sut fyddai'r gwahaniaethau hynny'n effeithio ar y ffordd yr aech ati i gynllunio pregethau ar y ddau destun yna?

Byddai ystyried yr adrannau hyn efallai yn ffocysu eich meddwl ar y gwahaniaethau rhwng Salm 8, sy'n mynegi ymdeimlad o ryfeddod gerbron ehangder y greadigaeth a mawredd Duw, a Marc 4:35-41, sy'n adrodd y ddrama am Iesu'n gostegu'r storm.

- Sut allai pregeth ar Salm 8 barchu ei chymeriad barddonol?
- Beth mae'r stori yn Marc 4 yn ei ddweud am gymeriadau'r stori?
- Oes unrhyw syniadau am bregeth yn amlygu eu hunain drwy uniaethu gyda rhai o'r cymeriadau yn stori Marc 4?

Datgan honiad y testun

A chadw mewn cof yr angen i dalu sylw i ffurf lenyddol y testun, awgryma Thomas Long mai cam defnyddiol wrth symud o'r testun i'r bregeth yw ceisio canfod ac enwi 'honiad y testun'.

Bydd y gwaith o ymgodymu â'r darn yn esgor ar nifer o syniadau ac adnoddau diddorol. Dylid nodi wrth gwrs nad oes rhaid cynnwys yr holl syniadau ym mhob pregeth. Wedi darganfod llawer o bethau diddorol ynglŷn â'r testun yn ystod y cyfnod paratoi, gall pregethwyr gael eu temtio i wasgu'r holl ddeunydd i'r bregeth. Rhaid osgoi'r demtasiwn hon, ac nid yn unig oherwydd y gallai'r holl wybodaeth fod yn llethol.

Nid gwaith y pregethwr yw rhoi darlith hirwyntog am ddarn arbennig o'r ysgrythur ond yn hytrach dylai geisio dirnad beth y mae Duw am ei ddweud wrth y gynulleidfa ar yr achlysur hwn. Fel yr eglura Long:

> mae honiad y testun yn dibynnu ar yr achlysur; rhywbeth a glywn y *diwrnod hwn*, o'r *testun hwn*, ar gyfer *y bobl hyn*, yn yr *amgylchiadau hyn*, ar *yr adeg yma* yn eu bywyd. A oes gair gan yr Arglwydd *heddiw*?[9]

Gan gofio hyn, dadleua Long y dylai'r pregethwr, wedi'r gwaith o ymgodymu â'r testun, geisio gorffen y frawddeg ganlynol:

> Yng nghyd-destun y gwrandawyr yr hyn y mae'r testun hwn am ei ddweud a'i wneud yw ...[10]

Ei ddymuniad yw cynorthwyo pregethwyr i weld nad crair o'r gorffennol yw'r testun, ond rhywbeth sy'n cyflawni pwrpas ac sy'n cael effaith ar y gwrandawyr. Mewn geiriau eraill, mae'n *gwneud* pethau iddynt. Ysbrydoli, annog, herio a cheryddu yw rhai o'r pethau *a wna'r* testun i'r gwrandawyr. Yn yr un modd, bydd pregethau sy'n seiliedig ar destun beiblaidd hefyd yn cael effaith ar y gwrandawyr.

Awgryma Long:

> Gellir galw'r hyn y mae'r bregeth yn amcanu ei ddweud yn 'ffocws' a'r hyn y mae'r bregeth yn amcanu ei wneud yn 'bwrpas'. Gan y bydd y bregeth yn ei chyfanrwydd yn troi o gwmpas y ddau amcan yma, rhaid i'r pregethwr fod yn glir ynglŷn â ffocws a phwrpas y bregeth fel cam cyntaf yn y gwaith o'i datblygu.[11]

Mae Long yn cynnig esiampl ymarferol o hyn drwy ystyried dathliad Paul o gariad Crist yn Rhufeiniaid 8:28-39. Awgryma:

efallai y bydd y pregethwr sy'n gwrando ar y testun ar ran cynulleidfa boenus a chythryblus yn gweld honiad y testun fel hyn:

Honiad y testun	Ni fydd y Duw y daethom i'w adnabod yn ein gadael yn ein cythrwfl, ond yn hytrach bydd yn ein caru ac yn gofalu amdanom hyd yn oed yn wyneb y profiadau sy'n gwadu hynny.

O symud at y bregeth hwyrach y gwna'r pregethwr droi'r honiad hwn i'r datganiad *ffocws* a *phwrpas* canlynol:

Ffocws	Am i ni weld yn Iesu fod Duw o'n plaid, gallwn fod yn hyderus fod Duw yn ein caru ac yn gofalu amdanom hyd yn oed pan fydd ein profiad yn gwadu hynny.
Pwrpas	Sicrhau a chynnig gobaith i wrandawyr cythryblus yng nghanol eu trafferthion.[12]

Ffocws a Phwrpas	Mae *datganiad ffocws* yn ddisgrifiad cryno o thema ganolog a llywodraethol y bregeth. Yn fyr, dyma fydd cynnwys y bregeth. Mae *datganiad pwrpas* yn ddisgrifiad o'r hyn y mae'r pregethwr yn ei obeithio fydd effaith a chanlyniad y bregeth ar y gwrandawyr. Mae pregethau yn gosod gofynion ar y gwrandawyr, ac mae hynny'n ffordd arall o ddweud eu bod yn pryfocio newid yn y gwrandawyr (hyd yn oed os yw'r newid yn dyfnhau rhywbeth sydd yno eisoes). Mae'r datganiad pwrpas yn nodi'r newid y gobeithir amdano.[13]

Mae'n werth treulio amser yn gweithio gyda syniadau Long am *ffocws* a *phwrpas*. Nid yw'r esiamplau canlynol yn atebion perffaith ond maent yn rhoi rhyw syniad am y broses o ysgrifennu datganiadau *ffocws* a *phwrpas*.

Dameg yr Heuwr

Luc 8:4-8

Wedi darllen y darn a gofyn beth yn union y mae yn ei *ddweud*, cawn fod nifer o atebion yn bosibl. Nid yw'r awgrymiadau canlynol yn gyflawn, ond y mae'r datganiadau *ffocws* i'w gweld yno o ddarllen y darn yn ofalus.

Gallai'r darlleniad ein hysgogi i awgrymu ei fod yn *dweud*:

- Mae Gair Duw yn debyg i'r had;
- Mae Duw'n plannu ei air yng nghalonnau pobl;
- Mae gair Duw yn ennyn ymatebion amrywiol;
- Mae cynhaeaf terfynol Duw yn sicr.

Yna, os awn ymlaen i ystyried effaith y ddameg ar wrandawyr Iesu, dechreuwn ymdeimlo â'r hyn y mae'r darn yn ei *wneud*. Mae'r *datganiad pwrpas* canlynol yn ein cyfeirio ni at rai o'r ffyrdd y cyffrowyd ac yr anogwyd pobl yn y gorffennol. Gallant hefyd awgrymu beth yw neges y ddameg i wrandawyr cyfoes.

Wrth geisio dirnad yr hyn y mae'r darn yn ei *wneud*, mae'n ymddangos ei fod yn:

- herio pobl i ymateb i air Duw;
- rhybuddio pobl am beryglon ymrwymiad llugoer;
- rhybuddio credinwyr y bydd cenhadu'n anodd;
- annog credinwyr digalon fod cynhaeaf Duw yn sicr o ddod.

Efengyl yr atgyfodiad

1 Corinthiaid 15:1-11

O ddarllen y darn hwn o lythyr cyntaf Paul at y Cristnogion yng Nghorinth, cawn ei fod yn ceisio cywiro camddealltwriaethau difrifol am y ffydd Gristnogol. Yn yr adran agoriadol mae'r apostol yn atgoffa pobl am y neges a roddwyd iddo eisoes.

I ddechrau, gallwn ddadlau fod yr adran hon yn *dweud*:

- bu farw Crist dros ein pechodau a chyfodi oddi wrth y meirw;
- cyfarfu llawer o dystion credadwy ag Iesu wedi iddo gyfodi;
- cyfarfu Paul ei hun â'r Crist atgyfodedig;
- mae sylfaen gadarn i athrawiaeth Gristnogol am atgyfodiad;
- mae marwolaeth ac atgyfodiad Iesu yn ganolog i'r ffydd Gristnogol.

Yn y llythyr hwn mae'n ymddangos fel petaem yn digwydd clywed sgwrs rhwng Paul a phobl Corinth. Fel y gwna ar ddechrau'r llythyr (1 Corinthiaid 7:1, 25; 8:1; 12:1), mae Paul yma'n ymateb i gwestiynau y mae credinwyr Corinth wedi'u codi mewn llythyr ato. Weithiau gofynnir iddo ymateb i broblemau ymarferol ac athrawiaethol oddi fewn i fywyd yr eglwys. Efallai fod rhai o'r athrawon yn dadlau nad oedd y fath beth ag atgyfodiad i edrych ymlaen amdano. Felly, yn ogystal â chadarnhau fod Crist wedi cyfodi o feirw, mae'r bennod yn mynd yn ei blaen i herio syniadau ffals am yr atgyfodiad.

Byddai chwilio am yr hyn y mae'r darn yn ei *wneud* efallai yn ein harwain i ddatgan ei fod yn:

- atgoffa credinwyr o'r neges a dderbyniwyd ganddynt ac yr ymatebasant iddi;
- herio amheuon am yr atgyfodiad drwy egluro fod nifer fawr o bobl wedi cyfarfod â Christ wedi iddo gyfodi;
- amddiffyn gwirionedd yr atgyfodiad drwy ddangos i Iesu ymddangos i fwy na 500 o bobl wedi'r atgyfodiad;
- tystio i brofiad Paul o'r Crist atgyfodedig;
- sicrhau credinwyr nad marwolaeth yw'r diwedd.

Mae'r broses o ganfod beth mae'r adran feiblaidd yn ei *ddweud* a'i *wneud* yn paratoi'r ffordd at gam nesaf y cynllunio, sy'n cynnwys datblygu datganiadau *ffocws* a *phwrpas* y bregeth. Bydd y datganiadau hyn yn dangos beth fydd y bregeth yn ceisio ei *ddweud* a'i *wneud*.

Torf o dystion

Hebreaid 12:1-3

Ymddengys fod y Llythyr at yr Hebreaid wedi ei gyfeirio at gredinwyr sy'n cael eu temtio i roi'r gorau i yrfa'r ffydd. Ar ôl y cyfeiriad yn Hebreaid 11 at esiamplau ysbrydoledig y rhai hynny a fu fyw drwy ffydd yn y gorffennol, gall yr adnodau hyn ym Mhennod 12 fod yn *dweud*:

- ein bod wedi'n hamgylchynu gan dorf o dystion;
- fod bywyd y ffydd yn debyg i ras;
- fod yn rhaid dyfalbarhau yn ras y ffydd;
- Iesu Grist yw awdur a pherffeithydd ein ffydd;
- dioddefodd Iesu Grist er mwyn y llawenydd oedd o'i flaen.

Os mai bwriad y Llythyr at yr Hebreaid yn rhannol oedd annog credinwyr i gadw'n ffyddlon i Iesu Grist mewn cyfnod pan oedd llawer yn cael eu temtio i ildio, efallai fod hynny'n lled-awgrymu yr hyn y mae'r darn yn ei *wneud*. Rhesymol yw cynnig:

- ei fod yn annog credinwyr digalon, sy'n cael eu temtio i ildio, drwy eu cyfeirio at esiampl ysbrydoledig Iesu;
- ei fod yn ceisio ysbrydoli pobl i ddyfalbarhau wrth redeg yr yrfa;
- ei fod yn rhybuddio fod gyrfa ffydd yn golygu llawer o anawsterau.

Mae edrych ar y darn hwn drwy lygaid *ffocws* a *phwrpas* yn annog y pregethwr nid yn unig i gyfeirio at Iesu sy'n rhannu'n dynoliaeth yn llawn ond hefyd, i annog y rhai sydd heddiw yn cael eu temtio i roi'r gorau i yrfa'r ffydd.

MUNUD I FEDDWL

Gweithio gyda Luc 15:1-7

Rhan 1

Mae dau gam i'r ymarfer hwn. Yn gyntaf, mae'n eich gwahodd i ddarllen Luc 15:1-7, ac yna i ysgrifennu yn eich geiriau eich hun restr o ddatganiadau *ffocws* a *phwrpas*. Bydd y datganiadau hyn yn archwilio'r hyn y tybiwch chi y mae'r testun beiblaidd yn ei *ddweud* a'i *wneud*.

Ffocws Beth mae'r testun yn ei *ddweud*?	Mae'r testun yn *dweud*:
Pwrpas Beth mae'r testun yn ei *wneud*?	Mae'r testun yn:

Rhan 2

Ar ôl nodi rhestr bosibl o ddatganiadau *ffocws* a *phwrpas*, bydd angen i chi wedyn gynnwys y prif syniadau ar gyfer y bregeth mewn un datganiad *ffocws* ac un datganiad *pwrpas*. Bydd hyn yn eich cynorthwyo i egluro amcan y bregeth wrth ddatgan beth yw 'honiad y testun' drwy ateb y cwestiwn: 'Yng nghyd-destun y rhai fydd yn clywed y bregeth hon, yr hyn y mae'r bregeth am ei *ddweud* a'i *wneud* yw ... '

	Luc 15:1-7
Honiad y Testun	Yng nghyd-destun y rhai fydd yn clywed y bregeth hon, yr hyn y mae'r bregeth am ei *ddweud* a'i *wneud* yw ...
Ffocws Beth mae'r bregeth yn ei *ddweud*?	
Pwrpas Beth mae'r bregeth yn ei *wneud*?	

MUNUD I FEDDWL

Paratoi eich pregeth nesaf

Rhan 1

Nawr gallwch ailadrodd yr ymarfer drwy weithio gyda thestun gosod eich pregeth nesaf. Efallai mai'r darn y gwahoddwyd chi i bregethu yn ei gylch ydyw, neu un o ddarlleniadau gosod y llithiadur ar gyfer y Sul arbennig hwnnw.

Wedi darllen y darn, yn eich geiriau eich hun gwnewch restr o ddatganiadau *ffocws* a *phwrpas*. Bydd y datganiadau hyn yn archwilio'r hyn y tybiwch y mae'r testun beiblaidd yn ei *ddweud* a'i *wneud*.

Ffocws Beth mae'r testun yn ei *ddweud*?	Mae'r testun yn *dweud*:
Pwrpas Beth mae'r testun yn ei *wneud*?	Mae'r testun yn:

Rhan 2

Ar ôl nodi rhestr bosibl o ddatganiadau *ffocws* a *phwrpas*, bydd angen i chi nawr gynnwys y prif syniadau ar gyfer y bregeth mewn un datganiad *ffocws* ac un datganiad *pwrpas*. Bydd hyn yn eich cynorthwyo i egluro amcan y bregeth wrth ddatgan 'honiad y testun' drwy ateb y cwestiwn: 'Yng nghyd-destun y rhai fydd yn clywed y bregeth hon, yr hyn y mae'r bregeth am ei *ddweud* a'i *wneud* yw ... '

Honiad y Testun	Yng nghyd-destun y rhai fydd yn clywed y bregeth hon, yr hyn y mae'r bregeth am ei *ddweud* a'i *wneud* yw ...
Ffocws Beth mae'r bregeth yn ei *ddweud*?	
Pwrpas Beth mae'r bregeth yn ei *wneud*?	

Rysáit sylfaenol ...

Cydnebydd Thomas Long 'nad yw'r pregethwyr mwyaf profiadol yn nodi ffocws a phwrpas y bregeth; mae ganddynt grebwyll naturiol o'r hyn y gobeithiant i'r bregeth ei ddweud a'i wneud.' Wrth adleisio thema'r bennod hon am feistroli'r 'rysáit Bara sylfaenol' awgryma fod gwerth mewn distyllu hanfodion y darn yn y ffordd yma, oherwydd 'bydd llunio datganiadau ffocws a phwrpas yn ddisgyblaeth dda i'r rhai sy'n dechrau pregethu'.[14]

Cynllunio pregeth ddatblygiadol

Rwy'n argyhoeddedig nad yw'r un bregeth yn barod i'w thraddodi, na'i chofnodi, nes y byddwn yn medru mynegi'i thema mewn un frawddeg ystyrlon. Cael hyd i'r frawddeg honno yw'r gwaith anoddaf a mwyaf ffrwythlon yn fy holl baratoadau.[15]

Efallai mai ffordd symlach o feddwl am gynllunio pregeth ddatblygiadol yw ceisio ysgrifennu brawddeg sy'n crynhoi canolbwynt y bregeth y bwriedir ei phregethu. Fel yr awgryma'r pregethwr o genhedlaeth gynharach a ddyfynnir uchod, bydd y broses yn golygu ymdrech a dychymyg.

Un ffordd o egluro canolbwynt y bregeth fyddai neilltuo amser i gwblhau'r frawddeg ganlynol:

Cyhoedda'r bregeth hon y newyddion da fod ...

Felly sut fyddai hynny'n edrych yn ymarferol?

Cynllunio pregeth ddatblygiadol ar Marc 14:32-42

Byddwn yn dychwelyd at adroddiad Marc o ymdrech Iesu yng Ngethsemane ym Mhennod 6 er mwyn dangos dull arall o gynllunio pregethau. Gan feddwl am y gwaith o gynllunio pregeth ddatblygiadol ar yr adran hon, un ffordd o grynhoi yr hyn yw calon y bregeth fyddai dweud:

> Mae'r bregeth hon yn cyhoeddi'r newyddion y gall Mab Duw a ymdrechodd yng ngardd Gethsemane ein cynorthwyo ninnau wrth i ni ymdrechu i ufuddhau i Dduw heddiw.

O gofio beth yw'r crynodeb hwn, y cam nesaf yw datblygu'r bregeth drwy archwilio'r thema. Canlyniad hyn efallai fyddai nodi:

Amlinelliad o bregeth ddatblygiadol ar Marc 14:32-42

Rhagarweiniad	
1 Mabolaeth	Gallai'r adran hon o'r bregeth archwilio'r berthynas agos rhwng Duw a Iesu, ac sy'n cael ei amlygu yn y cyfarchiad 'Abba, Dad'.
2 Ymdrech	Ochr yn ochr â'r berthynas Tad-Mab yn y darn hwn (fel mewn darnau eraill o'r Efengylau), synhwyrwn fod ufudd-dod hyd at angau ar y groes yn ymdrech fawr i Iesu.
3 Ymostyngiad	Roedd yr ymdrech i ufuddhau i'r Tad yn un real, ond nid dyna yw uchafbwynt y stori ond y modd gwirfoddol yr ymostyngodd Iesu i gynllun Duw.
Casgliad	Mae'r adran yn dangos fod ufudd-dod i Iesu yn beth anodd, ac mae hynny'n ein hannog i gredu fod yr Iesu byw yn medru atgyfnerthu pobl fel ni sy'n brwydro'n aml i fod yn ffyddlon i Dduw.

Cynllunio pregeth ddatblygiadol ar Rhufeiniaid 8:28 ac ymlaen

'Gwyddom fod Duw, ym mhob peth, yn gweithio er daioni gyda'r rhai sy'n ei garu ... '

Mae'r bregeth yn cyhoeddi'r newyddion da fod y Duw a gyfododd Iesu o feirw yn abl i ddwyn daioni o sefyllfaoedd dirdynnol.

Rhagarweiniad	
1 Mae pethau drwg yn digwydd i bobl dda	Rydym yn gorfod sylweddoli nad yw ffyddlondeb i Dduw yn gwarantu taith esmwyth drwy fywyd. Mae profiad yn dangos fod pethau drwg yn digwydd i bobl dda. Ymdengys fod hyn yn herio'r hyn yr oedd Paul yn ei ddweud yma.
2 Ar y groes mae'r drwg yn ymddangos yn fuddugoliaethus	Er mwyn ymateb i gwestiynau sy'n deillio o boen a dioddefaint, mae'n angenrheidiol tynnu ar yr adnoddau diwinyddol yn yr adran hon ac hefyd, o ffydd yr Eglwys. Mae'n rhaid ei bod yn ymddangos i'r disgyblion y Groglith cyntaf hwnnw fod Duw a daioni wedi'u trechu.
3 Dengys yr atgyfodiad fod nerth Duw yn gallu dwyn daioni o ddrygioni	Mae'r bedd gwag ac ymddangosiadau'r Crist atgyfodedig yn argyhoeddi'r disgyblion a Christnogion heddiw fod Duw yn medru dwyn daioni o ddrygioni; ym mhob sefyllfa gall Duw weithio er daioni gyda'r rhai sy'n ei garu.
4 Casgliad	

Cynllunio pregeth ddatblygiadol ar Eseia 64:1-12 a Marc 1:1-13

Y darlleniad o'r Hen Destament ar gyfer Sul Cyntaf yr Adfent ym Mlwyddyn B yn y Llithiadur Cyffredin Diwygiedig yw Eseia 64:1-9, gyda'i gri hiraethus: 'O na fuaset wedi rhwygo'r nefoedd, a dod i lawr.'

Mae rhoi ystyriaeth i'r byd y tu ôl i'r testun yn Eseia 64 yn ein cyfeirio at gyfnod dioddefus yn hanes pobl Israel. Wedi'r profiad torcalonnus o fod mewn caethiwed ym Mabilon bell, dychwelodd yr alltudion i'w gwlad a chael fod y tir yn ddiffaith a'u Teml annwyl yn adfail. Does dim syndod i'r Israeliaid deimlo iddynt gael eu trechu a'u gadael yn unig, a gofynnwyd y cwestiwn 'Ble mae'n Duw ni?' I bobl a deimlai fod Duw wedi cefnu arnynt, yr un ymateb priodol oedd yr alarnad: 'O na fuaset wedi rhwygo'r nefoedd, a dod i lawr.'

Ac wrth i'r alarnad esgyn i'r nefoedd, dechreusant gyffesu iddynt dynnu'r anhrefn a'r gofid hwn arnynt eu hunain (gweler adnodau 5b-7). Yng nghanol eu digalondid, daw gobaith wrth iddynt gofio mai Duw eu Tad yw'r crochenydd dwyfol sy'n medru ail-lunio eu bywydau toredig (gweler adnodau 8-9).

Daeth y broses o baratoi'r bregeth Adfent hon yn fyw wrth gysylltu Eseia 64 â rhai myfyrdodau ar fedydd Iesu mewn esboniad diwinyddol ar Efengyl Marc gan William Placher.

Noda Placher, yn y disgrifiad gan Marc o'r nefoedd yn rhwygo'n agored wrth i Iesu ddod allan o afon Iorddonen:

> mae'r ferf sy'n disgrifio'r hyn sy'n digwydd i'r nefolion yn bwerus iawn, sef 'rhwygo'n agored'. Ond fel y noda Donald Juel, 'Gellir cau'r hyn sy'n agored; ni ellir dychwelyd rhywbeth a rwygir yn agored i'w gyflwr gwreiddiol yn hawdd'.[16]

Mae hyn wedi arwain Placher i honni fod adroddiad Marc o'r stori 'wedi newid y berthynas rhwng daear a nefoedd am byth'.[17]

> Mae rhwygo'r nefoedd, fel yn y dyfyniad o'r proffwydi, yn fwy annelwig. Pan weddïodd yr Ail Eseia 'O na fuaset wedi rhwygo'r nefoedd, a dod i lawr … ' (Es. 64:1), yr oedd yn gobeithio cyfiawnhau gwrthsafiad Israel yn erbyn y gelyn. Arferai Donald Juel ar y llaw arall adrodd y stori am y myfyriwr diwinyddol a ymatebodd i'r adran hon drwy ddweud, 'Mae hyn yn arswydus. Mae Duw yn rhydd yn y byd.' Nid yw'r ymateb hwn yn ymddangos fel ei fod allan o le. A oes unrhyw un ohonom yn ddigon hyderus i allu croesawu presenoldeb Duw yn ein plith yn ddibetrus?[18]

Roedd darllen yr adran o Eseia ochr yn ochr ag adroddiad Marc o fedydd Iesu yn rhoi golwg wahanol ar y ddau ddarn: roedd bedydd Iesu'n dangos fod oes newydd ar wawrio wrth i Dduw ddod mewn person i ddechrau'r broses o waredu byd toredig.

O gadw hynny mewn golwg, bu'n rhaid wrth ddwy ymgais i grynhoi craidd y bregeth:

- **Crynodeb o'r bregeth – drafft 1**
  Mae'r bregeth hon yn cyhoeddi'r newyddion da i bobl drallodus, fod Duw wedi agor y nefoedd a dod i'n byd ym mherson Iesu er mwyn ail-greu ein bywydau toredig a'n defnyddio i wneud ei gariad yn ystyrlon i bobl heddiw.
- **Crynodeb o'r bregeth – drafft 2**
  Mae'r bregeth hon yn cyhoeddi'r newyddion da i bobl drallodus, fod Duw wedi dod i'n byd yn Iesu sy'n ail-greu ein bywydau toredig, fel y gall ein defnyddio i wneud ei gariad yn ystyrlon i bobl heddiw.

Gyda golwg ar yr ail grynodeb, datblygodd pregeth ar y llinellau canlynol.

Rhagarweiniad	Wrth i ni glywed am argyfwng economaidd … geilw llais oddi fewn ar Dduw: 'O na fuaset wedi rhwygo'r nefoedd, a dod i lawr.'
	Wrth i ni glywed am drais ar ein strydoedd … geilw llais oddi fewn ar Dduw: 'O na fuaset wedi rhwygo'r nefoedd, a dod i lawr.'

	Wrth i ni ddioddef poen a thorcalon o fewn ein teuluoedd ein hunain ... geilw llais oddi fewn ar Dduw: 'O na fuaset wedi rhwygo'r nefoedd, a dod i lawr.' A phan fyddwn yn crochlefain fel yna, rydym yn rhan o draddodiad hir, oherwydd dro ar ol tro mae pobl Dduw wedi crochlefain: 'O na fuaset wedi rhwygo'r nefoedd, a dod i lawr.'
1 Galarnad	Mewn cyfnod hynod o ddirdynnol yn hanes pobl Dduw a hwythau'n ymdrechu i adfer y wlad a ddifethwyd, gwelir hwy yn tywallt eu gofidiau mewn galarnad: 'O na fuaset wedi rhwygo'r nefoedd, a dod i lawr.' (Eseia 64:1-5a).
2 Cyffes	Mae'r awyrgylch yn newid yn sydyn a chawn ein hunain yn symud o'r alarnad i weddi o gyffes (Eseia 64:5b-7,) wrth i'r bobl gydnabod a chyffesu eu bod wedi tynnu'r gofid hwn arnynt eu hunain. Y cam cyntaf tuag at adferiad a gobaith yw sylweddoli bod angen iddynt droi'n ôl at Dduw a cheisio ei faddeuant.
3 Gobaith	Yn ychwanegol at y galarnadu a'r cyffesu, rydym yn dechrau clywed geiriau o obaith a chysur yn codi o'r darn, oherwydd mae'r proffwyd yn cofio mai Duw yw'r Tad sy'n gwrthod eu gadael, ac mai ef hefyd yw'r crochenydd dwyfol sy'n medru ail-greu bywydau toredig (Eseia 64:8-9). Mae gan Gristnogion hyder yn Nuw oherwydd y ffordd yr agorodd ef y nefoedd ac y daeth i lawr i'r byd yn nyfodiad Iesu.

Bedyddiwyd Iesu yn afon Iorddonen, ac wrth iddo godi allan o'r dŵr, *gwelodd y nefoedd yn rhwygo'n agored* a'r Ysbryd fel colomen yn disgyn arno.

Mae'r iaith a ddefnyddir yma'n arwyddocaol. Fel yr awgryma un ysgolhaig: 'Gellir cau'r hyn sy'n agored; ni ellir dychwelyd rhywbeth a rwygir yn agored i'w gyflwr gwreiddiol yn hawdd' (Donald Juel).

Mae'r geiriau yma yn atseinio'r gri yn Eseia 64 ar i Dduw rwygo'r nefoedd a dod i lawr i'r ddaear. Mae hyn yn cadarnhau'r ymdeimlad fod y digwyddiadau dramatig a gysylltir gyda bedydd Iesu yn datgelu wrth y sawl sydd â llygaid ganddynt i weld, 'fod y berthynas rhwng daear a nefoedd wedi newid am byth.'

Ar Sul Cyntaf yr Adfent, mae Cristnogion yn dathlu yn nyfodiad Iesu, 'fod y berthynas rhwng daear a nefoedd wedi newid am byth.' Mae'r Adfent yn fan cychwyn i daith arbennig tuag at y Nadolig – wrth i ni gofio nid dim ond y Crist a ddaeth, ond hefyd y Crist a ddaw eto. Mae gobaith o wybod fod y dyfodol yn nwylo Duw.

4 Casgliad	Mewn byd lle clywir pobl mewn poen yn crochlefain: 'O na fuaset wedi rhwygo'r nefoedd, a dod i lawr', y newyddion da yw fod Duw wedi dod i'r byd yn Iesu, yr Un sy'n ail-greu ein bywydau briw.

Heddiw mae Duw yn parhau i ddefnyddio pobl gyffredin fel ni i ymgorffori a mynegi ei gariad tuag at eraill. |

MUNUD I FEDDWL

Cynllunio pregethau datblygiadol

Felly dyma'ch tro chi i ystyried sut i gynllunio a datblygu eich pregeth ddatblygiadol eich hun. Dylai gynnwys syniad canolog a phwrpas amlwg wedi'u hamlygu mewn cyfres o ddau neu fwy o gamau a fydd yn datblygu'n raddol nes cyrraedd ei uchafbwynt.[19]

> *Cynllunio pregeth ddatblygiadol ar...*
> *Mae'r bregeth yn cyhoeddi'r newyddion da fod...*

1 Rhagarweiniad	
2	
3	
4	
5 Casgliad	

Adeiladu ar y rysáit fara sylfaenol

Trwy arfer y rysáit fara sylfaenol am rai misoedd, llwyddais i bobi sawl math gwahanol o fara. Hyd yn hyn mae'r *focaccia*, *baguette* a *Pan Rustico* wedi bod yn fwytadwy a bu'r arbrawf yn ddigon llwyddiannus i beri i mi fentro ar gymysgiadau newydd o ryseitiau.

Canolbwyntiodd y bennod hon ar un dull sylfaenol a defnyddiol o baratoi pregeth. Bydd meistroli'r sgiliau homiletaidd a ddisgrifir yn fodd o sicrhau dulliau eraill o gynllunio pregethau. Yn y tair pennod nesaf rhown ystyriaeth i rai o'r dulliau yma.

Nodiadau

1. Delwedd a fynegwyd gan fyfyriwr yn ystod dosbarth pregethu yng Ngholeg Spurgeon's, Llundain.

2. Daniel Stevens, *The River Cottage Bread Handbook* (London: Bloomsbury, 2009) 86.

3. Mary Lathbury 1841-1913.

4. John Killinger, *Fundamentals of Preaching* (London: SCM Press, 1985) 52.

5. Haddon W. Robinson, *Expository Preaching* (Nottingham: IVP, 1980 & 2001) 41-43.

6. Robinson, *Expository Preaching* 21.

7. Thomas G. Long, *Preaching and the Literary Forms of the Bible* (Philadelphia: Fortress Press, 1989) 11.

8. Long, *Preaching and the Literary Forms of the Bible* 11.

9. Thomas G. Long, *The Witness of Preaching: Third Edition* (Louisville: WJKP, 2016) 98.

10. Long, *The Witness of Preaching* 108.

11. Long, *The Witness of Preaching* 108-109.

12. Long, *The Witness of Preaching* 110-111.

13. Long, *The Witness of Preaching* 109.

14. Long, *The Witness of Preaching* 109.

15. J. H. Jowett, *The Preacher: His Life and Work* (New York: George H. Doran, 1912) 133; a ddyfynnwyd yn Robinson *Expository Preaching*.

16. William C. Placher, *Mark: Belief: A Theological Commentary on the Bible* (Louisville: WJKP, 2010) 22.

17. Placher, *Mark* 22.

18. Placher, *Mark* 22-23.

19. John Killinger, *Fundamentals of Preaching* (London: SCM Press, 1985) 52.

6

Creu Dilyniant

Os am gyflwyniad fideo i Bennod 6 ewch i
studyguidepreaching.hymnsam.co.uk

Creu dilyniant

Ar un adeg, tra'n gweithio fel gweinidog lleol, cyflwynwn raglen radio yn fyw
ar fore Sul ar orsaf annibynnol leol. Darlledid y sioe am 7.00 o'r gloch y bore
a byddai'n para am 90 munud. Roedd yn ddechreuad cyffrous ond blinedig
i'r hyn oedd bob amser yn ddiwrnod prysur, gyda dau wasanaeth yn dilyn yn
ystod y dydd.

Treulid llawer o amser yn ystod yr wythnos yn cywain a didoli'r holl
ddeunydd. Roedd ein grŵp radio eciwmenaidd yn casglu newyddion
ar draws y sir ac fel arfer ceid digon o ddewis deunydd. Weithiau ceid
cyfweliadau a recordiwyd ymlaen llaw; weithiau gyda gwestai yn y stiwdio
neu fel arall byddai cyfweliad ar y ffôn gydag esgob efallai. Yn ychwanegol
at hyn, roedd cerddoriaeth o gasgliadau'r orsaf, hysbysebion, traciau gan
artistiaid Cristnogol, cystadlaethau, a chyflwynid pytiau o newyddion lleol
a chenedlaethol. Wedi casglu'r deunyddiau, yr her oedd dod o hyd i ffordd o
drefnu'r cyfan yn ddilyniant synhwyrol. Rwy'n gobeithio i ni lwyddo, o leia ar
rai adegau.

Mae galw am sgiliau tebyg wrth baratoi cyflwyniad 'PowerPoint' ar gyfer
darlithio yn y coleg. Ar un llaw mae angen casglu deunyddiau addas. Bydd rhai
sleidiau'n cynnwys dyfyniadau i egluro'r pwnc, tra bydd gan eraill ddiagramau
neu luniau a rhestr o bwyntiau bwled. Weithiau cynhwysir darnau llafar neu
fideo fel rhan o'r cyflwyniad. Ar y llaw arall, tra'n ceisio osgoi 'marwolaeth
drwy PowerPoint', mae'n bwysig sicrhau fod y sleidiau wedi'u dewis yn ofalus
a'u trefnu mewn dilyniant rhesymegol.

Nawr mae'n ymddangos y byddai braidd yn chwithig cymharu paratoi pregeth â'r broses o baratoi rhaglen radio neu gyflwyniad 'PowerPoint', yn enwedig a ninnau, ym Mhennod 4, wedi cyfeirio at bregethwyr yn gwneud defnydd anaddas o'r dechnoleg fodern. Er hynny, yr hyn sy'n gyffredin i'r holl weithgareddau hyn yw'r angen i ddidol a threfnu defnyddiau er mwyn creu dilyniant ystyrlon i wylwyr a gwrandawyr. Gellir disgrifio un strategaeth o gynllunio pregethau, sy'n cymryd yr angen i greu dilyniant o ddifrif, fel 'pregethu episodaidd'.

Felly beth yw pregethu episodaidd?

Rhydd Mike Graves ddarlun clir o'r dull hwn o bregethu. Awgryma:

> Mae pregethu episodaidd yn golygu gweld y bregeth fel cyfres o bortreadau bychain, wedi'u gwnïo i'w gilydd fel cwilt. Meddyliwch amdano fel paratoi cyflwyniad sleidiau. Gallwch ddychmygu ei fod yn gyflwyniad 'PowerPoint' os mynnwch, er y byddai ei weld fel hen garwsél sleidiau yn gwneud y tro. Yn hytrach nag ystyried pregeth o dan ddau neu dri o benawdau – bydd y bregeth yn cynnwys cyfres o sleidiau.[1]

Ym Mhennod 7 rhoir ystyriaeth i rai agweddau o bregethu naratif, dull sydd wedi esgor ar dipyn o feirniadaeth; awgryma rhai bod pregethau naratif, sy'n pwytho storiâu at ei gilydd, yn debygol o fod yn effeithiol mewn diwylliant lle mae pobl eisoes yn gyfarwydd â'r stori feiblaidd, ond eu bod yn dipyn llai effeithiol mewn cyd-destun ôl-Gristnogol, lle mae gwybodaeth feiblaidd yn brin. Mae lle i ddadlau fod y sefyllfa sy'n wynebu pregethwyr yng ngwledydd y Gorllewin heddiw, yn galw arnynt i fod yn fwy o athrawon nag o adroddwyr storïau.

Gwelir fod y dull episodaidd yn cynnig ffordd o gofleidio'r dulliau anwythol a chasgliadol. Os defnyddiwn ddarlun Graves o 'hen garwsél sleidiau', daw cyfle i fewnosod sleidiau sy'n cynnwys dysgeidiaeth Gristnogol amlwg, yn ogystal â defnyddio storïau a delweddau.

Sylfeini pregethu episodaidd

Mae gwaith homiletaidd David Buttrick yn cyd-fynd â'r ystyriaeth gyfredol ynglŷn â phregethu episodaidd. Yn ei lyfr *Homiletic*, ceir trafodaeth fanwl ganddo ar sut i gynllunio pregethau'n cynnwys cyfres o 'symudiadau'.

Yn hytrach na meddwl am bregethau yn nhermau 'rhagarweiniad, 3 phen a cherdd', mae Buttrick yn dychmygu y gallai pregethau gynnwys cyfres o 'symudiadau'. O fewn fframwaith 'symudiad' ceir cyfres o fframiau neu sleidiau sy'n cyfuno i gyfathrebu syniad neu ennyn ymateb ym meddwl y gwrandäwr.

> Mae pregethau yn gysylltiedig â dilyniant trefnus – nid llefaru â thafodau mohonynt. Mae pregethau'n symudiad iaith o un syniad at un arall, a phob syniad yn cael ei ffurfio gan fwndel o eiriau. Felly, wrth bregethu rydym yn llefaru mewn modiwlau iaith a drefnwyd yn batrwm o ddilyniant. Gelwir y modiwlau iaith yn 'symudiadau'.[2]

Un ffordd o geisio deall hyn yw dychmygu pennod o'r opera sebon 'Pobl y Cwm'. Ar un olwg, mae pob pennod yn cynnwys dilyniant o 'symudiadau'. Ar y dechrau, bydd un symudiad yn canolbwyntio ar staff a chwsmeriaid y caffi. Bydd symudiad arall yn canolbwyntio ar ba ddrama bynnag sy'n digwydd yn y 'Deri', tra bydd un arall eto yn taflu golwg ar beth bynnag sy'n mynd ymlaen yn y Salon Gwallt. Felly, cam wrth gam, cawn ein tynnu i mewn i'r ddrama ac i fywydau cymhleth trigolion Cwm Deri.

Ar lefel arall, mae pob un o'r symudiadau hyn yn cynnwys nifer o fframiau wrth i'r camera ein gwahodd i sylwi ar bethau o onglau gwahanol. Gwelwn bobl wahanol, digwyddwn glywed ambell sgwrs a gwelwn y pethau anfad sydd ar ddigwydd. Ni chawn eglurhad pam fod y dilyniant yn symud o'r caffi i'r 'Deri' neu i'r garej; ond y mae yna ddilyniant o ddelweddau, a bydd ein meddyliau'n llenwi'r bylchau yn reddfol wrth i ni ddilyn y stori.

Os awn ni â'r gyfatebiaeth hon i'r eithaf, mae'n dilyn fod y broses o gynllunio pregeth yn llai tebyg i ysgrifennu darlith ac yn fwy tebyg i gynllunio storïau sy'n cyfuno i wneud ffilm dda. Mae casgliad Thomas Long o gymorth:

Yn syml, mae Buttrick yn awgrymu fod cynllun pregeth dda fel math o stribed ffilm grefftus, sy'n symud yn drefnus a rhesymegol o ffrâm i ffrâm, gyda phob ffrâm yn taflu goleuni ar syniad allweddol. Mae'r holl fframiau yn cydweithio er mwyn i'r bregeth gael ei chyfathrebu'n effeithiol.[3]

Paratoi am bregethu episodaidd

Mae'r broses o baratoi y math yma o bregeth yn golygu symud drwy bob cam a nodwyd ym mhenodau blaenorol y llyfr hwn. Bydd y broses yn cychwyn drwy wrando'n weddigar ar Dduw'n llefaru drwy'r Beibl. Bydd yn galw am waith caled er mwyn dehongli'r testun beiblaidd ac hefyd, er mwyn ystyried anghenion a diddordebau amrywiol ein gwrandawyr. Yn y broses gynllunio y daw'r alwad am strategaeth wahanol.

Mae cydnabod ein gwahanol bersonoliaethau a'n harddulliau addysgu yn golygu ei bod hi'n annhebyg mai dim ond un ffordd sydd o baratoi 'pregeth episodaidd'. Cydnabyddir mai un ffordd yn unig a awgrymir yma.

Fel myfyriwr mewn coleg diwinyddol bu'n rhaid imi ysgrifennu llawer o draethodau. Felly wrth symud i ofal eglwys fy nhuedd oedd paratoi pregethau yn unol â'r ffordd o baratoi traethodau. Byddwn yn gosod tudalen wag A4 ar y ddesg yn ei fformat 'portread' unionsyth, ac yna drwy symud o'r top i'r gwaelod, gwnawn restr o'r hyn y dymunwn ei ddweud.

Ar ryw adeg dechreuodd fy null o baratoi pregethau newid. Penderfynais droi y dudalen A4 ar ei hochr i'r fformat llorweddol, a dechrau darlunio cyfres o swigod siarad neu flychau, gan symud o'r chwith i'r dde ar draws y dudalen. Canlyniad cysylltu'r blychau hyn oedd creu siart rediad, gan nodi gwahanol rannau'r bregeth. Mae ffigwr 6.1 yn enghraifft o bregeth ddiweddar ar adroddiad Marc o ing Iesu yng ngardd Gethsemane, ac mae'n anniben ac yn aneglur ar yr ymylon. Mae darllen o'r chwith i'r dde yn debyg o gyfleu sut y dylai'r bregeth hon lifo a datblygu.

Ni fwriadwyd i rywun arall ddarllen y siart, ond bu'n gymorth i minnau weld siâp a datblygiad y bregeth. Nid fframwaith anhyblyg mo hyn, oherwydd daeth syniadau ychwanegol i'r amlwg wrth ysgrifennu'r bregeth. Sut bynnag, unwaith y byddaf yn fodlon ar siâp y bwrdd stori, gallaf fwrw ymlaen i ysgrifennu'r bregeth.

Pan ddangosais un o'r siartiau yma i gyd-weithiwr, awgrymodd yn syth 'mae'n esiampl o "symudiadau" Buttrick'.

Yn ddiarwybod roeddwn wedi digwydd cael hyd i bregethu episodaidd a olygai gynllunio pregethau yn frith o benodau neu 'symudiadau'.

Awgryma David Buttrick 'na allwn drafod ond pump, ac yn sicr nid mwy na chwech, o bynciau gwahanol mewn dilyniant o fewn ugain munud o ddechrau annerch cynulleidfa.'[4] O graffu eto ar y bregeth, gwelwyd ei bod yn cynnwys saith o 'symudiadau' a'r bwriad oedd i bob symudiad gynrychioli cam arall yn y broses o wahodd gwrandawyr i dreiddio'n ddyfnach i'r hanes cyfarwydd am Iesu'n gweddïo yng ngardd Gethsemane. O edrych ar y bregeth yn awr mae'n bosibl crynhoi pob symudiad yn llawer haws nag y medrwn ei wneud o'r blaen.

MUNUD I FEDDWL

Efallai y bydd y disgrifiadau canlynol o'r symudiadau yn y bregeth ar Gethsemane yn gymorth i chi weld fel y maen nhw'n cysylltu gyda'r bwrdd stori uchod.

Dilyn y 'symudiadau' yn y bregeth ar Gethsemane[5]

1. Nid yw'n hawdd i ni wybod bob amser beth yw'r peth Cristnogol i'w wneud mewn gwahanol achosion.

2. Nid yw'n syndod fod hyn yn anodd i ni, ond efallai y byddai'n syndod i ni ddeall fod Iesu wedi ei chael hi'n anodd hefyd.

3. A oedd Iesu wedi cael hyn yn wirioneddol anodd? O wrando ar stori Gethsemane mae'n amlwg y caed yno ymdrech fawr i gyflawni ewyllys Duw.

4. Ond mae llais yn sibrwd nad oedd hi mor anodd â hynny i Iesu. Yr hyn sy yn y fantol fan yma yw gwir ddyndod Iesu.

5. Mae gan bobl syniadau rhamantus am erddi, ond roedd gardd Gethsemane yn faes y gad. Profwyd Iesu ar hyd ei oes ac mae'r frwydr honno'n ddwys yng Ngethsemane.

6. Mae pob disgybl yn profi amserau anodd, ac mae angen i ni weddïo am nerth i sefyll yn gadarn.

7. Mae ffydd pobl yn Nuw yn cael ei brofi ar adegau, ac mae Gethsemane'n adrodd y stori am un sy'n abl i'n cynorthwyo yn ein hymdrechion.

Y Blociau adeiladu ar gyfer pregeth episodaidd – dewis y sleidiau

Dadleua Mike Graves y gallwn ddewis tri math o 'sleidiau' ar gyfer creu pregeth. Awgryma fod 'rhai ohonynt yn esboniadol o ran eu natur, eraill yn ddarluniadol, eraill yn rhyw fath o gymhwysiad'.[6] Yn y bwrdd stori ar gyfer y bregeth ar Gethsemane cawn enghreifftiau o bob un o'r mathau hyn o sleidiau.

Mae'r bregeth yn dechrau gyda phedair sleid ddarluniadol: brasluniau yn cyfleu'r anawsterau a wynebir gan Gristnogion wrth iddynt geisio dirnad beth yw'r ffordd 'Gristnogol' o ymddwyn neu weithredu.

Yn nhermau deunydd 'esboniadol', mae un sleid yn cynnwys dyfyniad allan o esboniad ar Efengyl Marc gan yr ysgolhaig Testament Newydd Joel Green. Yn ogystal, mae nifer o sleidiau ond yn gofyn am ddarllen y darn perthnasol o'r Beibl heb fod angen ei egluro.

Yn symudiad olaf y bregeth ceir nifer o sleidiau sy'n rhoi 'rhyw fath o gymhwysiad' ac sy'n dadlau y bydd pob Cristion yn wynebu cyfnodau pan fydd prawf ar eu ffydd, ond pan ddaw'r cyfnodau hynny, y bydd Crist yn fwy na chymwys i ddarparu'r cymorth angenrheidiol.

Mae rhestr Mike Graves, a'i dri math o sleidiau, yn cynnig trosolwg defnyddiol. Ond mae angen i bob categori gael ei egluro a'i ddatblygu os yw holl ystod yr adnoddau i gael eu gwerthfawrogi. Efallai mai diddordeb mewn diwinyddiaeth gyfundrefnol sy'n fy arwain i awgrymu y byddai o gymorth i rannu ei gategori 'esboniadol' yn ddau, o dan y penawdau 'beiblaidd' a 'diwinyddol'.

Mae'r categori beiblaidd yn bwysig am fod gwreiddio'r mater yn ddwfn yn yr Ysgrythur yn hanfodol i bregethu Cristnogol. Mae'r categori diwinyddol hefyd yn angenrheidiol am fod yn rhaid i'r pregethwr allu sefyll yn ôl a myfyrio'n ddiwinyddol ar faterion sy'n codi o brofiad, ac am fod disgwyl iddo egluro'r credoau diwinyddol sylfaenol. Weithiau bydd disgwyl i bregethwyr ddadlau yn erbyn rhai o'r gwawdluniau o'r credoau Cristnogol sydd ar led ym mhob man.

Mae'r tabl canlynol yn egluro fod sleidiau a dynnir o'r pedwar prif gategori i'w cael mewn ffurfiau a maintioli gwahanol. Awgryma hefyd fod gan bregethwyr sy'n ceisio cynllunio pregeth 'episodaidd' ddigonedd o adnoddau wrth law. Efallai fod gennych chi enghreifftiau eraill y gellir eu hychwanegu at y tabl.

		Enghreifftiau					
Mathau o 'sleidiau'	**Beiblaidd**	Darllen detholiadau beiblaidd	Egluro testunau a themâu beiblaidd				
	Diwinyddol	Myfyrdod diwinyddol ar bynciau	Dysgu athrawiaethau Cristnogol sylfaenol	Trafodaeth a dadl ddiwinyddol			
	Eglurhaol	Storïau newyddion	Storïau ffydd	Enghreifftiau personol	Enghreifftiau o ffilmiau a nofelau	Delweddau	Enghreifftiau hanesyddol
	Cymhwyso	Perthnasedd y ffydd i fywyd pob dydd	Gwahoddiad i gyffes ac ymroddiad	Her i ddisgyblaeth bersonol	Her i fywyd eglwysig		

Yn ei ymateb i'r cwestiynau a godwyd ynglŷn â phregethu naratif, awgryma Thomas Long fod pregethu'r newyddion da yn golygu mwy na dim ond adrodd storïau atgofus. Dadleua fel hyn:

> Bydd yn rhaid i bregethu heddiw ddysgu siarad mewn amryw o leisiau, rhai ohonynt yn fwy uniongyrchol, awdurdodol a thaer na'r dull naratif. Daw'r grym mewn pregethu Cristnogol nid yn unig o'r mynegiant ond hefyd o'r datganiad ('Crist a gyfodwyd oddi wrth y meirw!'), o'r eglurhad, ('Os ar gyfer y bywyd hwn yn unig yr ydym wedi gobeithio yng Nghrist, nyni yw'r bobl fwyaf truenus o bawb'), o'r gwahoddiad ('byddwch yn gadarn a diysgog, yn helaeth bob amser yng ngwaith yr Arglwydd'), o'r gyffes ('Trwy ras Duw yr wyf yr hyn ydwyf'), a hyd yn oed o'r cyhuddiad ('O angau, ble mae dy fuddugoliaeth?').[7]

Efallai fod terminoleg Long yn wahanol i un Graves, ond y mae ef hefyd yn ein cynorthwyo i weld yr ystod eang o adnoddau y gellir ac y dylid eu cynnwys mewn pregethau. Fel yr eglura David Buttrick, effaith gyfunol y delweddau, y storïau a'r dadleuon yw'r hyn sy'n creu cyfathrebu effeithiol.

> Yn union fel darn o farddoniaeth, strwythur o eiriau a delweddau yw pregeth. Ni wnaiff un ddelwedd lachar greu cerdd. Yn hytrach rhyngweithiad o ddelweddau oddi fewn i strwythur sy'n creu cerdd dda. Nid un eglureb sy'n gwneud pregeth dda, ond cyfuniad o ddelweddau, enghreifftiau ac eglurebau.[8]

Bwrdd stori pregeth 'episodaidd'

Gellir gweld fersiwn cyflawn o'r bregeth ar Eseia 6:1-8 a Colosiaid 3:12-17 yn Atodiad 4. Fe'i pregethwyd mewn gwasanaeth ordeinio yn Awst 2009. Un o'i hamcanion oedd herio'r gwrandawyr i weld fod Duw nid yn unig yn galw rhywun i weinidogaeth ordeiniedig ond ei fod yn galw yr holl gredinwyr i'w wasanaethu yn eu bywydau bob dydd.

Tacluswyd y bwrdd stori ar gyfer y cyhoedd, gyda'r bwriad o roi arolwg o'r 'fframiau' neu'r 'sleidiau' a ddefnyddiwyd yn y bregeth 'episodaidd' hon. Wedi darllen y bwrdd stori, efallai y byddech yn hoffi bwrw golwg ar fersiwn cyflawn y bregeth.

Mae'r ymarferiad sy'n dilyn yn eich gwahodd i arbrofi drwy ddatgymalu'r bregeth i'w rhannau cyfansoddol fel yn Ffigwr 6.2.

Ffigwr 6.2 Datgymalu pregeth i'w rhannau cyfansoddol

Bwrdd stori – trosolwg ffrâm wrth ffram o Eseia 6:1-8 a Colosiaid 3:12-17

1	Trais ar strydoedd Llundain. Tybed beth fydd diwedd hyn?	Argyfwng ariannol byd-eang. Tybed beth fydd diwedd hyn?	Nifer y marwolaethau yn Afghanistan yn cynyddu. Tybed beth fydd diwedd hyn?	Cyfnod ansicr. Yn awr	Cyfnod ansicr - yng nghyfnod HD 'yn y flwyddyn y bu farw'r Brenin Usseia...'	Eseia 6.1-3	Yng ngweledigaeth Eseia, gwelwn y Duw yr ydym yn ei addoli a'i wasanaethu	Gall y Duw sy'n defnyddio pethau cyffredin bob dydd, ddefnyddio ein bywydau cyffredin ninnau
2	Mewn cyfnod ansicr cyfeiria'r adran hon at Yr Arglwydd sy'n teyrnasu	Gweledigaeth o'r Arglwydd ar ei orsedd. Gweledigaeth sy'n cyhoeddi fod Duw yn Frenin. Duw sy'n teyrnasu	Byw mewn byd lle mae'n ymddangos mai: Drygioni sy'n teyrnasu...Pechod sy'n teyrnasu... Angau sy'n teyrnasu	Marwolaeth ac atgyfodiad Iesu yn ein harwain i gredu mai'r Arglwydd sy'n teyrnasu	Mewn cyfnod ansicr mae gobaith o wybod mai'r Arglwydd sy'n teyrnasu			
3	Mewn cyfnod o ansicrwydd cyfeiria'r adran hon at Yr Arglwydd y mae ei ogoniant yn llenwi'r ddaear	Hysbyseb BBC Radio 3 – camu mewn i gylch – Camwch i'n byd ni ... o gerddoriaeth glasurol	Rhai'n credu mai dim ond mewn un rhan fach y gallwch glywed seiniau cariad Duw	Rhai'n credu mai 'secwlar' yw popeth y tu allan i gylch bywyd ysbrydol' a bod Duw'n absennol. A oes mannau di-Dduw?	Eseia 6 yn cyhoeddi nad oes unlle'n ddi-Dduw. Gogoniant Duw'n llenwi'r holl ddaear (Eseia 6.3)	Gogoniant Duw'n llenwi'r ddaear. Salm 139.7-12. Ioan 1.14	Ymgnawdoliad - Duw'n defnyddio pethau cyffredin ac yn datguddio ei hun drwyddynt; e.e. Cymun	
4	Mewn cyfnod o ansicrwydd cyfeiria'r adran hon at Yr Arglwydd sy'n galw pobl i'w wasanaethu	Yn draddodiadol yn meddwl am Dduw'n galw pobl i fod yn weinidogion neu bartneriaid cenhadol	Hefyd yn golygu fod Duw yn galw ar bawb i ddefnyddio'r pethau cyffredin yn ei wasanaeth	Athrawes yn gweld ei gwaith fel galwedigaeth	Beth bynnag fo'ch sefyllfa gelwir arnoch i ddefnyddio'r pethau cyffredin mewn bywyd i wasanaethu Duw ac eraill	A yw hyn yn dibrisio'r syniad o alwedigaeth? Na – gweler Colosiaid 3.12-14 a 3.17	Gelwir arnoch i ddefnyddio'r pethau cyffredin mewn bywyd i wasanaethu Duw	
5	Cwestiynau am breifateiddio mwy ar y Post Brenhinol yn esgor ar drafodaeth ffyrnig	Preifateiddio ffydd yn broblem eang a difrifol	Ffydd yn fater personol, ac nid yn fater preifat. Mae'n effeithio ar bob rhan o fywyd	Gelwir arnoch i ddefnyddio pethau cyffredin bywyd mewn gwasanaeth i Dduw	Eich cenhadaeth os derbyniwch ef... Beth bynnag a wnewch ... gwnewch y cyfan yn enw'r Arglwydd Iesu			

MUNUD I FEDDWL

Canfod rhai 'sleidiau' homiletaidd

Darllenwch y darn isod o'r bregeth ar Eseia 6.1-3 a Colosiaid 3.12-17. Mae'n portreadu'r rhan honno o'r bregeth a nodir fel 'symudiad' rhif 3 ar y bwrdd stori.

Darllenwch y darn yn gyntaf ac yna gan gyfeirio at y bwrdd stori, ceisiwch ddarganfod lle mae pob 'episod' neu 'sleid' yn dechrau.

Y dasg nesaf yw canfod y math o sleidiau a ddefnyddir yma. Gan ddefnyddio'r categorïau , **beiblaidd, diwinyddol, darluniadol** a **chymhwysol**, labelwch bob un o'r wyth sleid.

Wedi gorffen, edrychwch ar fersiwn anodedig y darn sy'n ymddangos yn Atodiad 5.

Darn o'r bregeth

Os edrychwn yn ofalus ar y darn, fe welwn hefyd *yr Arglwydd a'i ogoniant yn llenwi'r ddaear.*

Sanct, Sanct, Sanct yw Arglwydd y Lluoedd;
y mae'r holl ddaear yn llawn o'i ogoniant.

Tybed a wnaethoch chi sylwi ar hysbyseb ar y BBC yn ddiweddar? Roedd gŵr a gwraig yn cerdded drwy ganolfan siopa yn cario'u bagiau. Pan oedodd y wraig mewn cylch bach coch ar y llawr, clywyd sŵn cerddoriaeth glasurol. Pan gamodd allan o'r cylch coch, peidiodd y gerddoriaeth.

Roedd yr hysbyseb yn ein gwahodd i *gamu i mewn i'n byd* ni – sef byd Radio 3 – byd cerddoriaeth glasurol.

Nawr, mae llawer o bobl yn credu mai dim ond mewn un rhan fach o'r byd y gallwch chi glywed cerddoriaeth cariad Duw.

Cred rhai bod yna gylch bach o'r enw *'bywyd ysbrydol'* lle gallwch ddarganfod Duw, a gelwir popeth y tu allan i'r cylch hwnnw yn 'seciwlar'. Cred rhai bod pob man y tu allan i'r cylch yn fannau lle mae Duw'n absennol.

Ac weithiau wrth edrych ar rannau o'r byd dywedwn: 'Wel dyna le di-dduw!' Mae'r ardal neu'r rhan honno o'r ddinas yn dalcen rhy galed i Dduw a'i efengyl.

Mae neges y Beibl yn glir. Dywed y Beibl nad oes y fath le'n bod ar y blaned hon, oherwydd fel y dywed y darn hwn '*y mae'r holl ddaear yn llawn o'i ogoniant*'. Mae gogoniant Duw yn llenwi'r holl ddaear.

Daw'r neges hon i'r amlwg mewn rhannau eraill o'r Beibl hefyd. Gwrandewch ar eiriau'r Salmydd yn Salm 139:7-13:

> I ble yr af oddi wrth dy ysbryd?
> I ble y ffoaf o'th bresenoldeb?
> Os dringaf i'r nefoedd, yr wyt yno;
> os cyweiriaf wely yn Sheol, yr wyt yno hefyd.
> Os cymeraf adenydd y wawr a thrigo ym mhellafoedd y môr,
> yno hefyd fe fydd dy law yn fy arwain,
> a'th ddeheulaw yn fy nghynnal.
> Os dywedaf, 'Yn sicr bydd y tywyllwch yn fy nghuddio,
> a'r nos yn cau amdanaf',
> eto nid yw tywyllwch yn dywyllwch i ti;
> y mae'r nos yn goleuo fel dydd,
> a'r un yw tywyllwch a goleuni.
> Ti a greodd fy ymysgaroedd,
> a'm llunio yng nghroth fy mam.

Ac yn y Testament Newydd cawn yr un neges yn amlygu ei hun yn Ioan 1:14, sy'n dweud wrthym '*daeth y Gair yn gnawd a phreswylio yn ein plith.*'

> Daeth Duw ym mherson Iesu Grist – y Gair Dwyfol yn dod yn gnawd.
> A pan ddywedwn fod y Gair dwyfol wedi dod yn gnawd, dywedwn:

> Daeth Duw i ganol dynoliaeth;
> Daeth yn berson o gig a gwaed;
> Daeth i ganol digwyddiadau bob dydd er mwyn datguddio'i gariad a chyflawni ei waith gwaredigol.

A dyna a welwn yn digwydd dro ar ôl tro wrth i ni ddathlu'r Cymun Sanctaidd. Gwelwn y Duw byw yn cymryd pethau cyffredin fel bara a gwin ac yn eu defnyddio i gyfathrebu ei bresenoldeb a'i gariad.

Chi'n gweld, ystyr yr ymgnawdoliad yw bod Duw wedi camu i mewn i'r cylch bach, sef bywyd y byd, a'i wneud yn eiddo iddo'i hun. Mae hynny'n golygu fod bywyd i gyd yn eiddo iddo, ac am fod yr holl ddaear yn llawn o'i ogoniant, mae'n golygu ei fod yn medru ein cyfarfod ym mhob rhan o fywyd. Ac mae'n golygu y gall gymryd pethau cyffredin ein bywyd pob dydd, a'u defnyddio i'n bendithio ni ac eraill.

MUNUD I FEDDWL

Cynllunio eich pregeth episodaidd eich hun

- Os ydych yn bwriadu pregethu ar ddarn beiblaidd arbennig, efallai y carech arbrofi drwy ddefnyddio siart y bwrdd stori i'ch cynorthwyo i gynllunio eich pregeth.

- Ar y llaw arall, efallai yr hoffech chwilio am ddarlleniadau'r Sul nesaf yn y llithiadur a chynnal arbrawf drwy gynllunio 'symudiad' all greu pregeth ar un o'r testunau penodol.

Nid amcan y gyfrol hon yw gorfodi un dull haearnaidd o bregethu yng nghyd-destun addoliad Cristnogol. Ei hamcan yw ystyried rhychwant o strategaethau ar gyfer cynllunio pregethau. Os cynlluniwn ein pregethau yn yr un ffordd bob amser, bydd ein gwrandawyr yn gwybod beth i'w ddisgwyl ac o ganlyniad bydd yn anodd dal eu sylw. Ar y llaw arall os bydd gennym stôr o ddulliau pregethu gwahanol, yna bydd yn bosibl cynllunio a chyflwyno digon o amrywiaeth i'n gwrandawyr.

Mae'r bennod hon wedi archwilio strategaeth o gynllunio pregethau yn null 'pregethu episodaidd'. Ystyriwyd sut y gellid defnyddio 'sleidiau' amrywiol i adeiladu dilyniant deallus o 'symudiadau'. Yn y bennod nesaf awn ymlaen i archwilio'r cyswllt rhwng pregethu ac adrodd naratif.

Nodiadau

1. Mike Graves, *The Fully Alive Preacher: Recovering from Homiletical Burnout* (Louisville: WJKP, 2006) 115.

2. David Buttrick, *Homiletic: Moves and Structures* (Philadelphia: Fortress Press, 1987) 23.

3. Thomas G. Long, 'Form' yn W. Willimon a R. Lischer (gol.), *Concise Encyclopedia of Preaching* (Westminster/John Knox, 1995) 151.

4. Buttrick, *Homiletic*, 26.

5. Mae holl destun y bregeth hon, yn ogystal â sylwadau amdani, ar gael yn Peter K. Stevenson a Stephen I. Wright, *Preaching the Incarnation* (Louisville: WJKP, 2010), pennod 6.

6. Graves, *The Fully Alive Preacher* 115.

7. Thomas G. Long, *Preaching from Memory to Hope* (Louisville: WJKP, 2009) 18.

8. Buttrick, *Homiletic* 153.

7

Adrodd Stori

Os am gyflwyniad fideo i Bennod 7 ewch i
studyguidepreaching.hymnsam.co.uk

Un atgof o'm plentyndod yw fy nhad yn darllen stori cyn i mi fynd i gysgu ar ôl iddo ddod adref o'i waith. Parodd hynny i mi syrthio mewn cariad â llyfrau ar hyd fy oes. Bu'r profiad o gael fy magu mewn cartref a oedd yn llawn o lyfrau yn gymorth hefyd. Daeth yr hoffter hwnnw o lyfrau yn ddefnyddiol pan dreuliais gyfnod yn yr ysbyty yn nyddiau'r ysgol uwchradd. Rwy'n sicr fod y profiad o allu diflannu i fyd y ffuglen wedi bod o gymorth i mi wella. Nid yw'n syndod fod fy niddordeb mewn nofelau wedi cynyddu dros y blynyddoedd, ond ymgolli mewn stori dda yw fy hoff ddull o ymlacio.

MUNUD I FEDDWL

- Meddyliwch am nofel neu ffilm a roddodd fwynhad i chi yn ddiweddar.
- Beth gydiodd yn eich dychymyg ac a ddaliodd eich sylw?
- Pa fath o storïau ydych chi'n eu mwynhau fwyaf?
- Pam eu bod nhw'n rhoi mwynhad i chi?
- Pam eu bod nhw'n hoelio'ch sylw?
- Pam eu bod nhw'n storïau **da**?

Sut mae storïau'n gweithio?

Mae meddwl am rai o'm hoff storïau yn datgelu'r elfennau hynny a fu'n gymorth i ddal fy sylw.

Meistr a Chadlywydd

Yn ddiweddar rwyf wedi mwynhau nofelau Patrick O'Brien sy'n dilyn anturiaethau'r capten llong, Jack Aubrey. *Lleolwyd* yr anturiaethau yn ystod Rhyfeloedd Napoleon, ac mae'r nofelau yn rhoi blas o fywyd ar fwrdd llong ryfel yn ystod y cyfnod cythryblus hwnnw. Weithiau, mae'r iaith yn fwriadol hynafol, gan mai dymuniad yr awdur yw creu awyrgylch a rhoi darlun byw o *leoliad* y storïau sy'n datblygu. Mae'r *plot* yn aml yn ymwneud â threchu'r gelyn mewn brwydrau ar y môr a goroesi stormydd sy'n bygwth diogelwch llong Aubrey.

Wrth i'r ddrama ddatblygu, mae *cymeriad* y Capten Jack Aubrey yn datblygu yn yr un modd. Wrth ei ymyl y mae *cymeriad* mwy rhyfedd fyth, sef llawfeddyg Gwyddelig y llong, Dr Stephen Maturin. Nid yn unig y mae'r meddyg amldalentog hwn yn cyflawni llawdriniaethau rhyfeddol ar y criw a glwyfwyd ond y mae ei lithrigrwydd mewn nifer o ieithoedd yn ei alluogi i gyflawni ei waith cudd yn nhir y gelyn.

Yr Arolygydd Rebus

Mae nofelau ditectif Ian Rankin yn perthyn i gyfnod hanesyddol gwahanol, a'u *lleoliad* yw dinas fodern Caeredin. Prysurdeb y ddinas honno a'i chyffiniau sy'n gosod y llwyfan ar gyfer ymholiadau'r Arolygydd i droseddau anfad y cylch. Yn fuan yn y nofel daw *cymeriad* yr heddwas i'r amlwg, oherwydd un garw yw Rebus sy'n cael trafferth cynnal perthynas tymor hir, ac sy hefyd yn or-hoff o'r ddiod er ei les ei hun.

Mae storïau Rankin yn dal fy sylw nid yn unig am fod yr awdur yn creu *cymeriadau* byw, ond oherwydd fod y *plot* bob amser yn fy nghadw i ddyfalu. Droeon ceisiais ddyfalu'r diweddglo, a minnau ond wedi cyrraedd trydedd rhan y llyfr. Am fod y *plot* wedi cydio ynof, ni allaf wedyn roi'r llyfr o'r neilltu tan i mi gyrraedd y diwedd, pan fyddaf yn darganfod, fel rheol, fy mod wedi dyfalu'n anghywir.

Fiona Griffiths

Mae Fiona Griffiths, sy'n dditectif gyda Heddlu De Cymru, yn newydd-ddyfodiad i fyd y nofelau ditectif. Mae'r *cymeriad* canolog yn y storïau yma, sydd wedi eu *lleoli* yng Nghaerdydd, yn anghyffredin am ei bod yn dioddef o Glefyd Cotard, yr hyn sy'n rheoli ei dull o weithio a'i pherthynas ag eraill. Mae rhai o'r cymeriadau sy'n ymddangos yn y storïau, gan gynnwys ei thad, o gefndiroedd 'diddorol' ac amheus.

A minnau'n byw yn y brifddinas, mae'n hawdd iawn dychmygu'r swyddfeydd lle mae hi a'i chydweithwyr yn gweithio, yn ogystal â'r *lleoliad* Cymreig sy'n gefndir i'r storïau. Ar adegau bydd y *plot* yn gwthio terfynau hygrededd, er hynny bydd y tro yng nghynffon y stori yn llwyddo bob amser i ddal fy sylw.

Storïau sy'n gweithio

Yn yr esiamplau hyn o storïau llwyddiannus gwelir cydadwaith gyfoethog rhwng *plot, cymeriad, lleoliad* neu *olygfa*. Ceisia'r bennod hon ddangos sut y gall meddwl am *blot, cymeriad* a *lleoliad* fod o gymorth i bregethwyr wrth iddynt ystyried sut i gynllunio pregethau.

1 DOD O HYD I'R PLOT

Mae i bob stori ei dechrau, ei chanol a'i diwedd; hynny yw, mae strwythur i storïau. Bydd gan bob stori blot o ryw fath. Cawn ein cyflwyno i broblem y mae angen ei datrys; mwy na thebyg y bydd anawsterau i'w goresgyn ar y ffordd neu ganlyniadau i'w hwynebu wedi i'r prif ddigwyddiadau ddod i ben.[1]

Un sydd wedi hyrwyddo'r gwerth o gadw'r plot wrth galon pregethu yw Eugene Lowry.[2] Yn 1980 ysgogodd feddwl ffres am bregethu yn ei lyfr *The Homiletical Plot* drwy ddadlau nad 'darlith athrawiaethol yw pregeth. *Digwyddiad-mewn-amser* ydyw, math ar gelfyddyd naratif sy'n fwy o ddrama neu nofel o ran ei ffurf na llyfr'. Arweiniodd hyn ef i awgrymu y byddai'n llawer iawn gwell ystyried 'y bregeth fel plot homiletaidd, ffurf gelfyddyd naratif, neu stori gysegredig'.[3]

Mae ystyried y bregeth fel *plot*, yn hytrach na darlith, yn golygu fod gan y bregeth ei chynnwys allweddol, sef yr hyn a eilw Lowry yn:

> anghysondeb synhwyrol, cwlwm homiletaidd. Rhywbeth 'yn yr awyr' – mater heb ei ddatrys. Fel pob storïwr da, gwaith y pregethwr yw dod â phobl adref – hynny yw, datrys materion yng ngoleuni'r efengyl ac ym mhresenoldeb y bobl.[4]

Felly, yn hytrach na bod pob pregeth yn cynnwys rhagarweiniad, tri phwynt a diweddglo, awgrymodd Lowry y byddai'n fwy defnyddiol i'r pregethwr symud drwy bump o gamau yn ystod y bregeth, fel yn Ffigwr 7.1

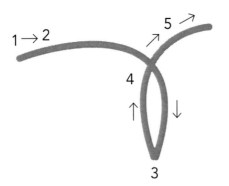

1 Tarfu ar y cydbwysedd
2 Dadansoddi'r anghysondeb
3 Datgelu'r cliw i'r datrysiad
4 Profi'r Efengyl
5 Rhagweld y canlyniadau[5]

Ffigwr 7.1 Dolen pum-pwynt Lowry

Y Plot a'r Ditectif

Ar yr olwg gyntaf gall y labeli anghyfarwydd hyn ymddangos yn ddryslyd. Er hynny, o edrych yn fanylach gallwn weld sut mae pob pennod yn y rhaglenni ditectif poblogaidd megis *Inspector Morse*, yn defnyddio strwythur cyffelyb o ran y *plot*.

1   Yn gyntaf oll, mae'r rhaglen yn tarfu ar gydbwysedd y gwyliwr drwy ein harwain i leoliad llofruddiaeth rhywle yng nghyffiniau Rhydychen. O'r cychwyn cyntaf gall fod yn eglur neu'n aneglur pwy yw'r dihiryn.
2   Yn y rhan nesaf o'r plot gwelir yr hen dditectif sarrug yn cael cais i ddarganfod y llofrudd, ac y mae ef a'i gyd-weithiwr ffyddlon, Lewis, yn dechrau ar eu gwaith o ddadansoddi'r dystiolaeth a dal y troseddwr. Ond am gyfnod, wrth i'r stori ddatblygu, mae'n ymddangos yn llai a llai tebygol y bydd Morse yn llwyddo, oherwydd cawn fod un ymholiad ar ôl y llall yn arwain i unman. Aiff pethau o ddrwg i waeth, ac am fod y datblygiadau'n araf caiff Morse alwad i ddychwelyd i'r swyddfa er mwyn egluro pam fod yr ymchwiliad mor drafferthus.
3   Ar y pryd mae'n edrych yn dywyll iawn nes i'r geiniog ddisgyn ac i Morse synhwyro pwy yw'r llofrudd. Mae darganfod y cliw i'r datrysiad yn drobwynt yn y stori.
4   O hyn ymlaen mae'r plot yn cyflymu, a chawn fwynhad wrth wylio'r heddlu yn prysuro o le i le yn eu hymgais i ddal y dihirod cyn diwedd y rhaglen.
5   Yn rhan olaf y ddrama, bydd y drosedd wedi cael ei datrys a'r llofrudd yn cael ei ddal. Bydd pawb yn byw'n hapus byth wedyn, neu o leiaf tan y bennod nesaf (ar wahân i'r sawl a lofruddiwyd ar ddechrau'r rhaglen).

Y Plot a'r pregethwr

Fel gwylwyr, gwyddom y bydd y stori'n debygol o ddatblygu yn yr un ffordd, ond eto rydym yn hapus i wylio wythnos ar ôl wythnos er mwyn gweld beth fydd yn digwydd y tro nesaf. Mae digon o le i amrywio'r thema ac i gadw'n diddordeb, a gall fod sawl tro yng nghynffon y stori.

Yn yr un modd, awgryma Lowry y gall pregethwyr ennyn diddordeb eu gwrandawyr drwy *darfu ar eu cydbwysedd* drwy gyfeirio at ryw helynt neu'i gilydd ar ddechrau'r bregeth. Gall hynny efallai fod yn ddigwyddiad cythryblus yn y newyddion sy'n bwrw amheuaeth ar ddaioni Duw. Neu yn unol â'r drafodaeth ym Mhennod 3, gall olygu tynnu sylw at ryw fath o *'drwbwl yn y testun'*.

Gall *dadansoddi'r anghysondeb* olygu ein bod yn treiddio'n ddyfnach i'r trwbwl, ac weithiau mwyaf i gyd yr edrychwn, mwyaf i gyd yr anawsterau a ganfyddwn.

Er hynny, nid ein dymuniad wrth bregethu yw arwain y gynulleidfa i Bwll Anobaith, ond *datgelu'r cliw i'r datrysiad*. Llwyddir i wneud hyn yn y bregeth drwy ddod â'r newyddion da am Iesu Grist i mewn i'r sefyllfa. O safbwynt dynol, bydd ambell sefyllfa'n ymddangos yn anobeithiol; ond yng ngoleuni'r groes a'r bedd gwag, meiddiwn gredu fod lle i obeithio.

Ar ôl taflu goleuni'r efengyl Gristnogol ar y broblem caiff y pregethwr ei arwain i gynnig enghreifftiau ac eglurebau o'r gobaith hwnnw. Yn y rhan yma o'r bregeth, bydd y pregethwr a'r gynulleidfa fel ei gilydd yn dechrau *profi'r efengyl*.

Yn rhan olaf y ddrama bregethwrol hon ceisiwn *ragweld y canlyniadau* ar gyfer y bywyd a'r dystiolaeth Gristnogol heddiw. Gellir terfynu pob cyfryw bregeth drwy annog y gwrandawyr i weithio allan drostynt eu hunain beth yw perthnasedd y bregeth i'w bywydau unigol hwy.

Gall y dull hwn o bregethu hawlio fod iddo sail feiblaidd, yn esiampl Iesu a ddysgai drwy ddamhegion. Fel sy'n wir am lawer o'r damhegion yn yr efengylau mae'r dull hwn o bregethu naratif yn ddull anuniongyrchol o gyfathrebu wrth i'r bregeth ddiweddu drwy wahodd ac annog y gwrandawyr i benderfynu drostynt eu hunain beth fydd y diweddglo. Croesawyd y pwyslais hwn gan lawer o bobl oherwydd ei fod yn ddewis credadwy arall, ac yn un sy'n wahanol i'r arfer traddodiadol o bregethau 'tri phwynt'. Tra bydd rhai ffurfiau o bregethu gosodiadol yn fwy tueddol o apelio at ddeallusrwydd y gwrandawyr yn unig, bydd y dull hwn yn gweithredu mewn ffordd gyfannol wrth iddo geisio deffro dychymyg ac emosiwn y gwrandawyr yn ogystal.

Nid yw'r dull hwn heb ei anawsterau. Yn wir, mae'n ymddangos fod gwir bosibilrwydd y gall y pregethwr sydd yn mabwysiadu'r dull naratif drwy'r amser, fod mewn llawn cymaint o berygl o fychanu amrywiaeth yr ysgrythur â'r sawl sy'n troi'n gyson at y dull didactig o bregethu. Er ei bod yn wir fod Iesu wedi dysgu drwy ddamhegion ac iddo ysgogi ei wrandawyr i ystyried drostynt eu hunain beth oedd ergyd y stori, byddai'n gamarweiniol dweud mai dyma unig ddull Iesu o ddysgu a phregethu. Dengys y Bregeth ar y Mynydd y buasai Iesu'n ddigon hapus i ddefnyddio'r dull didactig ar rai achlysuron.

Mewn trafodaeth fanwl ynglŷn â'r dull yma o bregethu naratif mae Charles Campbell[6] o'r farn fod y pwyslais ar faterion ffurfiol y *plot* yn dueddol o anwybyddu'r materion arwyddocaol ynglŷn â *chymeriad* yr un sy'n ganolbwynt pregethu Cristnogol. Yr hyn sy'n bwysig yw nid gweld ein hunain yn debyg i Iesu yn y modd y pregethwn drwy ddamhegion ond sicrhau y bydd cymeriad Iesu wrth galon ein pregethu. Gan fod sawl math o bregethu naratif yn dilyn y dull anwythol, gan ddechrau o brofiad dynol a hynny'n arwain unigolion at brofiad o drawsnewidiad, mae Campbell o'r farn mai'r hyn sy'n rheoli canllawiau'r drafodaeth yn y bregeth yn y pen draw yw profiadau dynol. Nid oes rhaid i hyn ddigwydd oherwydd oddi fewn i gynllun Lowry, byddai hefyd yn bosibl dechrau gyda phroblem y tu mewn i'r testun beiblaidd, neu gyda dau ddarn anghyson â'i gilydd, cyn symud ymlaen i geisio datrysiad beiblaidd i'r broblem honno.

Hwyrach na all y *plot homiletaidd* ddatrys yr holl broblemau sy'n wynebu'r pregethwr cyfoes, ond mae'n cynnig ffordd ymarferol arall o strwythuro pregethau sy'n haeddu ymchwil ac arbrofi pellach.[7]

Gan gydnabod nad *plot homiletaidd* Lowry yw'r gair terfynol yng nghyd-destun cynllunio pregethau, bydd o gymorth i ni yn awr ganfod enghreifftiau yn yr Hen Destament a'r Testament Newydd o'r mathau o bregethau a allai ddatblygu o ddefnyddio'r dull hwn.

Cam wrth cam drwy adrannau'r plot homiletaidd - 1

Amlinelliad o bregeth yn seiliedig ar Iago 1:1-8

Bydd pregethwyr sy'n troi i Iago 1:1-8 yn baglu'n fuan dros rhyw 'drwbwl y tu mewn i'r testun', oherwydd mae'r adnodau agoriadol yn dweud: 'Fy nghyfeillion, cyfrifwch hi'n llawenydd pur pan syrthiwch i amrywiol brofedigaethau' (Iago 1:2). Mewn cymdeithas sy'n ceisio osgoi pob math o risg er mwyn lleihau problemau cyn belled â phosibl, nid yw hyn yn ymddangos fel y rysáit gorau ar gyfer lles pobl.

Yn hytrach nag anwybyddu'r math yma o drwbwl yn y testun, byddai'n well i'r pregethwr wynebu'r broblem ar unwaith a chwistrellu ychydig o ddiddordeb ac egni i fewn i'r bregeth.

Mae'n amlwg nad yw'r llythyr hwn o'r Testament Newydd yn stori gyda'i *phlot* ei hun, ond carwn awgrymu ei bod yn bosibl datblygu pregeth ar Iago 1 a fydd yn taro deuddeg am fod iddi blot syml.

Felly gyda golwg ar Iago 1:2 sut mae mynd gam wrth gam drwy adrannau'r *plot homiletaidd*?

Rhywbeth fel hyn efallai?

Tarfu ar y cydbwysedd Efallai y gallai'r bregeth ddechrau drwy ofyn rhai cwestiynau.	*Cyfrifwch hi'n llawenydd ...* • pan fydd eich hoff dîm yn gostwng i adran is? • pan gollwch eich gwaith? • pan fydd y meddyg yn eich hysbysu fod gennych salwch difrifol? • pan fydd un o'ch anwyliaid yn marw? Ydych chi **o ddifrif**? Onid yw hyn yn dangos diffyg sensitifrwydd bugeiliol o'r radd uchaf? Oherwydd gwyddom i gyd nad yw'n gwneud synnwyr i gyfrif ei bod hi'n '*llawenydd*' pan yw sefyllfaoedd o'r fath yn taflu cysgod dros ein bywyd.
Dadansoddi'r anghysondeb Bydd symud ymlaen at yr adran nesaf yn y bregeth yn golygu craffu yn fanwl ar y broblem. Ar y dechrau, wrth i ni edrych yn agosach, gall y sefyllfa ymddangos yn fwy cymhleth.	Mwyaf i gyd y meddyliwn am y peth, mwyaf i gyd y cawn ein hargyhoeddi nad yw'n gwneud synnwyr i *gyfrif ei bod hi'n llawenydd* pan fydd pethau fel hynny'n digwydd, oherwydd rydym yn byw mewn cymdeithas sy'n trysori iechyd, cyfoeth a hapusrwydd. Dywed pobl yn aml: 'Iechyd yw'r cyfan'. Felly sut gallwn ni *gyfrif ei bod hi'n llawenydd* os nad ydym bellach yn mwynhau iechyd da? Rydym yn byw mewn cymdeithas lle roddir yr argraff gan y cyfryngau mai cyfrinach hapusrwydd yw bod yn ddeniadol a chadw'n ifanc a heini. Mewn cymdeithas fel ein cymdeithas ni sy'n addoli enwogrwydd a hudoliaeth, ffwlbri yw dweud wrth ein brodyr a'n chwiorydd pan fyddant yn gorfod wynebu treialon o bob math, y dylent *gyfrif ei bod hi'n llawenydd*. Ond ai dyna'r unig ffordd o edrych arni?

Datgelu cliw'r datrysiad Yn y fan yma bydd y bregeth yn ceisio datrys rhai o'r tensiynau hynny drwy atgoffa'r gynulleidfa fod yr eglwys yn bod ar sail stori arall sy'n taflu goleuni cwbl wahanol ar *heriau bywyd*.	Mae ffordd arall o edrych ar dreialon a heriau bywyd, oherwydd mae'r eglwys yn adrodd stori sy'n gymorth i ni weld pethau mewn goleuni gwahanol. Stori ydyw am Fab Duw, a fu'n rhan o sgarmesoedd bywyd ar y ddaear. Stori ydyw am Fab Duw a fu'n rhan o'r poen a'r dioddefaint sy'n peri i bobl lefain: 'Fy Nuw, fy Nuw pam yr wyt wedi fy ngadael?' Wrth i ni sefyll wrth droed y groes down o hyd i Dduw sydd gyda ni yn ein dioddefaint. Wrth i ni sefyll wrth ymyl y bedd gwag gwelwn Dduw sydd â'i gariad yn drech na marwolaeth. Wrth gyfarfod y Crist atgyfodedig meiddiwn gredu y gall Duw, ym mhob peth, fod yn gweithio er daioni gyda'r rhai sy'n ei garu. (Rhufeiniaid 8:28)
Profi'r efengyl Wedi caniatáu i'r efengyl Gristnogol daflu goleuni ar y sefyllfaoedd hyn, y cam nesaf yw rhannu rhai storïau am bobl y bu eu ffydd yn gymorth iddynt mewn profiadau anodd.	Felly gadewch i mi eich cyflwyno i rai pobl yr wyf yn eu hadnabod a brofodd Duw yn gymorth hawdd ei gael mewn cyfyngder. Er enghraifft, gallaf feddwl am gwpwl a ddaeth i ddygymod â … ac o edrych yn ôl ar y cyfnod ansicr hwnnw yn eu bywyd, maent yn cydnabod y bu pethau'n anodd, ond yr oedd Duw gyda nhw. A gallaf feddwl am berson arall y bu'n rhaid iddo wynebu … Pobl wahanol mewn sefyllfaoedd gwahanol, ond pobl a ddarganfu fod Duw yn medru gweithio er daioni yng nghanol eu dioddefaint a'u treialon.

Rhagweld y canlyniadau Yn rhan olaf y bregeth, a allai fod yn fyr, nid yr amcan yw dysgu gwers, ond gwahodd pobl i ystyried goblygiadau'r bregeth o ran eu bywydau eu hunain.	Nawr, ni allaf ddweud beth sydd o'ch blaen mewn bywyd. Ond hyd yn oed os nad ydych yn wynebu anawsterau heddiw, mae'n siwr y byddwch yn gorfod eu hwynebu rhyw ddiwrnod!

Ond beth bynnag yr ydych yn ei wynebu heddiw, a beth bynnag sydd gan fywyd i'w daflu atoch yn y dyfodol, mae'n bosibl, hyd yn oed mewn cyfnod anodd, y gallwch ei *gyfrif hi'n llawenydd* yn yr ystyr eich bod yn gwybod y bydd Duw gyda chi, beth bynnag a ddaw i'ch rhan.

Fe fydd gyda chi bob amser ac mae'n addo peidio â'ch gadael yn amddifad.

A dim ond am ein bod yn adnabod y math yna o Dduw y gallwn feiddio dweud fel Iago, '*Fy nghyfeillion, cyfrifwch hi'n llawenydd pur pan syrthiwch i amrywiol brofedigaethau*'.

Cam wrth gam drwy adrannau'r plot homiletaidd - 2

Amlinelliad o bregeth yn seiliedig ar Genesis 12:1-9

Genesis 12 yw'r darlleniad gosod ar gyfer Ail Sul y Grawys ym Mlwyddyn A, yn y Llithiadur Cyffredin Diwygiedig. Yn wahanol i'r darn o Iago 1, mae'n amlwg fod yr adroddiad yn Genesis am ymateb Abram i alwad Duw yn ddarn naratif, a gall pregethau fanteisio o weithio gyda gronyn o'r naratif.[8]

Mae nifer o bregethau da y gellir eu pregethu ar y darn hwn, ac efallai y gallai un sy'n defnyddio adrannau'r *plot homiletaidd* ddatblygu ar y llinellau canlynol.

Tarfu ar y cydbwysedd Mae'r bregeth yn dechrau drwy gyfeirio at y teimlad o hiraeth am gartref, ac mae'n ystyried a fyddai Abram wedi ei darfu gan alwad Duw.	Roedd gadael ysgol a mynd i brifysgol yn beth hynod gyffrous, ond yr oedd hefyd yn adeg gythryblus. Oherwydd roedd wedi golygu symud i ffwrdd oddi wrth fy nheulu a'm ffrindiau. Cymaint oedd fy hiraeth am gartref yn ystod y tymor cyntaf hwnnw nes i mi deimlo na fyddai'r tymor byth yn dod i ben. Ac yma yn Genesis 12 gwelwn Abram yn gadael ei deulu a'i gyfeillion a'i amgylchiadau cyfarwydd, nid i fynd i goleg, ond er mwyn ufuddhau i alwad Duw.
Dadansoddi'r anghysondeb Y tro hwn nid dadansoddi problem yw cam nesaf y bregeth ond yn syml iawn, codi nifer o gwestiynau. Nid yw'n angenrheidiol cael yr atebion i'r cwestiynau hynny a ofynnwn ynglŷn â'r testun. Ond bydd gofyn y cwestiynau yn gymorth i ninnau, a'n gwrandawyr gobeithio, ymgolli yn y naratif.	Byddaf yn meddwl … … Sut oedd Abram wedi teimlo o gael ei hun wedi'i ddadwreiddio o'i gynefin? … Pa mor fentrus ac anghyfrifol oedd gadael popeth ar ôl? … A fu Duw yn anghyfrifol yn gofyn i Abram adael popeth ar ôl? Mae darllen y darn yn Genesis 12 yn ein hysgogi i ofyn: 'Pam mae Duw yn dadwreiddio Abram?' Ai am fod Abram a'i deulu'n gwasanaethu duwiau eraill (Josua 24:2) ac am fod yn rhaid iddo adael y cyfan ar ôl os oedd Duw i wneud defnydd ohono? Felly, pan alwodd Duw Abram, roedd yn galw rhywun nad oedd wedi gosod trefn ar ei syniadau diwinyddol. Meddyliwch am Dduw yn galw pagan i waith mor bwysig! Mae'n rhaid bod gadael popeth ar ôl wedi golygu naid anferthol mewn ffydd i Abram. Felly pam oedd Abram yn barod i gymryd cam mewn ffydd?

Datgelu cliw'r datrysiad

Er ein bod yn naturiol yn cael ein denu at gymeriadau dynol, y prif gymeriad yn y ddrama hon yw Duw. Mae dymuniad y cariad dwyfol i fendithio'r byd drwy Abram yn taflu goleuni newydd ar y stori. Nid stori am arwr y ffydd mohoni ond stori am Dduw yn ein gwahodd i chwarae ein rhan yn y cynllun hwn i fendithio eraill.

Hyd yn hyn buom yn canolbwyntio ar Abram, ond y gwir yw mai'r prif gymeriad yma yw'r Duw byw ac mai ef sy'n cymryd y cam cyntaf ac yn addo bendithio, ac nid y patriarch Abraham (Gen. 12:1-3):

> Dywedodd yr Arglwydd wrth Abram, "Dos o'th wlad, ac oddi wrth dy dylwyth a'th deulu, i'r wlad a ddangosaf i ti. Gwnaf di yn genedl fawr a bendithiaf di; mawrygaf dy enw a byddi'n fendith. Bendithiaf y rhai sy'n dy fendithio, a melltithiaf y rhai sy'n dy felltithio, ac ynot ti bendithir holl dylwythau'r ddaear."

Wrth i ni wrando fan yma ar restr yr addewidion dwyfol sylweddolwn fod y cythrwfl personol a theuluol hwn wedi bod yn rhan o gynllun Duw i ddwyn bendith i'r byd cyfan.

Roedd Duw yn galw Abram i gefnu ar gysur cartref a theulu er mwyn rhoi ar waith ei gynllun mawr o iachawdwriaeth, a fyddai'n esgor ar fendith i'r holl fyd.

Ac felly wrth i'r stori ddatblygu, dylem ddechrau gweld sut mae Abram yn dibynnu ac yn gweithredu ar addewidion Duw.

Profi'r efengyl

Yn y rhan yma o'r bregeth daw cyfleon i gyflwyno enghreifftiau o bobl sy'n cael eu defnyddio gan Dduw i fendithio eraill.

Ac fel Abram gynt, gelwir arnom ninnau i fentro'n bywyd ar addewidion Duw. Mae Duw'n addo ein bendithio a'n defnyddio i rannu'i fendithion â'r holl fyd.

Dyna a welwn yn digwydd ar draws y wlad wrth i filoedd o bobl roi heibio eu nosweithiau Gwener a Sadwrn i fendithio eraill drwy ofalu amdanynt wrth wasanaethu gyda Bugeiliaid y Stryd ...

Dyna a welwn yn digwydd yn achos ...

Rhagweld y canlyniadau

Yn rhan olaf y bregeth, a allai fod yn fyr, nid yr amcan yw dysgu gwers, ond gwahodd pobl i ystyried beth yw goblygiadau'r bregeth hon ar eu bywydau.

Gelwir arnom ninnau, fel hwythau, i fyw ein bywydau ar addewidion Duw.

Yng ngoleuni Iesu a'i atgyfodiad, mae gennym gymaint mwy o reswm dros ymddiried yn Nuw a'i addewidion.

Felly wrth i ni ystyried y ffyrdd y galwodd Duw Abram i gamu allan mewn ffydd, wynebwn gwestiynau y mae'n rhaid i bob un ohonom eu hateb drosom ein hunain:

- Pa gamau i'r anwybod y mae Duw yn fy ngalw i i'w cymryd?
- Ym mha ffordd y mae'r Duw byw yn eich galw chithau i fod yn rhan o'i genhadaeth yn y byd anghenus hwn?

MUNUD I FEDDWL

Cam wrth gam drwy adrannau'r plot homiletaidd

Dewiswch un o'r adrannau canlynol a threuliwch ychydig amser yn myfyrio arno. Yna arbrofwch drwy gynllunio pregeth ar yr adran gan ddefnyddio fframwaith y pum-cam uchod.

- Mathew 20:1-16
- Luc 9:12-17
- Luc 24:13-35

Tarfu'r cydbwysedd	
Dadansoddi'r anghysondeb	
Datgelu cliw'r datrysiad	
Profi'r efengyl	
Rhagweld y canlyniadau	

Sut mae darllen storïau o'r Beibl

Y *plot* yw'r enw a roddir ar y strwythur sy'n uno'r gwahanol ddigwyddiadau yn y stori i greu adroddiad di-dor. Diogela'r plot undod y symudiadau gan roi ystyr i elfennau niferus y stori. Yn y cyswllt arbennig hwn mae'r naratif yn wahanol i'r cronicl, sydd ond yn rhestru ffeithiau ...

... y plot sy'n gwneud y naratif. Trwy'r plot y bydd y darllenydd yn dirnad, mewn cyfres o ddigwyddiadau, yr hyn sy'n fwy na chasgliad o ffeithiau wedi eu rhestru'n ddi-drefn un ar ôl y llall. Y plot yw'r egwyddor sy'n unoli'r naratif, dyma'r llinyn arian: mae'n golygu y gellir trefnu camau'r stori i fod yn un senario deallus.[9]

Mae yna debygrwydd rhwng cynllun *plot homiletaidd* Lowry a'r Cynllun Pumran (Quinary) a amlinellwyd yn wreiddiol gan P. Larivaille, ac a ddisgrifiwyd fel 'y model canonaidd y dylid mesur pob plot wrtho'.[10] Fel y mae'r enw yn awgrymu, yn ôl y Cynllun Pumran y mae i'r *plot naratif* bum cam fel rheol.

Y Cynllun Pumran: model strwythurol sy'n rhannu plot y naratif yn bum cam:

1 **Y sefyllfa wreiddiol (neu esboniadol)**: amgylchiadau'r ddrama (lleoliad, cymeriadau), os oes rhaid, nodir unrhyw ddiffygion (salwch, anhawster, anwybodaeth); dengys y naratif ymgais i'w dileu.
2 **Cymhlethdod**: yr elfen sy'n cychwyn y naratif, ac sy'n cyflwyno tensiwn yn y naratif (diffyg cydbwysedd yn y cyflwr gwreiddiol neu gymhlethdod yn yr ymchwil).
3 **Gweithred drawsffurfiol**: canlyniad yr ymchwil, sy'n cywiro'r sefyllfa wreiddiol; mae'n digwydd ar lefel bragmataidd (gweithred) neu wybyddol (gwerthusiad).
4 **Paragraff clo (datrysiad)**: symud y tensiwn drwy gyflawni gwaith trawsffurfiol ar y gwrthrych.
5 **Sefyllfa derfynol**: datganiad o gyflwr newydd y gwrthrych wedi'r trawsffurfiad. Yn strwythurol bydd hyn yn cyd-fynd â chywiro'r sefyllfa wreiddiol drwy ddileu'r diffygion.[11]

Tra'n darllen y Beibl canfyddwn amrywiaeth o ddeunyddiau, ond 'o'r holl ffurfiau beiblaidd llenyddol gellir dadlau mai'r dull naratif yw'r dull mwyaf canolog, sylfaenol a holl gwmpasog.'[12] Felly, os dymunwn bregethu ar ddarn o'r Ysgrythur yn gyson, mae'n debyg y cawn ein hunain yn gweithio gyda nifer o adrannau naratif. Mewn rhai achosion mae'n bosibl y byddwn yn sylwi ar y camau, o fewn y naratifau hynny, sy'n galluogi'r *plot* gwaelodol i ddatblygu. Mae'r enghraifft nesaf yn awgrymu pa mor werthfawr yw edrych ar un testun o'r Hen Destament o safbwynt y Cynllun Pumran.

Archwilio'r plot yn Nehemeia 4

Y byd y tu ôl i'r testun

Yn y flwyddyn 445 CC, ar gychwyn Llyfr Nehemeia, cawn fod Nehemeia'n drulliad i Artaxerxes, brenin Persia. Fel aelod o'r llys, mae ganddo swydd bwysig o fewn Ymerodraeth Persia. Er hynny, yn ei sgwrs gyda Hanani, *'un o'm brodyr'*, rhaid i Nehemeia agor ei lygaid i sefyllfa pobl Dduw a chymharu hynny gyda'i amgylchiadau cysurus ef. Mae'r Iddewon *'adawyd ar ôl yn Jerwsalem heb eu caethgludo'* yn dlawd a gwan. Maent wedi llwyddo i oroesi a dianc, tra bod Nehemeia wedi ei ddyrchafu i statws cyfforddus fel trulliad. Mae Nehemeia yn ŵr llwyddiannus yn llys Artaxerxes, tra yn Jwda a Jerwsalem, *'mae'r sawl a ddihangodd rhag alltudiaeth mewn trybini mawr a gofid; mae muriau Jerwsalem wedi syrthio, a'i phyrth wedi'u llosgi â thân'*.[13]

Efallai na fydd yn bosibl dadansoddi pob adran naratif yn y ffordd yma, ond o edrych ar Nehemeia 4 mae'n bosibl gweld pum cam dilynol y plot yn yr adran hon.

1 Y sefyllfa wreiddiol	Mae'r 'byd y tu ôl i'r testun' yn ein cyfeirio at gyfnod o amser, rai degawdau wedi i'r fintau gyntaf o Iddewon ddychwelyd o'u halltudiaeth ym Mabilon. Erbyn hyn yr oedd yr ymgais i ailadeiladu'r Deml, a gychwynnwyd yng nghyfnodau'r proffwydi Haggai a Sechareia, yn atgof pell, ac roedd hi'n ddyddiau blin ar ddinas Jerwsalem. Mae muriau Jerwsalem yn anorffenedig a'r amddiffynfeydd ar chwâl. Mae'r ysbryd yn isel, a'r ddinas a'i phobl yn agored i ymosodiad.
2 Cymhlethdod	I wneud y sefyllfa'n waeth, roedd y gwleidyddion lleol Sanbalat a Tobeia yn ddig am y byddai'r ddinas yn cael ei hailadeiladu, heb iddi fod o dan eu rheolaeth. Cawn fod y cymdogion blin yma yn gwawdio'r bobl sy'n ailgodi'r mur. Maent wrthi'n cynllunio a chynllwynio. Bwriadant ymosod ar y ddinas, er mwyn sicrhau na fydd Nehemeia'n ailsefydlu rheolaeth ar y ddinas. Yn fuan mae Jerwsalem wedi'i hamgylchynu ar bob ochr gan gymdogion blin ac ymosodol. Ynghanol y sarhad, mae'r tymheredd a'r tyndra'n dwysáu. Nôl yn Jerwsalem mae'r holl wawd a'r sarhad yn cael effaith andwyol oherwydd mae'n ymddangos fod y bobl sy'n ailgodi'r muriau yn colli sêl. Yn Nehemeia 4:10-12 gallwn synhwyro'u tristwch ynglŷn ag arafwch yr adeiladu, ynghyd â'u pryder am ddyfodol y gwaith. Cawn fod rhai o'u cydwladwyr o'r maestrefi a'r ardaloedd cylchynol yn ymbil am gael dychwelyd i'w cartrefi. Mae gwir berygl na chwblheir y gwaith ac y caiff ei adael ar ei hanner.

3 Gweithred drawsffurfiol	A siarad o safbwynt dynol fe drawsffurfir y sefyllfa drwy ymyrraeth Nehemeia:

1. Mae'n mynd i'r afael â phryderon y bobl drwy weithredu'n ymarferol i amddiffyn y ddinas rhag ymosodiad. Hyd yn oed os bydd y gwaith adeiladu yn arafu rhyw ychydig, bydd yn dal i fynd yn ei flaen am fod y bobl yn teimlo'n ddiogelach.

2. Mae Nehemeia hefyd yn eu hatgoffa o'r gorffennol pan waredodd Duw hwynt o gyfyngderau lawer. Fel y galwodd y barnwyr a'r brenhinoedd y bobl ynghyd i ymfyddino drwy godi llef, 'Bydd ein Duw yn ymladd drosom' (adn. 20), mae Nehemeia yn eu hatgoffa yn awr y bydd y Duw sydd gyda hwy yn eu cynorthwyo a'u hamddiffyn. 'Un waith yn unig y defnyddir yr ymadrodd hwn (adn. 20) yn y Beibl Cymraeg Newydd, ond mae'r syniad o Dduw yn ymladd dros ei bobl yn thema gyffredin yn yr Hen Destament. "Duw'r rhyfelwr" (Exodus 15:3, Eseia 42:13, Jeremeia 20:11'.[14]

3. Dyma rywun sy'n arwain drwy esiampl, oherwydd y mae ef a'i warchodwr yn gweithio nos a dydd (4:23). Mae'n rhannu yn y gwaith ac yn dangos ei fod yn barod i ysgwyddo'r un beichiau â phawb arall.

4. Dyma arweinydd sy'n gweddïo ac yn ymddiried yn y Duw sy'n gryfach na'i elynion ac yn fwy na'u hofnau (4:4-5, 9).

Er hynny nid Nehemeia, na'i elynion Sanbalat a Tobeia, yw'r cymeriadau allweddol yn y ddrama hon ond y Duw a rwystrodd fwriadau'r gelyn ac a roddodd nerth i'w bobl i barhau â'u gwaith.

Caiff Nehemeia ei arwain gan yr argyhoeddiad y 'bydd Duw y nefoedd yn rhoi llwyddiant i ni' (2:20); y bydd 'yr Arglwydd sy'n fawr ac ofnadwy' (4:14) gyda hwy ac y bydd 'Ein Duw yn ymladd trosom' (4:20). Yr adnabyddiaeth o'r Duw hwn sy'n gymorth i Nehemeia a'r bobl i weld eu cyflwr mewn goleuni newydd. Mae adnabod y Duw hwn yn trawsffurfio'r sefyllfa.

4 Y Clo (*datrysiad*)	'Pan glywodd ein gelynion ein bod yn gwybod am y peth, **a bod Duw wedi drysu eu cynlluniau,** aethom ni i gyd yn ôl at y mur, bob un at ei waith' (4:15). Roedd y bygythiad yn dal yno, ond galluogodd Duw'r bobl i barhau â'r gwaith a dod â'r cyfan i ben yn llwyddiannus (2:20).
5 *Sefyllfa derfynol*	Mae'r gwaith caled a nodir ym Mhennod 4 yn dwyn ffrwyth yn ei amser, oherwydd 'gorffennwyd y mur mewn deuddeg diwrnod a deugain, ar y pumed ar hugain o Elul' (6:15) .

Defnyddio plot Nehemeia 4 mewn pregeth

A minnau'n bregethwr gwadd, gofynnwyd i mi un tro i bregethu ar Nehemeia 4. Roedd hon yn un o gyfres o bregethau yn seiliedig ar Nehemeia. Roedd deall y ffordd yr oedd y plot yn gweithredu yn yr adran arbennig hon, yn gefndir defnyddiol i bregeth oedd yn symud drwy bum cam y *plot homiletaidd*. Gellir gweld amlinelliad o'r bregeth honno yn Atodiad 6.

MUNUD I FEDDWL

Darganfod y plot yn Ruth 2

Wrth baratoi ar gyfer yr ymarferiad hwn efallai y carech ddarllen y pedair pennod yn Llyfr Ruth a gofyn i chi'ch hun i ystyried y plot sy'n dal y stori ynghyd.

O gael rhyw syniad yn eich meddwl am y plot sy'n datblygu drwy'r llyfr, mae'r ymarferiad hwn yn eich gwahodd i ystyried pa fath o blot a allai fod yn bresennol mewn golygfa o'r naratif Hebreig:

- Darllenwch Ruth 2 gan gadw'r Cynllun Pumran mewn cof.
- Beth yn eich tyb chi yw plot sylfaenol Ruth 2?
- Beth yw camau'r plot yn Ruth 2?
- I ba raddau y gellir dehongli Ruth 2 yn nhermau'r Cynllun Pumran?
- Pa fath o syniadau a gyfleir gan y dull yma o ddarllen y testun?
- Pe gofynnid i chi bregethu ar Ruth 2 beth fyddech chi'n hoffi ei bwysleisio?

Darllen Pellach

Gellir dod o hyd i rai syniadau ar ddarganfod y plot yn Ruth 2 yn Atodiad 7.

Daniel Marguerat ac Yvan Bourquin, *How to Read Bible Stories: An Introduction to Narrative Criticism*, (London: SCM Press, 1999), pennod 4, 'The plot.' 40-57.

John Goldingay, *Models for Interpretation of Scripture*, (Carlisle: Paternoster, 1995), pennod 5, 'How Stories Preach.'

Thomas G. Long, *Preaching and the Literary Forms of the Bible*, (Philadelphia, Fortress Press, 1989), pennod 5, 'Preaching on Narratives'.

2 Nabod y Cymeriadau

Ni ellir gwahanu'r plot a'r cymeriadau; maent yn perthyn yn agos i'w gilydd, os datblygwn y naill fe ddatblygwn y llall. Y cymeriadau yw wynebau gweladwy'r plot: maent yn ei symud, yn ei fwydo, yn ei wisgo; hebddynt bydd y plot megis sgerbwd. Ar y llaw arall nid yw llond dwrn o gymeriadau yn gwneud naratif hyd oni fydd y plot yn eu cysylltu â'i gilydd.[15]

Ar ôl edrych ar rai agweddau o'r plot sy'n dal y naratif beiblaidd ynghyd, mae'n werth ystyried hefyd y cymeriadau a ddaw i'n cyfarfod pan ddarllenwn storïau o'r Beibl.

MUNUD I FEDDWL

- Darllenwch ddameg y Mab Colledig yn Luc 15.11-32.
- Wrth i chi ddarllen y ddameg, a ydych yn uniaethu eich hun yn reddfol ag unrhyw gymeriad arbennig?
- Beth yw eich barn am y cymeriadau eraill?

Mae Thomas Long yn awgrymu y byddwn gan amlaf wrth ddarllen storïau:

> yn uniaethu â chymeriadau yn wirfoddol a digymell. Mae'r darllenydd yn gweld yn syth ei fod ar lawer ystyr yn debyg i gymeriad yn y stori ... mae'r storïwr yn hoff o gyflwyno cymeriad mewn ffordd a fydd yn galluogi'r darllenydd i ddweud 'Rydw i fel yna'.[16]

Pan feddyliwn am ddameg y Mab Colledig yn Luc 15, gall profiadau bywyd ein harwain yn naturiol i uniaethu ein hunain ag un o'r tri phrif gymeriad yn y ddameg.

Er enghraifft, gall trafferthion teuluol ysgogi rhai pobl i uniaethu eu hunain â'r tad cariadus y torrwyd ei galon gan ymadawiad y mab ieuengaf.

Ar y llaw arall, oni allem uniaethu ein hunain â chonglfaen parchus y gymdeithas sy'n taflu pob egwyddor foesol i'r gwynt ac yn rhedeg yn llawn cywilydd a chariad i lawr y stryd i groesawu'r afradlon adref?

Neu a ydym yn llawn cydymdeimlad gyda'r mab ieuengaf hunanol, sy'n hawlio ei etifeddiaeth ac yn ei wastraffu?

Er na fyddem yn dymuno cyfaddef hynny'n gyhoeddus, efallai mai'r peth naturiol yw i ni uniaethu ein hunain gyda'r mab hynaf sarrug, sy'n cwyno am haelioni ei dad.

Prif gymeriadau, cymeriadau atodol ac asiantau

Mae'n anodd penderfynu i ba raddau y mae'r cymeriad yn bresennol, gan fod y naratif ei hun yn esgor yn bendant ar hierarchaeth sy'n cynnwys prif rannau, rhannau llai, a chymeriadau atodol. Gelwir y rhai sydd â rhannau amlwg yn *brif gymeriadau*. Byddant yn cymryd rhan weithredol yn y plot ac maent yn weladwy ar flaen y llwyfan. Mewn cyferbyniad llwyr, bydd y *cymeriadau atodol* yn aros yn y cefndir; gallant fod yn unigolion neu yn griw o bobl: tyrfa, un o'r trigolion, rhywun sy'n cerdded heibio. Rhwng y ddau eithaf yma ceir cymeriadau llai, y gellir eu galw'n *asiantau*. Eu gwaith yn syml yw gyrru'r plot yn ei flaen; efallai y bydd ganddynt ddimensiwn symbolaidd.[17]

Yn Ruth 2, gallwn ddweud mai Ruth a Boas yw'r *prif gymeriadau* yn y naratif oherwydd bod gan y ddau rannau pwysig yn y stori. Ar y llaw arall, mae'r merched ieuainc a'r gweithwyr a gyflogir gan Boas i gasglu'r cynhaeaf yn gweithredu fel *cymeriadau atodol* yn yr ystyr eu bod yn aros yn y cefndir, a hwythau'n rhan o gefndir amaethyddol y stori. Efallai y bydd nifer o *asiantau* wrth eu gwaith yn gyrru'r stori yn ei blaen, oherwydd mae'r 'gwas sy'n gofalu am y medelwyr' (2:6) yn egluro wrth ei feistr pwy yw'r wraig newydd hon, ac mae'n gofalu ei fod yn ymwybodol mai Moabiad ydyw.

Mewn ffordd wahanol y mae'r weddw Naomi yn gyrru'r plot yn ei flaen drwy ddweud 'Dos, fy merch' (2:2), a thrwy hynny yn rhoi caniatâd i'r ferch ifanc fynd i chwilio am fwyd. Mae canlyniad y weithred hon yn golygu y bydd llawer o bethau cyffrous yn digwydd wrth i'r stori ddatblygu. Efallai fod yr ymadrodd 'a digwyddodd' yn adnod 3 yn awgrymu presenoldeb a gweithgarwch Duw yn natblygiad y stori. I ba raddau y mae Duw yn *asiant* sy'n peri i bethau ddigwydd, neu ai Duw Israel yw'r *prif gymeriad* sy'n chwarae'r rhan bwysicaf, hyd yn oed os yw hynny'n digwydd yn dawel yn y cefndir? Neu efallai fod Duw yn chwarae'r ddwy ran yn y stori?

Nawr yn nhermau pregethu, ni fydd talu sylw i'r cymeriadau mewn storïau beiblaidd o angenrheidrwydd yn penderfynu beth fydd ffurf y bregeth. Er hynny, gall holi cwestiynau am swyddogaeth y *cymeriadau* a'r *plot* o fewn y stori fod yn gymorth i ni bwyllo a thalu mwy o sylw i'r testun beiblaidd.

3 DEHONGLI'R SEFYLLFA

Wrth ddarllen y naratif feiblaidd, mae'n demtasiwn i ni feddwl fod yn rhaid i bob stori wrth foeswers sy'n galw arnom i wneud rhywbeth. Er hynny, o droi at destunau naratif y Beibl, mae'r pwyslais yn dueddol o fod yn llawer mwy ar bresenoldeb a gweithgarwch Duw. Mae'n bwysig cydnabod natur *duw-ganolog* y naratif Hebreig, oherwydd Duw yw'r prif gymeriad wrth ei waith, hyd yn oed os yw i bob golwg yn ymddangos yn absennol.

Mewn adran ddefnyddiol ar *Preaching Hebrew Narrative*,[18] mae Greidanus yn nodi 'presenoldeb treiddiol Duw' yn yr olygfa naratif. Yn wir, 'hyd yn oed mewn rhan o olygfa lle nad yw Duw yn un o'r "cymeriadau" neu lle nad yw'n cael ei gynrychioli gan un o'r cymeriadau, bydd yr olygfa lawn yn sicr o ddatgelu presenoldeb Duw, gan fod y cymeriadau dynol yn chwarae eu rhan ar y llwyfan yn erbyn cefndir o addewidion Duw, gallu Duw, gorchmynion Duw a rhagluniaeth Duw'.[19]

Mae presenoldeb treiddiol Duw wedi'i fynegi'n gofiadwy iawn gan Ronald Thiemann a ddywedodd, wrth dynnu sylw at yr adroddiadau yn yr Hen Destament am ddyrchafiad Dafydd i'r orsedd: '*Nid yn gymaint fod Duw yn absennol, ond yn hytrach ei fod yn guddiedig oddi fewn i'r naratif feiblaidd*'.[20] Gellir synhwyro presenoldeb treiddiol, ond cuddiedig, Duw yn hanes Joseff a Llyfr Esther hefyd. Yn hanes Joseff nid yw Duw yn gymeriad amlwg ond eto, yn y pen draw, cawn fod Joseff yn cadarnhau ei gred yn y Duw sydd ar waith (Gen. 50:20). Yn Llyfr Esther nid yw enw Duw hyd yn oed yn cael ei grybwyll, ond cadwyd y llyfr ar gof a chadw oherwydd y gred yn y Duw cuddiedig a fu ar waith yn amddiffyn ac yn gwaredu ei bobl.

Er bod y naratif Feiblaidd yn sicr yn *dduw-ganolog*, mae Greidanus yn tynnu sylw at y ffaith fod llawer o bregethwyr yn dueddol o gael eu hudo gan y defnydd *dyn-ganolog* o'r adrannau naratif. Os mai Duw yw'r prif gymeriad yn y naratif Hebreig, *er na cheir unrhyw gyfeiriad ato*, mae'n awgrymu fod yn rhaid i bregethu beiblaidd osgoi'r demtasiwn i ddefnyddio darnau naratif fel esiamplau da i gredinwyr i'w dilyn. Mae defnyddiau *duw-ganolog* yn gofyn am bregethau *duw-ganolog* a fydd yn canolbwyntio llawer mwy ar yr hyn y mae'r darn yn ei ddatguddio am Dduw, yn hytrach na rhoi mynegiant i'r hyn y mae'n rhaid i mi ei wneud.[21] Felly, ni ddylai pregethau sy'n seiliedig ar ddarnau naratif Joseff ganolbwyntio ar ei bortreadu fel esiampl wych i Gristnogion i'w efelychu, ond dylent bwysleisio'n llawer mwy y Duw hwnnw sydd ar waith yng nghanol bywyd teuluol dryslyd Joseff a'i frodyr. Mae dadlau dros ddefnydd priodol o'r naratif yn galw am fwy o bregethau *duw-ganolog* sy'n ffordd arall o ddadlau dros roi'r efengyl yn ôl wrth galon pregethu.[22]

Sut mae pregethau'n gweithio

Wrth geisio datblygu dealltwriaeth o'r elfennau sy'n gwneud i storïau weithio, sef *plot*, *cymeriad* a *lleoliad*, mae'r bennod hon wedi ystyried rhai o'r ffyrdd y gall elfennau naratif o'r fath wneud i bregethau weithio. Bydd y bennod nesaf yn mynd ymlaen i ystyried fel y mae delweddau yn gymorth i ffurfio pregethau.

Darllen Pellach

Daniel Marguerat ac Yvan Bourquin, *How to Read Bible Stories: An Introduction to Narrative Criticism* (London: SCM Press, 1999).

Thomas G. Long, *Preaching and the Literary Forms of the Bible* (Philadelphia: Fortress Press, 1989).

Eugene L. Lowry, *How to Preach a Parable: Designs for Narrative Sermons* (Nashville: Abingdon Press, 1989).

Eugene L. Lowry, *The Sermon: Dancing the Edge of Mystery* (Nashville: Abingdon Press, 1997).

Eugene L. Lowry, *The Homiletical Plot (Expanded Edition) The Sermon as Narrative Art Form* (Kentucky: WJKP, 2001).

Eugene L. Lowry, *The Homiletical Beat: Why all Sermons are Narrative* (Nashville: Abingdon Press, 2012).

Peter K Stevenson, 'Preaching and Narrative' yn David Day, Jeff Astley a Leslie J. Francis, (gol.), *A Reader on Preaching: Making Connections* (Aldershot: Ashgate, 2005) 103.

Stephen I. Wright, *Preaching with the Grain of Scripture* (Cambridge: Grove Books, 2001).

Nodiadau

1. John Goldingay, *Models for the Interpretation of Scripture* (Carlisle: Paternoster, 1995) 76.
2. Gweler Eugene L. Lowry, *The Homiletical Plot* (Atlanta: John Knox Press, 1980).
3. Eugene L. Lowry, *The Homiletical Plot (Expanded Edition): The Sermon as Narrative Art Form* (Kentucky: WJKP, 2001) xx-xxi.
4. Lowry, *Homiletical Plot (Expanded Edition)* 12.
5. Lowry, *Homiletical Plot (Expanded Edition)* 26.
6. Charles L. Campbell, *Preaching Jesus: New Directions for Homiletics in Hans Frei's Postliberal Theology* (Grand Rapids/Cambridge: Eerdmans, 1997).
7. Peter K. Stevenson, 'Preaching and Narrative' yn David Day, Jeff Astley a Leslie J. Francis, (gol.), *A Reader on Preaching: Making Connections* (Aldershot: Ashgate, 2005) 103.
8. Stephen I. Wright, *Preaching with the Grain of Scripture* (Cambridge: Grove Books, 2001).
9. Daniel Marguerat ac Yvan Bourquin, *How to Read Bible Stories: An Introduction to Narrative Criticism* (London: SCM Press, 1999) 40-41.
10. Marguerat a Bourquin, *How to Read Bible Stories* 43-44.
11. Marguerat a Bourquin, *How to Read Bible Stories* 44.
12. Sidney Greidanus, *The Modern Preacher and the Ancient Text* (Leicester: IVP, 1988).
13. Matthew Levering, *Ezra & Nehemiah* (London: SCM Press, 2008) 127.
14. *Dave Cave, Ezra & Nehemiah Free to Build* (Nottingham: Crossway, 1993) 157.
15. Marguerat a Bourquin, *How to Read Bible Stories* 58.
16. Thomas G. Long, *Preaching and the Literary Forms of the Bible* (Philadelphia: Fortress Press, 1989) 75.
17. Marguerat a Bourquin, *How to Read Bible Stories* 60.
18. Sidney Greidanus, *The Modern Preacher and the Ancient Text* (Leicester: IVP, 1988) 188-227
19. Greidanus, *The Modern Preacher and the Ancient Text* 199.
20. Ronald F. Thiemann, 'Radiance and obscurity in Biblical Narrative,' yn *Scriptural Authority and Narrative Interpretation* gol. Garret Green, (Philadelphia: Fortress Press, 1987) 21-41.
21. Greidanus, *The Modern Preacher and the Ancient Text* 216 – 221. Gweler hefyd John Goldingay, *Models for Interpretation of Scripture*, (Carlisle: Paternoster, 1995) penodau 2-5.
22. Peter K. Stevenson, 'Preaching and Narrative' 104.

8

Creu Darluniau

Os am gyflwyniad fideo i Bennod 8 ewch i
studyguidepreaching.hymnsam.co.uk

Yn yr ysgol uwchradd, ni chefais ddechrau delfrydol o bell ffordd i wersi celf.
Ar un achlysur cofiadwy, gofynnwyd i ni dynnu lluniau o feiciau, ond roedd
fy ymdrechion mor wael nes y bu'n rhaid i'r athrawes fy arwain tua'r sied
feiciau a gofyn, 'a oes unrhyw olwyn feic yn y sied hon sy'n edrych fel y rhai
yn dy lun?' Felly, roedd hi'n amlwg nad oeddwn am fod yn artist; ond ar hyd y
blynyddoedd, fel pregethwr, rwyf wedi bod yn ceisio creu darluniau â geiriau.
Gan gadw hynny mewn cof, byddwn yn ystyried yn y bennod hon sut y gallwn
ddefnyddio lluniau a darluniau i gefnogi pregethau.

Delweddau, naratifau a dadleuon

Wrth feddwl am y Beibl, mae sylw David Schlafer yn werthfawr iawn:

Boed y testun yn emyn o fawl, yn ddysgeidiaeth gynhwysfawr, cofnod
hanesyddol, dameg, neu draethawd diwinyddol, mae'n cyfathrebu drwy
ddefnyddio *delweddau, naratifau* a *dadleuon*. Mae'r Ysgrythurau'n apelio
at ein synhwyrau a'n hemosiynau yn uniongyrchol drwy ddelweddau.
Maent hefyd yn ein gwahodd i fod yn rhan o'r storïau ... At hynny, byddant
yn gosod dadleuon ger ein bron – cyflwyniadau trefnus o dystiolaeth i'n
harwain i ganlyniadau penodol.[1]

Mae Schlafer yn ymwybodol iawn y ceir, mewn nifer o adrannau, gydadwaith
rhwng delweddau, storïau a dadleuon; ac mae digon o ddeunyddiau beiblaidd
ar gael i egluro'i safbwynt.

Cyfeiria, er enghraifft, at y ddelwedd o Dduw fel bugail sy'n digwydd mewn adrannau megis Salm 23, Eseciel 34 ac Ioan 10. Yn ogystal â'r enghraifft honno mae'n bosibl cyfeirio at y ddelwedd o Grist fel y gwir winwydden yn Ioan 15, neu'r ddelwedd o'r Eglwys fel corff Crist yn Rhufeiniaid 12 ac 1 Corinthiaid 12.

Mewn penodau blaenorol ystyriwyd hanes Abram yn cychwyn ar bererindod ffydd yn Genesis 12, a hanes yr estron Ruth yn dychwelyd gyda'i mam yng nghyfraith Naomi i Fethlehem i chwilio am fwyd a gobaith. Yn yr Efengylau cawn hanesion nid yn unig am Iesu ond hefyd y storïau a rannodd Iesu i gyfathrebu neges radical teyrnas Dduw.

Hawdd hefyd yw gweld fel mae rhai adrannau yn llythyrau Paul yn cael eu dal ynghyd gan ddadleuon celfydd a gofalus. Yn 1 Corinthiaid 1.18-31, er enghraifft, cawn yr Apostol yn ymateb i sefyllfa fugeiliol drwy ddatblygu dadl fanwl am arwyddocâd marwolaeth Iesu ar y groes.

Mae delweddau, storïau a dadleuon, wedi eu dethol yn ofalus, yn strategaethau cyson ym mhregethu ac addysgu Iesu. Nid ymerodraeth fel eiddo Cesar yw teyrnas Dduw. Darluniwch yn hytrach ronyn mwstard, perl wedi'i gladdu, neu ddarn arian wedi'i golli ac y cafwyd hyd iddo. O gael ei herio i ddiffinio yr hyn a olygir wrth gyfrifoldebau cymdogol, gwelir Iesu'n adrodd stori am ddyn a syrthiodd i ddwylo lladron ar y ffordd i Jericho. Eglura beth yw maddeuant drwy adrodd stori am ddyn ifanc yn hawlio cyfran o'i etifeddiaeth, ond a wastraffodd ei eiddo ac a ddaeth adre wedi llwyr anobeithio, dim ond i wynebu sefyllfa na allai ef fyth fod wedi'i ddychmygu.

Weithiau, yn hytrach na defnyddio delweddau neu storïau, mae Iesu yn herio ei ddilynwyr a'i wrthwynebwyr gyda dadleuon ffyrnig. 'Pa werth ennill yr holl fyd a cholli'ch bywyd yn y broses?' Rydych yn talu degwm o fintys ac anis a chwmin ond yn anwybyddu pwysau'r gyfraith.'[2]

Yn yr un modd, yng nghyd-destun pregethu, awgryma Schlafer:

Yn y pregethau sy'n 'gweithio', yn y pregethau sy'n dod â'r Newyddion Da yn fyw, mae un o'r tri hyn – *delwedd*, *stori* neu *ddadl* – yn cydio'r cyfan wrth ei gilydd, gan gynnwys yr egwyddor sylfaenol sy'n ffurfio'r bregeth ar ei hyd. Dewisir un o'r tri fel y cyfrwng gorau i'r pregethwr *hwn*, ar yr amser *hwn* gyda'r testun *hwn* ar gyfer y bobl *hyn*.[3]

MUNUD I FEDDWL

- Ystyriwch y bregeth ddiweddaraf a glywsoch.
- Beth oedd yn dal y bregeth ynghyd?
- Ai *delwedd*, *stori* neu *ddadl*?
- Os oedd cyfuniad o *ddelweddau*, *storïau* a *dadleuon*, pa un ohonynt oedd yr un allweddol?

Beirdd, storïwyr ac ysgrifwyr

Wrth gadw'r syniadau am ddelweddau, storïau a dadleuon mewn cof, awgryma Schlafer ei bod yn bwysig i bregethwyr ddarganfod eu harddull neu 'lais pregethu' unigryw eu hunain.[4] Awgryma y gellir disgrifio pregethwr sy'n datblygu ei bregethau gam wrth gam gyda dadleuon manwl, fel *ysgrifwr*; yr un sy'n defnyddio naratif neu blot, fel *storïwr*; a'r un y mae ei bregethau'n bennaf yn dibynnu ar ddelweddau, fel *bardd*. Nid yw disgrifio pregethwr fel bardd yn golygu fod yn rhaid iddo draddodi ei bregethau mewn mesur ac odl, ond, yn hytrach, mae'n cyfeirio at bregethwyr sy'n cyhoeddi'r newyddion da drwy ddefnyddio delweddau a darluniau geiriol i ddeffro a chynnal diddordeb y gwrandäwr.

O ddefnyddio'r tri chategori yma, nid y bwriad yw ceisio dosbarthu pregethwyr drwy awgrymu mai un dull o bregethu sydd ganddynt. Ond gellir awgrymu, serch hynny, fod gan bob person sy'n pregethu'n gyson ei arddull benodol a phersonol ei hun.

MUNUD I FEDDWL

Ysgrifwr, storïwr neu fardd?

- Meddyliwch am bregethwr a glywsoch ar nifer o achlysuron. Pa un o'r tri chategori yma sy'n gweddu orau iddo/iddi?
- Pa un o'r catgorïau sy'n disgrifio orau eich dull chi o bregethu?
- Pa fath o bregethwr ydych chi, neu y carech chi fod?

Mae'r rysáit pregethu ym Mhennod 5 yn trafod y bregeth ddatblygiadol, sy'n datblygu thema. Efallai mai'r pregethwr fel *ysgrifwr* yw'r un sydd fel arfer yn datblygu dadl ar sail testun beiblaidd, gan ddefnyddio tri 'phwynt' amlwg. Mae Pennod 7 yn canolbwyntio ar y pregethwr fel *storïwr*, sydd nid yn unig yn adrodd llawer o storïau ond yn datblygu pregethau sy'n cael eu dal ynghyd gan blot, ac yn pregethu yn unol â llinyn arian naratif yr Ysgrythur. Yn y bennod hon mae'r pwyslais ar y pregethwr fel *bardd*, sy'n cyflwyno darluniau geiriol i ddal a chynnal sylw pobl.

Y pregethwr fel bardd

Felly beth yw goblygiadau deall y pregethwr fel *bardd*? Ym mha ffordd y gellir defnyddio *delweddau* fel glud i ddal y bregeth ynghyd?

Amcan yr enghreifftiau canlynol yw eich ysgogi i feddwl am yr amrywiol ffyrdd o ddefnyddio *delweddau* yn eich pregethau.

Y safle adeiladu

A minnau'n byw mewn dinas sy'n datblygu gyda'r cyflymaf, byddaf yn cerdded heibio i nifer o safleoedd adeiladu ar fy ffordd i'r gwaith. Ysgogodd y profiad hwn i mi mewn un bregeth[5] ddefnyddio'r ddelwedd o safle adeiladu fel dull o drefnu pregeth ar Sechareia 4:1-10. Cyfeiria'r adran hon o'r Beibl at gyfnod pan oedd pobl Dduw yn cael eu herio i ailadeiladu'r Deml yn Jerwsalem o dan arweiniad Sorobabel a Josua. Daeth y darlleniad o'r Testament Newydd o 1 Pedr 2:4-10, ac mae'n sôn am 'feini bywiol' sy'n cael eu codi'n 'deml ysbrydol'.

Rhan o bregeth ar Sechareia 4:1-10 a 1 Pedr 2:4-10

Rwy'n ffodus fy mod yn medru cerdded o'm cartref i'r gwaith mewn rhyw 25 munud. Ar fy ffordd i'r gwaith rhaid i mi fynd o gwmpas safle adeiladu enfawr, lle mae'r hysbysfyrddau yn cyhoeddi fod nifer o adeiladau mawrion yn cael eu codi – swyddfeydd, adeiladau prifysgol, siopau ac yn y blaen.

Dros y naw mis diwethaf wrth i mi gerdded heibio, gwelais cryn gynnydd yn y gwaith. Ac eisoes mae sgerbwd adeilad 12-15 llawr yn ei le.

Ond mae'n safle anferth ac y mae yno lawer o dir diffaith a chryn dipyn o rwbel o gylch y lle. Mae gwaith mawr i'w wneud, ac os bydd y datblygu'n parhau ar y raddfa bresennol bydd yn flynyddoedd eto cyn y daw i ben.

Mae ein darlleniad o'r Hen Destament yn mynd â ni nôl ychydig dros 500 mlynedd cyn geni Crist, i'r cyfnod pan oedd Jerwsalem yn adfeilion a theml fawr Solomon wedi'i gwastatáu.

Rhwng trigain a deg a thrigain o flynyddoedd ynghynt goresgynnwyd y ddinas gan fyddinoedd Babilon; dinistriwyd y Deml a dygwyd yr arweinwyr i gaethiwed gannoedd lawer o filltiroedd o'u cartref.

Fe gwyd ac fe syrth teyrnasoedd byd ac wrth i'r blynyddoedd fynd yn eu blaenau, fe oresgynnwyd brenhiniaeth Babilon gan frenin Persia, a chaniatawyd i'r Israeliaid ddychwelyd i wlad Jwda i ddechrau ailadeiladu'r genedl, ynghyd â'u Teml.

Dau o'r arweinwyr amlwg oedd yr archoffeiriad, Josua, a'r llywodraethwr Sorobabel, un y mae ei enw'n odli gyda rwbel. Roedd gan y ddau ohonynt dasg anferthol.

Oherwydd nid ailgodi'r adeiladau oedd eu gwaith yn unig, ond ailadeiladu cenedl. Eu gorchwyl oedd adfer bywyd ysbrydol y genedl fel y gallai hi fod yr hyn y bwriadodd Duw iddi fod – yn oleuni i'r cenhedloedd.

Eu gorchwyl oedd adfer bywyd ysbrydol y genedl yn y fath fodd nes eu galluogi i fod yn bobl a fyddai'n adlewyrchu goleuni cariad Duw mewn byd anghenus.

Arhosodd y ddelwedd o'r safle adeiladu yn y cefndir am y rhan fwyaf o'r bregeth honno, oherwydd rhoddodd ystyriaeth i'r meini tramgwydd oedd yn ffordd pobl Israel, a fynnai ailadeiladu'r Deml, ac hefyd i rai o'r meini tramgwydd sy'n ymddangos ar lwybr pobl Dduw heddiw wrth iddynt geisio adeiladu teyrnas Dduw.

Yn y bregeth honno soniais hefyd fy mod wedi sylwi ar rai adeiladwyr yn tynnu hen dafarn i lawr er mwyn ei symud i Amgueddfa Werin Cymru yn Sain Ffagan, ychydig filltiroedd o Gaerdydd. Roedd y ddelwedd o dynnu i lawr ac ailgodi yn gwneud i rywun feddwl am yr anawsterau a'r heriadau sy'n wynebu eglwysi heddiw.

> Yn ystod yr wythnosau diwethaf sylwais ar hen dafarn *The Vulcan* yn cael ei ddymchwel fesul darn ar y tro.
>
> Labelwyd pob un o'r briciau a'u cludo i ffwrdd – fel y gellir, yn ystod y pedair neu'r pum mlynedd nesaf, ailgodi'r hen dafarn yn Sain Ffagan.
>
> Fel Cristnogion yng Nghymru wynebwn gyfnod heriol. A hwyrach mai un o'r pethau sy'n mynd ymlaen yw bod yr Arglwydd yn tynnu i lawr rai o'r dulliau sydd gennym o fod yn eglwys.
>
> Efallai fod Duw yn tynnu i lawr rhai agweddau ar fywyd yr eglwys am nad ydynt yn addas mwyach yn yr unfed ganrif ar hugain.
>
> Nid bwriad Duw wrth wneud hynny yw ein rhoi i gadw. Ei ddymuniad ef yw ailgodi adfeilion ei eglwys, un darn ar y tro, un crediniwr ar y tro, un maen bywiol ar y tro, fel y gallwn gyda'n gilydd gyhoeddi gweithredoedd rhyfeddol yr un a'n galwodd o dywyllwch i'w ryfeddol oleuni ef.
>
> Nid mater ydyw o gychwyn ymgyrchoedd, neu gynnal mwy o weithgarwch, oherwydd nid yw ailgodi Eglwys Dduw yn waith y gallwn ei gyflawni ein hunain – rhaid i ni ddibynnu ar nerth yr Ysbryd Glân.

Yr olygfa o'r to

> Oblegid yr ydych bawb, trwy ffydd, yn blant Duw yng Nghrist Iesu. Oherwydd y mae pob un ohonoch sydd wedi ei fedyddio i Grist wedi gwisgo Crist amdano. Nid oes rhagor rhwng Iddewon a Groegiaid, rhwng caeth a rhydd, rhwng gwryw a benyw, oherwydd un person ydych chwi oll yng Nghrist Iesu. Galatiaid 3:26-28

Mewn cyfres o bregethau ar y Galatiaid, roeddwn yn paratoi i bregethu ar eiriau enwog Paul ym Mhennod 3, sydd 'ar lawer ystyr' yn gweithredu fel 'uchafbwynt yr holl lythyr'.[6] Tua'r adeg honno roeddem fel teulu wedi dringo tŵr Cadeirlan Sant Paul a mwynhau'r golygfeydd ysblennydd o Lundain i bob cyfeiriad. Er bod yr olygfa'n gyfareddol y mae gormod o wybodaeth weledol i ganolbwyntio arni ar yr un pryd, a'r gwir amdani yw y byddai wedi cymryd cryn dipyn o amser i wneud synnwyr o'r cwbl.

Yn fy mhregeth defnyddiais y ddelwedd o gyrraedd pen yr adeilad a darganfod fod yno ormod i'w werthfawrogi ar yr un ymweliad. Awgrymais fod uchafbwynt llythyr Paul at y Galatiaid ar y naill law yn darparu gweledigaeth gyfareddol o bobl Dduw, lle mae rhaniadau dynol yn cael eu goresgyn yng Nghrist. Ar y llaw arall cymerodd ganrifoedd i'r Eglwys werthfawrogi'r weledigaeth hon a gweithio drwy'r goblygiadau ymarferol.

Yng nghymdeithas y greadigaeth newydd, mae ein hundod yng Nghrist yn goresgyn a dirymu gwahaniaethau hil, dosbarth a rhyw a'n gwahanodd ni pan oeddem yn gaeth i rym Pechod. Wrth gwrs mae'r gwaith ymarferol o wireddu'r weledigaeth o greadigaeth newydd yn orchwyl eglwysig sy'n parhau wrth i ni 'ddisgwyl am y cyfiawnder yr ydym yn gobeithio amdano' (5:5).[7]

Afon bywyd

Wedi iddo ymweld â thref sianti ar gyrion Kumasi yn Ghana, cyflwynodd un pregethwr[8] ddarlun ingol o afon a lygrwyd gan wastraff dynol a diwydiannol yn llifo drwy galon y gymuned dlawd. Cymharwyd y ddelwedd o'r afon, a'i heffaith andwyol ar drigolion y gymuned honno, gyda'r darlun o afon y bywyd sy'n ganolbwynt gweledigaeth y proffwyd yn Eseciel 47. Y darlun llachar sy'n clymu'r bennod honno ynghyd yw'r darlun byw o afon y bywyd sy'n llifo o bresenoldeb Duw yn y Deml, gan drawsnewid y diffeithwch anial a dwyn bywyd i ba le bynnag mae'n llifo. Darparodd y ddelwedd honno o afon bywyd Duw, strwythur ar gyfer pregeth oedd yn cyhoeddi'r newyddion da am allu Duw i drawsnewid y sefyllfaoedd mwyaf anobeithiol.

Y sbin feddyg

Yn dilyn etholiadau lleol, pregethais ar Genesis 3 a defnyddio'r ddelwedd o'r sbin feddyg i gyfleu llais deniadol y sarff, oherwydd swyddogaeth y sbin feddyg yw ceisio creu argraff gadarnhaol am bolisïau ei blaid ei hun wrth gyflwyno darlun negyddol o'r pleidiau eraill. Soniodd y bregeth am nifer o bethau eraill mewn perthynas ag adran gyfarwydd, ond mi gredaf fod y ddelwedd o sbin feddyg, yn troi ac yn llurgunio geiriau Duw, yn un a fu'n gymorth i ddal y bregeth ynghyd.

> Mae'r syniad o sbin – y dirdroi cyfrwys – yn mynd â ni yn ôl ymhell mewn hanes. Yn wir, mae llyfr Genesis yn egluro ei fod yn mynd â ni yn ôl yr holl ffordd i'r dechrau.
>
> Ar y dechrau'n deg gwelwn y sbin feddyg cyntaf wrth ei waith; gwelwn y sarff yn dirdroi ac yn ystumio geiriau Duw; gwelwn gyfrwystra'r sarff yn amau natur ddibynadwy Duw. Ac rwy'n galw'r sarff y sbin feddyg cyntaf am ei bod yn dweud: 'A wnaeth Duw mewn gwirionedd ddweud … ?'

Dechreuodd Iesu ddysgu llawer iddynt ar ddamhegion

Wrth ddefnyddio delweddau i gyfathrebu neges, mae'r pregethwr fel *bardd* yn dilyn yn ôl traed Iesu, a gyflwynodd y newyddion da am deyrnas Dduw mewn damhegion oedd yn llawn o ddelweddau cofiadwy. Dyma ddiffiniad clasurol yr ysgolhaig C. H. Dodd o'r hyn yw dameg:

Ar ei symlaf, trosiad neu gyffelybiaeth yw dameg sy'n tarddu o fyd natur, neu fywyd bob dydd, a thrwy ei bywiogrwydd neu'i hynodrwydd, yn hoelio meddwl y gwrandäwr. Mae'n gadael digon o amheuaeth ynglŷn â'i hystyr a'i chymhwysiad i ddeffro'r ymennydd.[9]

MUNUD I FEDDWL

- I ba raddau y mae fy mhregethu'n dal dychymyg y gwrandäwr 'drwy ei fywiogrwydd a'i hynodrwydd'?
- I ba raddau y mae fy mhregethu'n 'pryfocio' meddwl y gwrandawyr?

Siarad yn weladwy

Er nad oes galw ar bregethwyr i ddarllen cerddi'n gyhoeddus, gallant ddysgu llawer gan feirdd ynglŷn â sut i greu delweddau drwy ddefnyddio iaith ddarluniadol. Tanlinellir pa mor werthfawr yw hynny gan Jolyon Mitchell, sy'n cyfeirio at y darlledwr crefyddol, Ronald Falconer. Dadleua:

> Ar y radio gwnawn ein darluniau ein hunain; ar y teledu maent wedi eu gwneud trosom gan eraill ... Beth bynnag fo'r rhaglen radio, boed hi'n ddrama, rhaglen ddogfen neu wasanaeth o addoliad, rydym yn fwy gweithredol yn feddyliol, na phan fyddwn yn gwylio rhywbeth tebyg ar y teledu.

Mae hyn yn arwain Mitchell i awgrymu mai:

> Rhan o rym iaith ddarluniadol yw ei gallu i ddenu'r dychymyg, a thrwy hynny ysgogi'r gwrandäwr i gydweithio fel 'cyfrannwr gweithredol'. Mae gan bregethu sy'n defnyddio'r dull hwn ac yn caniatáu i'r gwrandawyr greu eu darluniau eu hunain, y potensial i gynnwys y gwrandawyr mewn gweithgarwch meddyliol deinamig. Mewn cyferbyniad mae gwylio teledu neu ffilm yn gofyn am lai o gyfraniad dychmygol 'gweithredol'.[10]

'Mae Siarad Diofal yn Peryglu Bywyd'

Roedd cyfres o bosteri[11] o gyfnod yr Ail Ryfel Byd yn apelio ar bobl i fod yn ofalus drwy eu defnydd o'r arwyddair, 'Mae Siarad Diofal yn Peryglu Bywyd'. Er nad oes cymaint â hynny yn y fantol pan ddaw hi'n fater o bregethu, mae'n hanfodol fod pregethau, serch hynny, yn defnyddio geiriau'n ddoeth a chynnil. Dyma faes lle mae gan y pregethwr lawer i'w ddysgu oddi wrth y bardd, oherwydd mae ef neu hi yn feistr ar y gelfyddyd o ddweud llawer mewn ychydig eiriau.

> Peidiwch â defnyddio unrhyw air nad yw'n cyfrannu at y cyflwyniad.
>
> Y mwyaf diriaethol a bywiog y mynegiant, gorau'r farddoniaeth ... Ni allwn ddangos cyfoeth natur drwy gyfansymu, drwy bentyrru geiriau ... Drwy ysgogi syniadau y mae'r meddwl barddol yn gweithio, drwy gynnwys yr ystyr llawn mewn un ymadrodd, cynhwysfawr, gwefreiddiol a goleuedig o'r tu mewn ...
>
> Rhaid osgoi ystrydebau, brawddegau parod, a 'newyddiadureg stereoteip'.[12]

Os yw pob gair yn bwysig ac yn bwerus, yna mae'n werth paratoi a golygu'r hyn a ysgrifennwn a'i draddodi'n ofalus. Er fod pregethu'n wahanol i farddoni ar lawer ystyr, ac er fod llawer o bregethau yn cymryd mwy o amser i'w cyflwyno na cherddi, y mae angen i bregethwyr a beirdd fel ei gilydd fesur pob gair ac ymadrodd.

Gall geiriau fod yn ffrwydrol, ac weithiau gall defnyddio llai o eiriau fod yn fwy pwerus fyth. Mae llai o eiriau'n gadael mwy o le i'r dychymyg ac yn caniatáu i bobl lenwi'r bylchau hynny gydag ystyr a ffydd. Er enghraifft, mewn un man yn y bregeth ar gri Iesu o'r groes yn Marc 15, gwahoddais fy ngwrandawyr i ofyn cwestiwn iddynt eu hunain.

> Tybed beth sy'n gymorth i chi pan fyddwch yn teimlo'n ddigalon ... ?
>
> Efallai fod personoliaethau gwahanol yn cael pethau gwahanol yn gymorth?
>
> I mi darn o gerddoriaeth sy'n gymorth, gan ei fod
> Yn dwysbigo,
>   Yn newid yr awyrgylch,
>   Yn taflu olew ar ddyfroedd cythryblus.[13]

Yn hytrach na disgrifio'r cyflwr o 'iselder' yn fanwl, tybiais y byddai ychydig eiriau'n ddigon i greu darluniau a delweddau a allai wneud i'm gwrandawyr feddwl mwy ynglŷn â'r hyn oedd yn digwydd wrth y groes, a'u hannog i gyfrannu mwy tuag at yr achlysur.

Os yw geiriau'n bwysig, yna rhaid i'r pregethwr feithrin ei ddawn i lunio a chyflwyno geiriau a fydd yn cyfleu neges Duw yn glir. Os yw geiriau'n rym nerthol byddai'n dda i bregethwyr gofio geiriau Cicero: 'Mae gormodedd yn fwy tramgwyddus na rhy ychydig'.[14]

> Gall gormodedd o eiriau ein rhwystro rhag clywed y Gair. Yn wir, gall geiriau fod yn arwydd o'n hawydd i guddio rhag y Gair. Os ydym i gael perthynas dderbyniol gyda'r Gair, efallai y dylem beidio ymgolli mewn iaith. A siarad yn blaen, dylai'r rhan fwyaf ohonom gau ein cegau, ac ymdawelu am ychydig, er mwyn gwrando. A phan fyddwn ni'n defnyddio iaith, rhaid ei defnyddio gyda pharch. Mae'n hawdd gadael i'n hiaith grefyddol lithro'n ôl a bod yn ddim ond anadliadau diddim, yn synau gwag.[15]

Paentio portreadau byw

> Un agwedd o bregethu Spurgeon na werthfawrogwyd yn llawn oedd ei ddefnydd o'r pum synnwyr i greu profiad i'w wrandawyr ... Deallodd Spurgeon fod gan bregethwyr y gallu i gynorthwyo'r gwrandäwr i brofi presenoldeb Duw, drwy eu defnydd o eiriau. Mae Duw yn estyn brwsh i'w weinidogion gan ddangos iddynt sut i'w ddefnyddio i baentio portreadau byw, ac o ganlyniad mae'r pechadur yn clywed yr alwad arbennig.[16]

Er fod C.H. Spurgeon yn byw mewn cyfnod hanesyddol gwahanol i ni, deallodd yn iawn werth y defnydd o iaith ddarluniadol er mwyn apelio at synhwyrau ei wrandawyr. Dyna geisiais innau ei wneud mewn un man mewn pregeth ar adroddiad Marc o wewyr Iesu yng Ngardd Gethsemane (Marc 14:32-42).

Yn y bregeth honno cyfeiriais at ymweliad y Prif Weinidog Gordon Brown â Washington, i gyfarfod â'r Arlywydd Barack Obama. Cafodd y wasg amser da wrth gyfeirio fod iaith corff y Prif Weinidog yn bradychu'i nerfusrwydd. Ysgogodd hyn i mi awgrymu pe baem yn talu sylw i iaith corff Iesu yng Ngardd Gethsemane, gwelem neges glir yn cael ei hamlygu.

Ac meddai wrthynt, 'Y mae f'enaid yn drist iawn hyd at farw.
Arhoswch yma a gwyliwch.' Aeth ymlaen ychydig, a syrthiodd ar y
ddaear a gweddïo ar i'r awr, petai'n bosibl, fynd heibio iddo. 'Abba!
Dad!' meddai, 'y mae pob peth yn bosibl i ti. Cymer y cwpan hwn
oddi wrthyf … '   (Marc 14:34-36)

- Allwch chi **weld** y pryder yn wyneb Iesu?

- Allwch chi **deimlo'r** arswyd yn rhedeg drwy ei wythiennau wrth
  iddo daflu ei hun i'r llawr ac ymbil am ffordd arall?

- Allwch chi **glywed** yr ofn yn ei lais wrth iddo lefain 'Abba! Dad!
  Y mae pob peth yn bosibl i ti; cymer y cwpan hwn oddi wrthyf'?

Gwelir ymdrech rhwng bywyd a marwolaeth yma. Wrth i Iesu nesáu
at Jerwsalem mae realiti ei ddioddefaint a'i farwolaeth yn gwawrio
arno ac yn ei lethu. Ac nid poen marwolaeth greulon sy'n achosi'r
adwaith hwn. Y mae hefyd yn synhwyro mai ef yw gwas dioddefus
Duw sy'n cymryd pechodau a beichiau'r byd ar ei ysgwyddau.[17]

Drwy ddefnyddio'r berfau 'gweld', 'teimlo', a 'chlywed' roeddwn yn gobeithio
apelio at synhwyrau pobl mewn ffordd a fyddai'n gymorth iddynt i uniaethu
eu hunain â brwydr Mab Duw yng Ngethsemane. Cyflwynodd y bregeth ddadl
glir am arwyddocâd yr olygfa hon yn nrama'r Efengyl, ond yr oedd hefyd yn
ceisio apelio'n fwriadol at emosiynau a dychymyg pobl, yn ogystal â'u deall.

MUNUD I FEDDWL

Mae Duw yn estyn brwsh i'w weinidogion gan ddangos iddynt sut i'w
ddefnyddio i baentio portreadau byw, ac o ganlyniad mae'r pechadur yn
clywed yr alwad arbennig.   C.H. Spurgeon

Gwahoddir chi gan yr ymarferion canlynol i greu darluniau geiriol a
fyddai'n apelio at emosiynau a dychymyg pobl.

Gan ddefnyddio iaith synhwyraidd, tynnwch bortread o'r hyn yr oedd Iesu yn ei brofi yn ystod y temtiad yn yr anialwch. (Luc 4:1-13)

Gan ddefnyddio iaith synhwyraidd, crëwch ddarlun o'r hyn a allai Pedr fod wedi'i deimlo pan ddaeth y forwyn ato yng nghyntedd tŷ'r archoffeiriad a dweud, 'Yr oedd hwn hefyd gydag ef.' (Luc 22:54-62)

Gan ddefnyddio iaith synhwyraidd, crëwch ddarlun sy'n cyfleu yr hyn a allai Mair fod wedi'i deimlo pan ddywedodd wrth Iesu 'Pe buasit ti yma, syr, ni buasai fy mrawd wedi marw.' (Ioan 11:32)

Pregethu mewn llais telynegol

Ceir darlun cyfochrog o'r syniad o bortreadu'r pregethwr fel bardd yng ngwaith diweddar Kate Bruce, sy'n annog 'pregethu mewn iaith delynegol', dull sy'n golygu defnydd dychmygol o iaith.

Mae pregethu mewn llais telynegol yn codi o'r awydd i ddeall neges yr efengyl drwy ddefnyddio'r dychymyg ac i gyfathrebu hynny drwy dynnu ar ddawn mynegiant barddol ... Yr hyn sydd wrth wraidd pregethu telynegol yw'r awydd i greu pregethau sy'n galluogi pobl i 'weld' drwy eu clustiau. Mae hyn yn greiddiol i iaith radio ac mae'n gwbl hanfodol hefyd i bregethu effeithiol ... Nid rhywbeth ar gyfer yr uchelwyliau yw pregethu telynegol. Rhaid i'r pregethwr wrth fewnwelediad barddol a chrefft mynegiant barddol, er mwyn i bregethau, er nad ydynt yn gerddi ynddynt eu hunain, ddangos nodweddion telynegol. Bydd pregethu o'r fath yn ceisio bod yn ddramatig, yn artistig, yn wahoddiadol, yn amserol, yn broffwydol a barddol.[18]

Mater o fywyd a marwolaeth?

Mae'n amlwg y gall pregethwyr ddysgu llawer gan feirdd am rym iaith. Mae'n berthnasol nodi hefyd fod llawer o feirdd yn delio â materion bywyd a marwolaeth, oherwydd mae rhywbeth mewn barddoniaeth dda sy'n agor ffenestri ein dychymyg mewn ffordd sy'n ein galluogi i weld y pethau hynny sydd o dragwyddol bwys.

Yn yr un modd mae lle cryf i ddadlau fod y pregethwr fel *bardd* yn rhywun a ddylai fynd i'r afael â materion bywyd a marwolaeth yn ei bregethau. Mynegwyd y gwirionedd hwn yn glir gan R.E.C. Browne, a ddadleuodd unwaith: 'Mae pregethu mawr fel barddoniaeth fawr, yn delio gyda chariad a marwolaeth, bywyd a genedigaeth, casineb a brad, yn y fath fodd fel ei fod yn dweud rhywbeth arwyddocaol am agwedd drychinebus y bywyd dynol.'[19]

Mewn un ffordd neu'i gilydd, rhaid i bawb ohonom geisio dygymod ag 'agwedd drychinebus y bywyd dynol', ac os nad yw pregethu'n delio'n agored ac yn realistig gyda'r 'agwedd drychinebus' honno, yna byddwn yn gwneud cam â'r sawl sy'n gwrando ar ein pregethau.

Gweld y cysylltiadau

Dywed y bardd Gwyddelig cyfoes, Micheal O'Siadhail, fod un o'i gyd-feirdd, Richard Murphy, wedi dweud wrtho un tro, 'yn Sri Lanka ystyr "bardd" yw "un sy'n gweld y cyswllt rhwng pethau", ac i rywun ddweud wrtho ers hynny fod hyn yn wir yn Hindi hefyd.'[20]

Mae'r syniad o 'un sy'n gweld y cyswllt rhwng pethau' yn ddelwedd awgrymog iawn, nid yn unig i waith y bardd ond hefyd i orchwyl y pregethwr. Mae'n clymu'n greadigol gyda'r honiad ym Mhennod 1 gan y diwinydd o Sri Lanka, Vinoth Ramachandra mai: 'Menter yw diwinyddiaeth sy'n ceisio gwneud hunanddatguddiad Duw yng Nghrist yn berthnasol i'n gwybodaeth a'n gweithgaredd beunyddiol.'[21]

Yn ddiau, mae pregethu wedi'i fwriadu i fod yn ffurf o ddiwinyddiaeth ymarferol sy'n ceisio chwilio'r cysylltiadau rhwng holl wybodaeth dyn, ein gweithgarwch dyddiol a hunanddatguddiad Duw yng Nghrist. Efallai mai priodol yw dweud fod y pregethwr wedi ei alw gan Dduw i gynorthwyo pobl i 'weld y cysylltiadau rhwng pethau,' yn yr ystyr ei fod yn helpu pobl i adnabod y Duw sy'n gysylltiedig â phob rhan o fywyd.

MUNUD I FEDDWL

Ystyriwch eich pregeth ddiweddaraf neu'r un ddiweddaraf i chi ei gwrando.

- I ba raddau y taflwyd goleuni'r efengyl ar 'agwedd drychinebus y bywyd dynol'?
- I ba raddau yr ymchwiliodd y bregeth honno i'r cysylltiadau rhwng bywyd bob dydd a hunanddatguddiad Duw yng Nghrist?
- Ym mha ffordd y gall eich pregeth nesaf archwilio'r cysylltiadau hynny yn fwy digonol?

O ystyried y pregethwr fel bardd, ceisiwyd yn y bennod hon eich gwahodd i fyfyrio ar y gwerth sydd i bregethu o ddefnyddio delweddau a darluniau geiriol i ysgogi diddordeb a dal dychymyg pobl.

Yn bendant, daeth i ben ddydd y pregethu, di-glem, diflas, digyswllt, amherthnasol, awdurdodol, cysglyd, nawddoglyd, pregethwrol, dibwys a chlogyrnaidd.

Er hynny, rwy'n dal i gredu yng ngallu parhaol y bregeth. O'i chynllunio a'i thraddodi'n greadigol, ac o dan arweiniad y datguddiad o Dduw, mae gan y bregeth y gallu i gyffroi ac ysbrydoli pobl; mewn gair, gall danio'r galon.[22]

Darllen Pellach

Mae rhai o'r syniadau yn y bennod hon yn adeiladu ar fy erthygl 'The Preacher as Poet' *Ministry Today* 41 (2007), 29-38. Gellir gweld yr erthygl gyfan ar wefan *Ministry Today*. https://www.ministrytoday.org.uk/magazine/issues/41/286/

Kate Bruce, *Igniting the Heart: Preaching and Imagination* (London: SCM Press, 2015). Gweler yn benodol pennod 3, 'Preaching in the Lyrical Voice'.

R. E. C. Browne, *The Ministry of the Word* (London: SCM Press, 1958). Gweler pennod 2 'Preacher and Poet – An Analogy.'

Walter Brueggemann, *Finally Comes The Poet: Daring Speech for Proclamation* (Minneapolis: Fortress Press, 1989).

David Day, *Embodying the Word : A Preacher's Guide* (London: SPCK, 2005). Gweler yn benodol pennod 7, 'Telling it slant'.

Jolyon P. Mitchell, *Visually Speaking: Radio and the Renaissance of Preaching* (Edinburgh: T & T Clark, 1999).

Bonny Thurston, 'Words and the Word: Reflections on Scripture, Prayer and Poetry' *The Way* 44:2 (Ebrill 2005) 7-20.

Nodiadau

1. David J. Schlafer, *Surviving the Sermon: A Guide to Preaching for Those Who Have to Listen* (Boston: Cowley, 1992) 63.
2. Schlafer, *Surviving the Sermon* 65.
3. Schlafer, *Surviving the Sermon* 65.
4. David J. Schlafer, *Your Way with God's Word: Discovering Your Distinctive Preaching Voice* (Boston: Cowley, 1995) 57-74.
5. Pregeth a bregethwyd yn Moriah Baptist Church, Rhisga ar yr 16eg o Fedi 2012.
6. Charles B. Cousar, *Galatians* (Atlanta: John Knox Press, 1982) 83.
7. Richard B. Hays, 'The Letter to Galatians' yn Leander E. Keck (gol.), *The New Interpreter's Bible* Cyf. XI (Nashville: Abingdon Press, 2000) 278-279.
8. Pregeth a bregethwyd gan y Parch. Susan A. Stevenson yn Chatsworth Baptist Church, West Norwood.
9. C. H. Dodd, *The Parables of the Kingdom* (London: Nisbet, 1935) 16.
10. Jolyon P. Mitchell, *Visually Speaking: Radio and the Renaissance of Preaching* (Edinburgh: T & T Clark, 1999) 220.
11. Delweddau o'r Imperial War Museum http://www.iwmprints.org.uk/search/keywords/Careless%20Talk
12. Ezra Pound, a ddyfynnwyd yn R. E. C. Browne *The Ministry of the Word*, (London: SCM Press, 1958) 24.
13. Peter K. Stevenson a Stephen I. Wright, *Preaching the Atonement* (London: T & T Clark, 2005) 64.
14. Cicero, *Orator*, xx, 70.
15. Bonny Thurston, 'Words and the Word: Reflections on Scripture, Prayer and Poetry' *The Way* 44:2 (April 2005) 19.
16. Kenton C. Anderson, *Choosing to Preach: A Comprehensive Introduction to Sermon Options and Structures* (Grand Rapids: Zondervan, 2006) 123-124.
17. Peter K Stevenson a Stephen I. Wright, *Preaching the Incarnation* (Louisville: Westminster John Knox Press, 2010) 97.
18. Kate Bruce, *Igniting the Heart: Preaching and the Imagination* (London: SCM Press 2015) 57.
19. R. E. C. Browne, *The Ministry of the Word* (London: SCM Press, 1958) 77-78.
20. Micheal O'Siadhail, *Say but the Word: Poetry as Vision and Voice* (Dublin: Hinds Publishing, 2015) 131.
21. Vinoth Ramachandra yn H. Peskett a V. Ramachandra, *The Message of Mission* (Leicester: IVP, 2003) 22-23.
22. Kate Bruce, *Igniting the Heart: Preaching and Imagination* (London: SCM Press, 2015) xiii.

Rhan 4

Pregethu a Pherfformio

9

Y Camau Cyntaf ar y Daith Bregethu

Os am gyflwyniad fideo i Bennod 9 ewch i studyguidepreaching.hymnsam.co.uk

Teimlwn braidd ar bigau'r drain, a minnau'n eistedd wrth oleuadau traffig. Roeddwn wedi gorfod ymateb i argyfyngau bugeiliol mewn cyfnod a oedd fel arfer yn dawel rhwng y Nadolig a'r Flwyddyn Newydd. Roedd Sul cyntaf y Flwyddyn Newydd ar ddod a meddyliais sut allwn ddod i ben â pharatoi pregeth mewn pryd. Wrth ddisgwyl wrth y goleuadau penderfynais fod yn rhaid i mi ymddiried yn Nuw a rhoi amser i'r teulu dros y dyddiau nesaf. A dyna pryd y digwyddodd rhywbeth rhyfedd: atgoffodd Duw fi o destun beiblaidd, a 'rhoddwyd' i mi amlinelliad clir o bregeth ar yr adran honno. Ar yr achlysur hwnnw bu'r daith o destun i bregeth yn gymharol hawdd a chyflym, a chofiaf yn glir am y profiad hwnnw am ei fod mor anarferol.

I mi mae'r broses o ddarganfod a chynllunio pregeth fel arfer yn llawer hwy a phoenus. Y rhan anoddaf yw'r un lle mae'n rhaid i mi ddechrau ysgrifennu'r bregeth. Fel darllenwr brwd, byddai'n llawer gwell gennyf ddal ati i ddarllen ac ymchwilio na gorfodi fy hun i eistedd i lawr a chanolbwyntio ar y gwaith caled o drosglwyddo pob math o syniadau i gyflwyniad deallus.

Mae pregethu pregeth yn gymharol hawdd. Yr hyn sy'n anodd yw paratoi un sy'n werth ei phregethu.[1]

Mae'r diffiniad o bregethu sy'n sail i'r gyfrol hon yn awgrymu mai proses ydyw sy'n:

> darganfod gair yr Arglwydd o'r Beibl, i'r cwmni hwn o bobl, ar yr amser hwn, ac yna traddodi'r gair hwnnw yn nerth yr Ysbryd mewn dull y gall pobl ei ddeall, ac fel y gallant ymateb mewn addoliad a gwasanaeth.

A chymryd i ni wrando'n weddigar ar y testun beiblaidd, ac i ni ddarganfod neges gan Dduw sy'n werth ei phregethu, y cam nesaf ar y daith yw cynllunio pregeth. Awgrymwyd rhai patrymau ym Mhenodau 5 i 8, felly, a ninnau wedi cael rhyw syniad o gynnwys a ffurf y bregeth, beth sy'n digwydd nesaf? Beth yw'r camau ymarferol nesaf ar y daith bregethu?

Cyn ystyried rhai o'r camau hynny mae'n bwysig dweud nad oes dim byd mecanyddol yn y broses o baratoi'r bregeth ac nad oes rhaid dilyn patrwm arbennig. Oes, y mae camau defnyddiol yn y broses o greu, ond nid yw hynny'n golygu dilyn cyfarwyddiadau 'fflat pac' lle mae pob peth mewn trefn. Gyda'n hamrywiaeth o bersonoliaethau a dulliau, nid yr un patrwm wnaiff y tro i bawb. Felly mae'n bwysig datblygu dull o baratoi pregethau sy'n gweddu i'r person y bwriadodd Duw i ni fod. A chadw hyn i gyd mewn cof, awgryma'r bennod hon rai o'r camau ymarferol sy'n werth eu cofio ar ein taith bregethu.

Rhaid dewis

Rhaid penderfynu ar y dechrau ai pregethu o sgript lawn yw hi i fod, neu bregethu o nodiadau. Mewn rhai cylchoedd eglwysig mae yna ryw hudoliaeth mewn pregethu heb nodiadau, ond yn y cyfnod cynnar mae'n llawer iawn doethach defnyddio sgript lawn neu nodiadau manwl.

Ym Mhennod 6, awgrymwyd dull y bwrdd stori er mwyn cynllunio pregethau episodaidd neu 'symudiadol'. Gall y dull hwn fod yn ffordd effeithiol o feddwl am yr amrywiol gamau yn natblygiad y bregeth. Os gosodir y bwrdd stori yn glir ar ddarn o bapur a chithau'n gyffyrddus â'r deunydd a gynrychiolir ganddo, mae'n bosibl pregethu o'r bwrdd stori, gan ei ddefnyddio i'ch atgoffa o'r hyn y dymunwch ei ddweud. Cefais hyn yn gyfleus a defnyddiol o bryd i'w gilydd.

Er hynny, gan amlaf rwy'n teimlo mai llawer iawn gwell yw adeiladu ar y bwrdd stori hwnnw drwy ysgrifennu'r bregeth yn llawn. Golygai hynny roi pin ar bapur am flynyddoedd, ond erbyn hyn gwnaf bron y cyfan o'm gwaith paratoi ar gyfrifiadur.

Rwy'n cyfaddef y gall y broses o ysgrifennu pregeth allan yn llawn gymryd llawer iawn o amser. Byddai rhai am ddweud nad yw hynny'n gwneud defnydd da o amser prin. Un o'r rhesymau dros ysgrifennu'r bregeth allan yn llawn yw fy mod yn cael cyfle i ystyried y cyfan a rhoi trefn ar yr holl ddefnyddiau a gasglwyd. Ar yr un pryd, rwy'n gwybod o brofiad bod y gwaith o ysgrifennu'r bregeth allan yn llawn yn broses sy'n greadigol, oherwydd wrth i mi ysgrifennu, daw syniadau a chysylltiadau newydd i'r meddwl wrth i'r bregeth ehangu a datblygu ei bywyd ei hun.

Weithiau, yr her a wynebir yw gwybod beth y dylid ei adael allan, rhag i'r gynulleidfa gael gormod o bwdin. Ceisiaf atgoffa fy hun nad cyflwyno darlith a wnaf, drwy nodi popeth ynglŷn â chynnwys yr adran arbennig honno o'r Beibl. Mae ceisio dirnad beth yw *gair yr Arglwydd o'r Beibl, i'r cwmni hwn o bobl, ar yr amser hwn*, yn rhoi cyfle i mi ddewis yr hyn sy'n angenrheidiol a gadael y gweddill ar gyfer achlysuron eraill.

Ar ôl cynhyrchu sgript lawn, rhaid penderfynu wedyn a ddylid pregethu o'r sgript honno neu o'r nodiadau sy'n crynhoi neges y bregeth, neu ddefnyddio'r bwrdd stori a dibynnu ar y canllawiau hynny.

MUNUD I FEDDWL

Defnyddio sgript lawn neu bregethu o nodiadau?

- Pa un o'r dulliau sy'n gyffyrddus i chi?
- Beth yw cryfderau a gwendidau'r dull a ddewisoch?
- Sut mae goresgyn y gwendidau hynny?

Gwyliwch eich iaith

Cyn i mi gael fy ordeinio treuliais flynyddoedd mewn coleg diwinyddol yn ysgrifennu traethodau'n gyson. Mae gan y gynulleidfa academaidd ddisgwyliadau clir fod traethodau yn cynnwys arddull fanwl sy'n cadw at reolau gramadegol.

O gofio hynny, rhaid pwysleisio un peth pwysig yn y fan yma! Nid yw hyrwyddo'r gwerth o ysgrifennu pregeth yn llawn yn golygu annog darpar bregethwyr i baratoi traethodau academaidd digyffro a'u gollwng yn annisgwyl ar gynulleidfaoedd.

Yn ystod cyfnod cynnar fy ngweinidogaeth, fel yr awgrymais eisoes, cefais gyfle i ymhél ag ychydig ddarlledu crefyddol ar orsaf radio leol. Roedd yr hyfforddiant dechreuol yn ddefnyddiol ar gyfer pregethu oherwydd fe'm rhybuddiwyd i ddefnyddio'r iaith weledol, ddarluniadol y soniwyd amdani ym Mhennod 8. O gymharu â'm traethodau coleg, roedd hi'n amlwg fod pregethau yn hawlio arddull ysgrifennu llawer mwy ymddiddanol. Yng nghyd-destun pregethu mae angen *sgript lafar*, rhywbeth a ysgrifennir yn fwriadol ar gyfer y glust yn hytrach na'r llygaid, a rhywbeth y gellir ei ddarllen yn araf a gofalus.

Nid yw sgript o'r fath yn anwybyddu rheolau gramadeg ond mae'n eu dehongli mewn ffordd sy'n fwy sgyrsiol. Mewn traethawd ni fuaswn yn defnyddio'r iaith lafar, er mor dderbyniol yw hynny yn ein bywyd bob dydd. Yn yr un modd cynghorir myfyrwyr i beidio defnyddio 'a' ac 'ond' ar ddechrau brawddeg. Er hynny, dyna'r ffordd yr ydym yn sgwrsio â'n gilydd, ac felly dyna'r arddull lefaru ac ysgrifennu a ddefnyddiaf wrth baratoi fy mhregethau. Mae fy *sgript lafar* yn ceisio adlewyrchu fy ffordd naturiol o lefaru, yn hytrach na'm dull o ysgrifennu.

Ar eich cyfer chi yn unig

Mae'n werth cofio mai *ar eich cyfer chi yn unig* y mae sgript y bregeth. Felly os ydych am ddefnyddio talfyriadau neu symbolau sy'n gwneud synnwyr i neb ond y chi, mae hynny'n iawn. Er enghraifft, efallai y carech gynnwys ambell saeth ac arwydd, neu danlinellu rhyw frawddeg neu'i gilydd, er mwyn eich atgoffa i gymryd saib neu bwysleisio ambell frawddeg. Nid ydych yn ysgrifennu erthygl i'w chyhoeddi mewn cylchgrawn neu gyhoeddiad academaidd, ond yn paratoi *sgript lafar* ar gyfer eich defnydd chi.

Rhaid i chi fedru gweld eich *sgript lafar* yn glir. Mae cetris argraffu yn ddrud ac mae temtasiwn i gywasgu'r cyfan i nifer fechan o dudalennau er mwyn arbed arian. Er fod hynny'n ddealladwy, rhaid osgoi'r demtasiwn!

Os yw eich pregeth wedi ei hargraffu ar bapur mae'n hanfodol eich bod yn defnyddio ffont digon mawr i'ch galluogi i'w weld yn glir wrth i chi sefyll wrth y ddarllenfa. Mae ei wneud yn weladwy yn golygu gadael digon o le rhwng yr holl ddeunydd ar y dudalen. Os ydych yn defnyddio cyfrifiadur tabled, eto mae'n bwysig sicrhau fod y print yn glir ar y sgrin.

Profi'r sain

Un ffordd o sicrhau eich bod wedi llwyddo i ysgrifennu *sgript lafar* yw ei darllen yn uchel wrth ei hysgrifennu. Darllenwch yn uchel er mwyn clywed a yw'r brawddegau a'r ymadroddion yn swnio'n naturiol. Os byddwch yn baglu dros rai brawddegau bydd hynny, fel arfer, yn arwydd fod eich brawddegau yn rhy gymhleth. Er mwyn osgoi hyn rhaid i chi ailysgrifennu'r rhan honno o'r *sgript lafar* mewn ffordd symlach fel bod y neges yn cael ei chyfathrebu'n naturiol.

MUNUD I FEDDWL

Adolygwch sgript neu nodiadau un o'ch pregethau diweddar.

- Ai *sgript lafar* ydyw, neu a yw'n debycach i draethawd academaidd?
- A yw hi'n llawn o jargon Cristnogol?
- Ym mha ffordd y credwch y gellir ailysgrifennu rhannau o'r bregeth i adlewyrchu eich dull naturiol o siarad?

Bwrw iddi

Rai blynyddoedd yn ôl, holwyd nifer o 'siaradwyr amlwg'.
Un o'r cwestiynau a ofynnwyd oedd: Pa ran o araith oedd yn
sefydlog, yn ysgrifenedig, neu ac i bob pwrpas ar y cof? Ateb: y
rhagymadrodd. Mae'n bosibl fod yr ateb yn ein synnu oherwydd
mae'r rhagymadrodd weithiau'n ymddangos yn fyrfyfyr, rhyw
sgwrsio anffurfiol gyda'r gynulleidfa. Er hynny, mae'r ateb yn
gwneud synnwyr. Mae'r rhagarweiniad yn rhoi ffocws i bregethau.
Mae'r rhagymadrodd yn sefydlu pwrpas cyfrannol rhwng y
siaradwr a'r gynulleidfa. Mae'r rhagymadrodd yn hawlio sylw.
Felly rhaid cynllunio'r rhagymadrodd yn ofalus iawn.[2]

Does dim un ffordd unigryw i ddechrau pregeth. O ystyried yr amrywiaeth eang o bersonoliaethau mewn cynulleidfa, nid yw'n hawdd cynllunio rhagymadrodd fydd yn taro tant gyda phawb yn syth. Cymaint yw'r amrywiaeth yn ein cynulleidfa, hwyrach y byddai'n syniad da i amrywio'r rhagymadrodd o bryd i'w gilydd. Yn y ffordd honno, a thros gyfnod o amser, down yn fwy cymwys i fedru cyfathrebu ag ystod ehangach o bobl.

Yn sicr nid yw'n angenrheidiol dechrau pob pregeth gyda jôc, mewn ymgais i ddatblygu perthynas. Oni bai mai eich bwriad yw bod yn gomedïwr, nid yw cynhyrchu rhestr o storïau doniol yn ddefnydd da o'ch amser. Beth bynnag, mae'n amheus ai'r dull hwn o gyflwyno pregeth yw'r dull gorau, oherwydd y perygl yw y bydd y gynulleidfa'n cofio'r stori ac yn anghofio pwrpas y bregeth. Y pwynt difrifol yma yw nad oes raid i bregethwyr wneud pethau gwirion o wythnos i wythnos, er mwyn dal sylw'r gynulleidfa. Bydd y gynulleidfa fel arfer yn talu sylw, felly nid hawlio sylw yw'r her ond cadw sylw. Er mwyn i hynny ddigwydd, nid yw'n syndod deall fod yn rhaid i'r rhagymadrodd gyflwyno pobl i'r hyn sydd i ddod.

Ar gyfer y bregeth sy'n cael ei dal ynghyd gan *ddelweddau*, sef y rhai y soniwyd amdanynt ym Mhennod 8, yn syml iawn roedd y cyflwyniad yn cynnwys gwneud llun o'r safle adeiladu neu o'r afon oedd yn gweithredu fel y *ddelwedd*.

Mewn pregeth sy'n archwilio'r 'trwbwl yn y testun', gall y cyflwyniad gynnwys tarfu ar gydbwysedd y gynulleidfa drwy dynnu sylw at y broblem y bydd y bregeth yn ceisio'i thrafod.

Er enghraifft, ar Seithfed Sul yr Ystwyll ym Mlwyddyn A o'r Llithiadur Cyffredin Diwygiedig, gwahoddir pregethwyr i weithio gydag adran swmpus o'r Bregeth ar y Mynydd lle mae Iesu'n gorchymyn, 'Carwch eich gelynion' (Mathew 5:38-48).

Mae digon o drwbwl yn y testun, nid yn gymaint o wybod ei ystyr, ond o'i weithredu'n feunyddiol. Ceisiwyd lleddfu ychydig ar y gorchymyn delfrydol hwn dros y canrifoedd a gofyn 'tybed nad yw caru gelyn yn ormod i'w ofyn?'[3]

Mae caru gelynion, felly, yn golygu eu trin fel mae Duw'n trin y rhai sydd wedi gwrthryfela yn ei erbyn. Felly dylai'r plant, y disgyblion, efelychu eu Tad nefol ...

Mae'r gwrthgyferbyniad olaf yn troi at y gorchymyn mawr i garu yn yr HD. Gwelir Iesu'n dehongli'r gyfraith yng ngoleuni dyfodiad y deyrnas, ac yn ymestyn y gorchymyn i gynnwys hyd yn oed ein gelynion. Nid emosiwn yw'r cariad a ddisgrifir ganddo ... ond gweithredoedd ewyllysiol sy'n llesol i eraill, hyd yn oed y rhai nad ydym yn eu hoffi. Yn y cariad nad oes ffiniau iddo, mae'r disgyblion i adlewyrchu haelioni Duw, sy'n bendithio'r cyfiawn a'r anghyfiawn ac a ddygodd y deyrnas i'r annheilwng.[4]

MUNUD I FEDDWL

- Darllenwch Mathew 5:38-48.

- Darllenwch y pedwar ymgais canlynol i ysgrifennu rhagymadrodd i bregeth a fydd yn trafod rhai o'r cwestiynau sy'n codi o'r adran.

- Wedi darllen y pedwar, ystyriwch pa un sydd orau gennych chi.

- Yna treuliwch amser yn ysgrifennu eich rhagymadrodd eich hun i bregeth ar yr un adran.

Rhagymadrodd 1

Nawr dydw i ddim eisiau codi ofn arnoch chi ... ond mae'n rhaid i mi eich hysbysu fod rhywbeth ffrwydrol wedi'i smyglo i mewn i'r capel y bore yma.

Daethpwyd ag ef i mewn, y bore yma – rhwng tudalennau'r Beibl.

Ac efallai i chi sylwi ar y syniad ffrwydrol wrth i Megan ddarllen y geiriau hynny o'r Bregeth ar y Mynydd lle dywed Iesu, 'Carwch eich gelynion' ...

Rhagymadrodd 2

'Byddwn yn galed ar droseddau a gwnawn yn siŵr fod carchar yn wahanol i wersyll gwyliau.'

Cyn pob etholiad cyffredinol ymddengys fod y gwleidyddion ar eu gorau yn ceisio ein hargyhoeddi mai eu polisïau hwy yw'r mwyaf effeithiol i ddelio gyda throseddau.

A barnu yn ôl syniadau pobl, mae'n bosibl na fyddai Iesu'n cael llawer o bleidleisiau mewn etholiad. Yn ei faniffesto ar gyfer teyrnas Dduw, sef y Bregeth ar y Mynydd, dywed wrthym fod yn rhaid i ni 'garu ein gelynion' ...

Rhagymadrodd 3

Beth yn eich tyb chi yw'r peth anoddaf ynglŷn â Christnogaeth?

- Ai athrawiaeth y Drindod?
- Ai ceisio deall sut y llwyddodd Iesu i fwydo 5,000 o bobl gyda dyrnaid o fara ac ychydig bysgod?
- Neu ai'r peth anoddaf ynglŷn â Christnogaeth yw bod Iesu'n gorchymyn i ni garu ein gelynion?

Rhagymadrodd 4

> Gwnaeth yr e-bost i mi deimlo mor flin. Roedd fy ngwaed yn berwi oherwydd roedd y dyn yn amlwg wedi camddeall beth oeddwn yn ceisio ei wneud ac roedd yn tynnu casgliadau hollol anghywir.
>
> Gallwn deimlo fy nghalon yn curo'n gyflymach a dechreuais ysgrifennu ateb a fyddai'n dangos yn glir iddo, pam ei fod wedi camddeall.
>
> Ond yn rhyfedd iawn yr eiliad honno canodd y ffôn ac roedd cyfaill i mi yn galw; felly soniais wrtho am yr e-bost ac am fy ateb arfaethedig.
>
> Meddai, 'Peter, paid ag anfon y neges yna. Aros. Meddylia dros y peth. Bydd yfory'n ddiwrnod arall.'
>
> Ac wrth gwrs, ef oedd yn iawn. Roedd wedi dysgu gan Iesu fod ffordd well i ddelio â phroblemau, a bod y ffordd ymlaen yn golygu caru ein gelynion.

Casglu meddyliau

Wrth gynnig arweiniad am ysgrifennu llafar, neu 'ysgrifennu ar gyfer y glust',[5] mae Paul Scott Wilson yn nodi gwerth y broses lle mae pregethwyr yn 'casglu meddyliau'. Iddo ef, yr hyn y mae hynny'n ei olygu yw caniatáu:

> i beth defnydd gael ei gasglu, yn hytrach na'i ddadansoddi, ei ddosbarthu a'i israddio ... Felly er mwyn sefydlu fod ofn ar bobl heddiw, nid oes angen troi'r bregeth yn bapur ymchwil; yn hytrach gellir casglu ambell sefyllfa syml o'r wasg neu o rywle arall er mewn rhoi hygrededd i'r stori.[6]

> Daw mam ifanc adref o'r ysgol feithrin gyda'i phlentyn bach; mae'n cau'r drws, troi'r clo, bolltio'r drws a gosod y gadwyn; diogel o'r diwedd. Mae dyn yn ei bedwar degau a chanddo deulu a morgais i'w dalu, yn tynnu ei droed oddi ar y sbardun wrth i'r ffatri ddod i'r golwg. Meddylia, 'Ai heddiw yw'r diwrnod y caf fy niswyddo? Mae un o ddeiliaid newydd y cartref yn gweld y papur newydd yn y lolfa wedi ei agor ar dudalen y marwolaethau, ac mae'n ei godi'n ofnus. Rydym i gyd yn byw mewn ofn o'r peth hyn neu'r peth arall.[7]

Dyma yw effaith gyfunol casgliad o ddarluniau bach sy'n cyfathrebu'r neges. Nid yw Paul Scott Wilson o angenrheidrwydd yn awgrymu fod hyn yn batrwm ar gyfer rhagymadrodd i bregeth, ond mae fy mhrofiad innau yn awgrymu y gall rhagymadroddi effeithiol ddilyn y dull hwn o weithredu.

Ym Mhennod 4, cyfeiriais at bregeth ar Ioan 3 am Iesu a Nicodemus. Ar yr achlysur hwnnw cyflwynais y bregeth gyda chasgliad o ddisgrifiadau byrion, a godais o eitemau diweddar yn y newyddion am rai o broblemau'r byd heddiw. Ar ddiwedd pob darlun ychwanegais yr ymadrodd, '*nid yw bob amser yn hawdd gweld arwyddion teyrnas Dduw*'.

Pan gymerwn amser i edrych yn y drych ac ystyried ein bywydau ein hunain – gyda'u holl brofiadau amrywiol – a phan feddyliwn pa fath bobl ydym a pha fath bobl y carem fod – 'nid yw bob amser yn hawdd gweld arwyddion teyrnas Dduw'.

- Rydym yn byw ym myd y 'trechaf treisied'.
- Rydym yn byw mewn byd lle mae pethau drwg yn digwydd i bobl dda.
- Rydym yn byw mewn byd lle mae'r cyfoethog yn mynd yn gyfoethocach a'r tlawd yn mynd yn dlotach.

Ac yn y byd dolurus, anghyfiawn hwn – '*nid yw bob amser yn hawdd gweld arwyddion teyrnas Dduw*'.

Wedi tanlinellu'r broblem hon, euthum ymlaen i awgrymu beth petai gennym gymorth diwinydd mawr fel Nicodemus, efallai y gallem '*weld*' teyrnas Dduw a dirnad lle mae Duw ar waith yn ein byd. Er hynny, fel y nodwyd ym Mhennod 4, mae'r cyfeiriad at Nicodemus yn ymweld â Iesu liw nos (Ioan 3.2) yn awgrymu fod hyd yn oed y Nicodemus parchus hwn yn parhau mewn tywyllwch pan ddaw hi'n fater o '*weld*' teyrnas Dduw.

MUNUD I FEDDWL

Ymarferiad casglu meddyliau

Ysgrifennwch gyfres o dri neu bedwar o gipluniau neu sefyllfaoedd i geisio cyfathrebu'r pynciau canlynol:

- Y math o bobl y geilw Iesu arnom i'w caru.
- Mae pobl heddiw wedi anghofio Duw.
- Mae pobl heddiw yn chwilio am gariad.
- Mae pobl heddiw'n ddiobaith.
- Nid yw'r byd fel y bwriadodd Duw iddo fod.

Casglu meddyliau a rhagymadroddion

Ysgrifennwch dri neu bedwar o gipluniau neu sefyllfaoedd a allai fod yn rhagymadrodd i'ch pregeth nesaf.

Rhagymadroddi

Gall rhagymadroddion fod mor amrywiol â'r pregethau a gyflwynant a'r pregethwyr sy'n eu llunio ...

- Yn **gyntaf**, *mae'r rhagymadroddion gorau fel arfer yn* fyr ...
- Yn **ail**, *mae rhagymadroddion da fel arfer yn drawiadol ...* I bob diben dywedant 'Dyma rywbeth yr ydych am ei glywed, rhywbeth y byddwch yn falch eich bod wedi'i glywed ... '
- Yn **drydydd**, *mae rhagymadroddion da yn gofiadwy ...* maent yn ein gadael gyda delwedd neu syniad a fydd yn gymorth i ni gofio'r bregeth yn nes ymlaen...
- Yn **olaf** ... *mae rhagymadrodd da yn rhoi arweiniad ...* mae'n arwain pobl i mewn i'r bregeth. Nid yw'n cyflwyno darlun neu syniad yn ddibwrpas, ac yn ei adael yn hongian ar ddechrau'r bregeth ... [8]

MUNUD I FEDDWL

- Meddyliwch am y gynulleidfa yr ydych yn aelod ohoni.
- Sut fyddech chi'n disgrifio cyfansoddiad y gynulleidfa?
- Faint o gategorïau gwahanol, neu labeli, a fyddai angen arnoch i'w disgrifio i gyd?
- Pa un o'r grwpiau hynny o bobl yr ydych yn ymdebygu iddo?
- Gyda phwy yn y gynulleidfa yr ydych yn uniaethu eich hun yn fwyaf naturiol?
- Meddyliwch am un grŵp o bobl yn y gynulleidfa sy'n wahanol i chi, ac ysgrifennwch ragymadrodd ar gyfer eich pregeth nesaf a allai yn eich tyb chi apelio atynt.
- Efallai y carech fynd ati i ysgrifennu rhagymadroddion eraill a fyddai'n apelio at wahanol garfannau o bobl yn eich cynulleidfa.

Gosod arwyddion

Cyn symud ymlaen i ystyried sut y gellir cloi'r bregeth yn gadarnhaol, mae'n werth oedi i sylwi ar y pwysigrwydd o godi arwyddion geiriol ar hyd y ffordd. Bydd y 'trawsnewidiadau' neu'r 'dolenni' hyn yn gymorth i wrandawyr wybod lle maen nhw'n sefyll yn llif datblygiad y bregeth.

Ar lefel sylfaenol gall hyn olygu crynhoi camau blaenorol y bregeth, a thrwy hynny hysbysu'r gynulleidfa fod cam newydd ar fin dechrau. Felly'n syml, byddai pregeth ar weledigaeth y proffwyd yn Eseia 6 yn cyflwyno'r trydydd cam a'r cam olaf drwy ddweud: 'Yn yr adran hon cawn weledigaeth o'r *Duw sy'n teyrnasu*, a hefyd o'r *Duw sy'n maddau*, ac yma cawn gipolwg o'r *Duw sy'n galw ac yn anfon*'.

A bwrw trem yn ôl i'r syniad a drafodwyd ym Mhennod 6, am bregethau episodaidd sy'n datblygu drwy gyfres o 'symudiadau', fe allai'r 'ddolen' olygu cymryd saib yn unig, neu ddweud dim am ychydig eiliadau. Yn y cyfnod tawel hwnnw mae'r pregethwr yn rhoi amser i'r gynulleidfa gael eu gwynt atynt yn feddyliol ac yn emosiynol, er mwyn eu paratoi ar gyfer y dilyniant nesaf o 'sleidiau' a fydd yn rhan o 'symudiadau' nesaf y bregeth.

> Yn draddodiadol adwaenir y darnau llanw yma o'r bregeth yn 'drawsnewidiadau', gan eu bod yn nodi man y newid o un rhan i'r nesaf. Nid yw llawer o bregethwyr yn credu fod y rhain yn bwysig ac am hynny fe fydd y trawsnewidiadau hyn yn ddiflas ac yn fecanyddol ... Pan ystyriwn y deunydd trawsnewid hwn o safbwynt cyfathrebu, daw'n glir fod y dolenni yma (fel y galwn ni hwy) yn hanfodol i eglurder, bywiogrwydd a symudiad y bregeth.[9]

Yr hyn sy'n werthfawr ynglŷn â datblygu *sgript lafar* yw ei bod yn rhoi cyfle i ni feddwl yn ddifrifol am y dolenni cyswllt hynny. Os dewisaf bregethu o nodiadau yn hytrach na sgript, mae'n werth cynnwys y darnau trawsnewid yma yn y nodiadau, fel os byddaf wrth bregethu yn teimlo fel gadael y sgript mewn rhyw ffordd, yna bydd cip ar yr adrannau cysylltiol yn gymorth i mi weld y mannau hynny lle gallaf ailymuno'n gyffyrddus â llif y bregeth.

Rwyf wedi dechrau felly gorffennaf ...

> Mae yna hen jôc ynglŷn â sut mae pregethwyr yn cloi pregeth. Gofynnodd plentyn i'w thad, 'Dad, beth mae'r pregethwr yn ei olygu wrth ddweud, "Ac yn olaf ... "?' Ac mae'r tad yn ateb, 'Dydy e'n golygu dim.'[10]

Yn ystod cyfnod cynharaf y weinidogaeth Gristnogol, cefais y profiad gwerthfawr o gydweithio gyda gweinidog a phregethwr dawnus.[11] Rwy'n sicr fod fy null o bregethu wedi ei liwio i raddau helaeth gan brofiad y blynyddoedd cynnar hynny yng nghwmni mentor mor dda.

Cymerodd dipyn o amser i mi ddod i arfer gyda'r newid o bregethu'n achlysurol i bregethu'n rheolaidd. Cofiaf yn iawn y noson honno pan drodd y gweinidog profiadol ataf a dweud: 'Rhyw ddiwrnod bydd yn rhaid i mi dy ddysgu sut mae cloi pregeth'!

Ar hyd y blynyddoedd ers hynny bûm yn ceisio dysgu sut i gloi fy mhregethau mewn ffyrdd amrywiol. Nid y ffyrdd o gloi pregethau yn yr esiamplau canlynol yw'r unig ffyrdd, ond y maent ymhlith y rhai a fu'n gymorth i mi.

Gorffen lle dechreuodd

Weithiau mae'n gymorth gorffen y bregeth drwy ddychwelyd at y testun neu'r pwnc a amlinellwyd ar y dechrau. Er enghraifft, mae'r amlinelliad ym Mhennod 7, ar Iago 1:1-8, yn tynnu sylw ar y cychwyn at y tesun ei hun: 'Fy nghyfeillion, cyfrifwch hi'n llawenydd pur pan syrthiwch i amrywiol brofedigaethau.' Wedi archwilio rhai problemau gyda'r testun, os cymerir ef allan o'i gyd-destun, mae'r bregeth yn cloi drwy fynd yn ôl a chadarnhau'r testun. Yn y math yma o bregeth, y bregeth ei hun sy'n gweithredu fel bwtres llyfrau, yn sefyll ym mhob pen ac yn helpu i'w dal ynghyd.

> Mae'n bosibl, hyd yn oed mewn sefyllfaoedd anodd, ei *chyfrif hi'n llawenydd pur* o wybod, beth bynnag ddaw, mai'r newyddion da yw bod Duw gyda chi. Bydd gyda chi bob amser gan addo peidio â'ch gadael yn amddifad. A dim ond am ein bod yn adnabod y math yna o Dduw y gallwn feiddio dweud gydag Iago, '*Fy nghyfeillion, cyfrifwch hi'n llawenydd pur pan syrthiwch i amrywiol brofedigaethau*'.

Cloi gyda chrynodeb o'r neges

Wrth bregethu ar Eseia 6 ar un achlysur, dewisais ddod â'r bregeth i glo syml drwy gynnig crynodeb o'r neges.

> Mewn cyfnod o ansicrwydd cenedlaethol rhoddwyd gwelediageth ryfeddol i Eseia o'r Duw sy'n teyrnasu; yn maddau; ac sy'n galw ac yn anfon.
>
> Gwelsom ogoniant Duw yn wyneb Iesu Grist, ac oherwydd hynny mae gennym fwy o reswm fyth i gredu fod:
>
> - Duw yn teyrnasu – yn awr ac am byth;
> - Duw yn maddau – gellir maddau i ni;
> - Duw yn galw ac yn anfon pobl fel ni i wneud Crist yn hysbys.

Cloi gyda gwahoddiad i ffydd ac ymrwymiad

Y pwnc ar gyfer y darllediad oedd 'Ffydd yng nghynllun Duw'.[12] Y tro hwnnw rhannwyd y bregeth yn dameidiau bach. Clowyd y darn olaf gyda gwahoddiad syml i ffydd yn y Crist sy'n galw pobl i'w ddilyn. Defnyddiwyd y frawddeg olaf i gyflwyno'r gwahoddiad drwy ddyfynnu llinell gyntaf yr emyn oedd i ddilyn y bregeth.

> Golyga ffydd gydweithredu â'r Ysbryd Glân, ac mae'r broses honno yn digwydd wrth i ni redeg gyrfa'r ffydd gyda'n llygaid wedi eu hoelio ar Iesu, awdur a pherffeithydd ein ffydd (Hebreaid 12:1-3).
>
> A heddiw mae'r Iesu byw hwn yn ein gwahodd i ffydd ym mhwrpas daionus Duw drwy ddweud wrthych chi a fi, *'A wnewch chi ddod a'm dilyn i?'*

Cloi drwy wahodd pobl i ofyn cwestiynau iddynt hwy eu hunain

Mae Pennod 7 yn cynnwys pregeth ar Genesis 12:1-9 hefyd. Mae'n awgrymu cloi'r bregeth drwy adael ychydig o gwestiynau i bobl eu hateb eu hunain.

> Felly wrth i ni feddwl am y ffyrdd y galwodd Duw Abram i gamu allan mewn ffydd, mae'n codi cwestiynau y mae'n rhaid i ninnau eu hateb ein hunain:
>
> - Pa gamau i'r anwybod y mae Duw yn galw arnaf i'w cymryd?
> - Ym mha ffyrdd y mae Duw yn galw arnoch chi a fi i rannu yn ei genhadaeth i fyd anghenus?

Os yw'r bregeth yn cloi ar y nodyn hwn, mae'n briodol ac o gymorth i ni adael ychydig ofod yn y gwasanaeth ar gyfer ymateb tawel a gweddigar, yn hytrach na rhuthro i wahodd pobl i aros am baned wedi'r oedfa.

Cloi drwy wahodd pobl i rannu yn y Cymun

Un o'm hoff ddarnau yn y Beibl yw Luc 24:13-35, sy'n adrodd am y Crist atgyfodedig yn cyfarfod â'r ddau ddisgybl digalon ar y ffordd i Emaus. Wedi'r cyfarfyddiad mae'r ddau'n datgan mewn rhyfeddod, 'Onid oedd ein calonnau ar dân ynom wrth iddo siarad â ni ar y ffordd, pan oedd yn egluro'r Ysgrythurau inni?' Yn ddiweddarch ceisiant egluro i'w cymdeithion dryslyd 'fel yr oeddent wedi ei adnabod ef ar doriad y bara.'

Mae'n fraint cael pregethu ar adran fel hon, sy'n cyhoeddi fel y mae'r Crist byw yn datguddio ei hunan i bobl, drwy'r Ysgrythurau a thoriad y bara. Wrth ddatblygu'r naratif, mae lle da i gadarnhau fod Iesu o hyd yn cyfarfod gyda'r gymdeithas o addolwyr wrth i'r gair gael ei gyhoeddi, ac wrth i ni rannu bara a gwin.

O gofio hyn, caf fwynhad wrth bregethu mewn oedfa o addoliad sy'n cynnwys dathlu Swper yr Arglwydd. Oherwydd mae'n ymddangos i mi mai un o'r ffyrdd gorau i gloi pregeth yw drwy wahodd pobl i ymateb i Dduw mewn ffydd drwy rannu yn y Cymun a fydd yn dilyn.

Er enghraifft, yn y bregeth a drafodwyd ym Mhennod 8, a ganolbwyntiodd ar Sechareia 4 gan ystyried yr heriau sy'n wynebu pobl Dduw wrth iddynt adeiladu teyrnas Dduw heddiw, gorffennais drwy wahodd pobl i rannu ym mara'r bywyd o gwmpas Bwrdd yr Arglwydd.

Rwy'n falch ein bod yn rhannu yn y Cymun y bore hwn. Oherwydd wrth i ni ymgasglu o gwmpas Bwrdd yr Arglwydd mae gennym gyfle i gyfarfod y Crist byw, yr un all ein llenwi â'i Ysbryd Glân. Oherwydd fel y dywed un awdur am y Cymun: '*Mae cymryd ychydig fara a gwin yn amlygu cariad sy'n fwy na all ein calonnau ei ddal na'n meddyliau ei ddeall*'.[13]

- Yn y Cymun down i gyfarfod rhywun sy'n fwy na all ein calonnau ei ddal – yn fwy na all ein meddyliau ei ddeall;
- Yn y Cymun down i gyfarfod â'r Crist byw, drwy'r hwn y gwnaethpwyd pob peth;
- Yn y Cymun down i gyfarfod â'r Crist byw, yr hwn sy'n ein llenwi o'r newydd â'i Ysbryd.

Wrth i ni baratoi ar gyfer y cyfnod newydd hwn ym mywyd a gwaith yr eglwys hon, rydym yn ymwybodol fod nifer o heriau yn wynebu'r gymdeithas hon a phob eglwys arall yng Nghymru ar hyn o bryd. Ond wynebwn y dyfodol yn obeithiol a hyderus, oherwydd ein bod yn gwybod mai 'nid trwy lu ac nid trwy nerth, ond trwy fy ysbryd,' y cawn ein galluogi i wynebu'n gwaith cenhadol y gelwir arnom i'w gyflawni.

Ac wrth i ni baratoi ar gyfer y cyfnod newydd hwn ym mywyd a gwaith y gynulleidfa hon, down at y Bwrdd – i gymryd bara a gwin – ac i gyfarfod y Crist byw sy'n dymuno ein hadnewyddu a'n hadfer, fel y gallwn gyda'n gilydd fyw y bywyd newydd a dilyn gorchmynion Duw.

MUNUD I FEDDWL

Meddyliwch am bregeth a glywsoch neu a bregethwyd gennych yn ddiweddar.

- Sut gorffennodd y bregeth honno?
- Pa mor effeithiol oedd y ffordd honno o gloi'r bregeth?
- Yn eich barn chi, ym mha ffordd y gellid gwella ar y clo?
- Arbrofwch trwy gynnig ffyrdd eraill o gloi'r bregeth honno.

Golygu eich sgript lafar

Awgrymodd y bennod hon mai un o'r camau cyntaf ar y siwrnai bregethu yw paratoi *sgript lafar* ar gyfer y bregeth. Wrth greu'r sgript, mae'n bwysig talu sylw i'r dechrau, y darnau cysylltiadol a'r diwedd. Fel mae Jolyon Mitchell yn egluro, wedi creu sgript lafar, mae'n hanfodol caniatáu amser i'w gwirio a'i golygu.

Un ffordd o gyfathrebu'n effeithiol yw golygu'r sgript neu'r amlinelliad fel y bydd yn caniatáu amrywiaethau mewn amser, cywair, tôn, delwedd a theimlad y cyflwyniad. Gall y golygu fod yn boenus a thrafferthus, ond mae'n arwain at ganlyniad llawer mwy effeithiol. Ni ddylai'r golygu fod mor llym, fel ag i golli ansawdd llafar a byrfyfyr y bregeth. Peidiwch meddwl amdano fel darn ysgrifenedig, ond fel cyfathrebiad llafar.[14]

Darllen Pellach

Thomas G. Long, *The Witness of Preaching: Third Edition* (Louisville: WJKP, 2016). Ym Mhennod 7 mae'n trafod 'Beginnings, Connections, and Endings'. Yna yn Atodiadau C a D mae'n dadansoddi dwy bregeth ac yn tynnu sylw at y dechrau, y darnau cysylltiadol a'r diwedd.

Fred B. Craddock, *Craddock on the Craft of Preaching* (St Louis, Missouri: Chalice Press, 2011). Gweler Pennod 16, 'Thirteen Ways to End a Sermon.'

Jolyon P. Mitchell, *Visually Speaking: Radio and the Renaissance of Preaching* (Edinburgh: T & T Clark, 1999). Gweler yn arbennig Benodau 8 i 10.

Thomas H. Troeger & Leonora Tubbs Tisdale, *A Sermon Workbook: Exercises in the Art and Craft of Preaching* (Nashville: Abingdon Press, 2013). Gweler yn arbennig 'Part 2: Writing Like a Preacher' 113-164.

Paul Scott Wilson, *The Practice of Preaching: Revised Edition* (Nashville: Abingdon Press, 2007), 'Speaking for the Ear', 187-207.

Nodiadau

1. Eugene Lowry, 'Surviving the Sermon Preparation Process', *Journal for Preachers* 24:3 (2001) 28.

2. David Buttrick, *Homiletic: Moves and Structures* (Philadelphia: Fortress Press, 1987) 83.

3. Ulrich Luz, *Matthew 1–7: A Commentary on Matthew 1–7* (Argraffiad Diwygiedig) (Minneapolis, Fortress Press, 2007) 291.

4. Donald A. Hagner, *Matthew 1–13* (Cyf. 33A) (Dallas: Word, 1998) 136.

5. Paul Scott Wilson, *The Practice of Preaching: Revised Edition* (Nashville: Abingdon Press, 2007) 187-207.

6. Wilson, *The Practice of Preaching* 198.

7. Wilson, *The Practice of Preaching* 198.

8. John Killinger, *Fundamentals of Preaching* (London: SCM Press, 1985) 81-84.

9. Thomas G. Long, *The Witness of Preaching: Third Edition* (Louisville: WJKP, 2016) 183.

10. Fred B. Craddock, *Craddock on the Craft of Preaching* (St Louis, Missouri: Chalice Press, 2011) 157.

11. Y Parch. Peter Ledger yn Bedford.

12. *Sunday Worship*, BBC Radio 4, Dydd Sul 6[ed] o Fedi 2015.

13. Henri Nouwen, 'Foreword' in *Rule for a New Brother* (London: Darton, Longman and Todd, 1989) xi.

14. Jolyon P. Mitchell, *Visually Speaking: Radio and the Renaissance of Preaching* (Edinburgh: T & T Clark, 1999) 232-233.

10

Perfformio'r Bregeth

Os am gyflwyniad fideo i Bennod 10 ewch i
studyguidepreaching.hymnsam.co.uk

Gall gwrando ar blant yn ymarfer ar eu ffidil fod yn brofiad diflas ar brydiau. Gyda threigl amser daw manteision ymarfer cyson yn amlwg. Mae rhythm cyson yr ymarfer yn galluogi datblygiad y sgiliau allweddol, ac o ganlyniad daw'r cerddorion ieuainc i allu chwarae darnau cerddorol mwy diddorol. O gael amser a mwy o ymarfer, gall hynny arwain at y profiad cyfoethog o chwarae mewn cerddorfa a darparu sylfaen iach ar gyfer byrfyfyredd cerddorol.

I ryw raddau mae penodau blaenorol y gyfrol hon yn gweithredu fel 'ymarferion' i ddarpar bregethwyr. O'u defnyddio'n gyson, daw'r arferion hermeniwteg a homiletaidd yn naturiol, a gwelir arddull bregethu unigol yn blodeuo.

I mi mae pregethu yr un fath â ... cyfansoddi symffoni. Fe'ch ysbrydolir i roi smotiau duon ar erwyddon ar dudalen – eu cysylltu, eu gosod mewn symudiadau, nodi ar gyfer pa offerynnau a lleisiau y'u bwriadwyd, eu gosod mewn cywair priodol, nodi'r cyflymder a'r mynegiant. Bydd y llawysgrif orffenedig yn cael ei chopïo a'i threfnu ar y stondinau cerddoriaeth, ond awgrym yn unig sydd gennych yn eich meddwl am y sain y bydd yn ei greu.

Fe gamwch ar y rostrwm, bydd y gynulleidfa'n tawelu, y gerddorfa'n eistedd yn barod ac yn llawn sylw, fe godwch eich baton a gyda'r curiad agoriadol daw'r nodau duon yn fyw; o'r dudalen bydd seiniau hyfryd yn codi, gan lenwi'r amser a'r gofod; fe'u clywir â'r glust, yn cyffwrdd â'r galon a chyffroi'r enaid. Y smotiau duon erbyn hyn yw Symffoni Duw.[1]

Awgrymodd y bennod flaenorol mai un o arferion y bywyd pregethwrol sy'n werth ei feithrin yw'r ddawn o ysgrifennu *sgript lafar*. Yn ogystal â'r pryder am yr amser a gymerir i gynhyrchu sgript o'r math yma, bydd rhai'n poeni fod perygl o gynhyrchu pregethwyr a fydd mor glwm wrth eu sgriptiau fel y bydd eu pregethu'n ddifywyd a difflach.

Cawn ein temtio i feddwl fod ein darlun o siarad byrfyfyr yn codi o wylio cyflwynwyr teledu medrus, sy'n edrych yn syth arnom ac i bob golwg yn siarad heb nodiadau. Y gwir yw wrth gwrs mai canlyniad ymarfer a pharatoi gofalus yw'r hyn a welwn a gan amlaf byddant yn darllen y teleweinydd sydd ar y camera neu wrth ei ymyl. Felly gwrthgyferbyniad ffals yw ystyried sgript a strwythur fel rhywbeth croes i fyrfyredd a chyfathrebu clir.

Wrth feddwl am ffyrdd gwahanol o ddeall diben pregethu, mae Kate Bruce yn trafod yn drosiadol y syniad o'r 'pregethwr fel cerddor jas'.[2] Yr hyn sy'n ddeniadol am y disgrifiad hwn o bregethwr yw ei fod yn pwysleisio gwerth paratoi a'r gallu i addasu ar y pryd:

> mae jas yn ein dysgu nad oes gan addasu ar y pryd ddim i'w wneud â diffyg paratoi ... Bydd y pregethwr sydd wedi paratoi'n dda, ac sy'n gyfarwydd â symudiadau a bwriadau'r bregeth yn teimlo'r rhyddid i addasu ar y pryd, ac ymateb i gerddorion eraill yn y cwmni: yr Ysbryd, y gwrandawyr, yr Ysgrythur a sgript y bregeth. Yn drosiadol gall sgript y bregeth, boed yn amlinelliad neu nodiadau llawn, gael ei hystyried fel sgôr gerddorol, yn atgoffa'r pregethwr o'r llinell felodi pe byddai'r addasu yn galw am ddisgyblaeth a bwriad y darn cyfan.[3]

Yn gyfochrog â hyn, yng nghyd-destun pregethu, mae'n bwysig tanlinellu wedi cwblhau'r *sgript lafar*, mai'r cam nesaf yw nid ei darllen i bobl, ond rhoi bywyd ynddi trwy ei *pherfformio*.

A phan fyddwch yn gweddïo, peidiwch â bod fel y rhagrithwyr; oherwydd y maent hwy'n hoffi gweddïo ar eu sefyll yn y synagogau ac ar gonglau'r heolydd, er mwyn cael eu gweld gan eraill. (Mathew 6:5)

'Ystyr cyffredin ὑποκριτής mewn Groeg Helenistaidd yw 'actor', h.y. un sy'n perfformio o flaen eraill, gan honni ei fod yn rhywun nad ydyw. Yn y T.N. fe'i defnyddir yn aml mewn ystyr negyddol'.[4]

Nid yw annog pregethwyr i *berfformio* pregeth yn golygu y dylai ef neu hi actio neu lefaru mewn acen ffug. Ond yn rhannol mae'n cydnabod nad yw pregethu, fel ffurf ar siarad cyhoeddus, yr un fath a chael sgwrs dawel gyda rhywun dros baned. Tra bydd angen i bregethu feddu ar ddimensiwn personol, y mae hefyd yn weithred gyhoeddus sy'n cyhoeddi rhywbeth pwysig. Os yw cyfathrebu effeithiol i ddigwydd, bydd yn rhaid i mi nid yn unig daflu fy llais ond hefyd rhoi fy holl bersonoliaeth yn y broses o *berfformio'r* bregeth.[5]

Darganfod a defnyddio'ch llais

Does dim yn gymhleth yn elfennau allweddol defnyddio'ch llais i bregethu, ond mae'n werth pwysleisio rhai dulliau a all fod o gymorth i wneud ein lleisiau'n glywadwy. Mae'r ymarferiad canlynol yn ein gwahodd i arbrofi defnyddio'ch llais wrth berfformio detholiad o'r Beibl.

MUNUD I FEDDWL

- Dewiswch un o'r darnau beiblaidd isod.
- Dewch o hyd i le y gallwch ei ddarllen yn uchel heb i neb dorri ar eich traws. Gall fod yn ystafell yn eich cartref, neu yn neuadd neu eglwys wag.
- Darllenwch y darn yn uchel sawl gwaith.

- Ar bob cynnig, arbrofwch gydag amseru gwahanol. Meddyliwch a yw'n briodol rhoi pwyslais ar wahanol ddarnau o'r darlleniad. A yw newid pwyslais ar frawddeg arbennig, neu gymryd saib rhwng darnau o'r darlleniad yn gymorth i'w drosglwyddo'n gliriach?
- Darllenwch yr un darn eto o gyfieithiad arall o'r Beibl. A yw darllen cyfieithiad gwahanol yn rhoi golwg newydd ar y testun?
- Ailadroddwch yr ymarferiad gyda thestunau eraill.
- Efallai y byddai'n gymorth i chi ofyn i rywun arall wrando arnoch a chynnig mewnbwn.

Perfformio testunau beiblaidd	
Wrth ddarllen efallai y gallwch roi mynegiant i'r ffordd ddramatig y mae'r storm yn cael ei disgrifio. Sut allwch chi gyfleu'r gwahaniaeth rhwng anobaith y morwyr a'r llonyddwch sy'n disgyn wedi iddynt gyrraedd yr hafan y maent yn ei ddymuno?	Salm 107:23-32
Wrth ddarllen y darn, sut fyddwch chi'n cyfleu ofn y disgyblion yng nghanol y storm?	Marc 4:35-41
Pa dôn fydd i'ch llais pan ddywed Iesu: 'Wraig, beth sydd a fynni di â mi'?	Ioan 2:1-11
Sut mynegwch chi'r ing yn llais Iesu; ac mewn cyferbyniad, pa nodyn fyddwch chi yn ei daro gyda chyffes y canwriad?	Marc 15:33-39
Beth yw'r ffordd orau o ddarllen y gyfres rethregol o gwestiynau'r Apostol? Sut allwch chi gyfleu hyder yr adnodau clo orau?	Rhufeiniaid 8:31-39

Perfformio eich sgript pregeth

Wedi creu a golygu eich *sgript lafar*, bydd o gymorth i chi ymarfer ei *pherfformio*. Os bydd tipyn o amser rhwng cyfnod ei pharatoi a'i phregethu, byddai'n syniad i chi ei ddarllen eto er mwyn eich atgoffa o'r hyn yr ydych wedi'i baratoi. Bydd darllen eich *sgript lafar* yn dawel i chi eich hunan yn gymorth i chi sylwi ar unrhyw fan lle mae angen golygu rhyw gymaint ar yr iaith.

Yn gynnar yn fy ngweinidogaeth byddwn weithiau'n mynd yn gynnar i'r capel ar fore Sul a phregethu'r bregeth i gapel gwag. Byddai hyn yn rhoi amser i mi ailedrych ar y defnyddiau a chael cyfle i brofi'r sain a'r llais mewn adeilad mwy.

Byddai gwneud hyn yn rhoi'r sicrwydd i mi fy mod yn gallu gweld fy nodiadau ar y pulpud, a dod o hyd i'r ffordd orau i droi'r tudalennau yn ddidrafferth.

Does dim un ffordd gywir o wneud hyn. Bydd y rhai sy'n defnyddio tabled gyfrifiadurol yn gwybod am y ffordd orau i sgrolio drwy'r tudalennau. Bydd angen i bregethwyr sy'n defnyddio darnau o bapur ddod o hyd i ffordd o symud drwy'r tudalennau heb dynnu gormod o sylw.

Mi wnes i barhau gyda'r dull hwn am gyfnod byr nes i mi ddod i arfer pregethu'n rheolaidd mewn awyrgylch newydd. Mae'n amlwg na fydd pawb yn medru ymarfer perfformio'u pregeth mewn capel neu neuadd wag. Lle mae hynny'n bosibl bydd yn ychwanegu dimensiwn arall i'r broses baratoi, oherwydd yn y gofod mwy yma mae lle i arbrofi gyda'r broses o daflu eich llais wrth i chi *berfformio*'r bregeth.

Bod yn glywadwy

Doedd Nancy ddim yn mynd mwyach, ar wahân i ambell angladd. Rhoddodd ystyriaeth i ailgydio yn yr hen arferiad o fynd i oedfa'r bore, arferiad a blannwyd ynddi er dyddiau ei phlentyndod. Yna cofiodd pa mor ddiflas y teimlodd am flynyddoedd cyn rhoi'r gorau iddi. Ychydig yn bresennol, ar goll mewn lle anferth, pesychu a shifflo, braidd neb yn medru canu emyn. Ac roedd y ficer yn bathetig, ei ben i lawr ac yn mwmian ei bregethau, yn gwbl anghlywadwy ac annealladwy.[6]

Wedi paratoi pregeth drefnus, mae'n bwysig siarad yn glir ac yn hyderus. Does dim gwahaniaeth pa mor dda yw'r bregeth, os na all pobl ei chlywed yn glir fe adewir pawb yn anfodlon.

Cymerir yn ganiataol, os oes offer sain yn cael ei ddefnyddio, nad oes angen siarad yn glir ac yn uchel. Er hynny, mae'n dal yn llawn mor bwysig i wneud pob ymdrech i daflu eich llais a siarad yn egnïol a brwdfrydig. Mae sawl math o feicroffonau ac mae'n syniad da bod yn gyfaill i'r un y gofynnir i chi ei ddefnyddio.

> Yn gyffredinol, oni bai eich bod yn pregethu i gynulleidfa o gannoedd, bydd yr offer sain yn gweithredu i ategu'r sain. Fel mae'r enw'n awgrymu, bydd y chwyddseiniwr yn chwyddo'r llais. Felly bwriedir i'r gynulleidfa glywed y llais chwyddedig yn ogystal â'r llais naturiol.
>
> Rheol allweddol 1: *Peidiwch â siarad yn ddistawach am fod gennych offer sain. Oni bai eich bod yn dymuno gwneud pwynt arbennig gyda'r ffordd y mae'ch llais yn swnio, siaradwch fel y byddech yn siarad heb yr offer.*[7]

Dysgu oddi wrth eraill

Mewn sgwrs gyda bardd sy'n mwynhau cyflwyno darlleniadau barddoniaeth, gofynnais iddo: 'Beth all pregethwyr ddysgu gan feirdd?' O gwmpas yr un pryd cyfarfyddais â chomedïwr a gofyn yr un cwestiwn iddo ef. Diddorol oedd gweld i'r ddau roi'r un ateb: '*Cyswllt llygaid* ac *amseru*'.

Bydd rhai'n gofyn tybed a yw hi'n anos creu cyswllt llygaid da gyda'r gynulleidfa os ydych yn gweithio o *sgript lafar*. Un ffordd ymarferol o oresgyn y posibilrwydd hwn yw drwy sicrhau fod y sgript yn hawdd i'w gweld. Os yw nodiadau'n cael eu gosod ar yr un lefel â'r llygaid bydd yn bosibl pregethu o sgript y bregeth ac edrych ar y gynulleidfa. Bwriad y *sgript lafar* yw eich atgoffa o'r hyn yr ydych am ei ddweud. Lle mae gennych eglurebau a storïau yn eich pregeth, dylai fod yn hawdd eu hadrodd heb droi at y nodiadau.

Mae rhywbeth doniol mewn gwrando ar blant bach sy'n dysgu dweud jôc, oherwydd does ganddynt fawr o syniad am amseru ac fel arfer byddant yn rhuthro at y linell ergyd cyn i'r gynulleidfa gael cyfle i ddweud: 'Dydw i ddim yn gwybod. Pam wnaeth yr iâr groesi'r ffordd?'

Wrth bregethu mae'n bwysig bod yn ddigon hyderus i allu cymryd saib o bryd i'w gilydd yn hytrach na rhuthro i ddiwedd y bregeth. Er enghraifft, yn y detholiad hwn o bregeth ar y temtiad yn Luc 4, roedd yn bwysig cymryd saib yng nghanol y gyfres o gwestiynau am sut y byddai'r ail Adda'n ymdopi gyda'r un temtiad.

'Yna aeth y diafol ag ef i fyny a dangos iddo ar amrantiad holl deyrnasoedd y byd, a dywedodd wrtho, "I ti y rhof yr holl awdurdod ar y rhain a'u gogoniant hwy; oherwydd i mi y mae wedi ei draddodi, ac yr wyf yn ei roi i bwy bynnag a fynnaf. Felly, os addoli di fi, dy eiddo di fydd y cyfan"'.

Bydd pob awdurdod yn y nef ac ar y ddaear yn eiddo i Iesu rhyw ddiwrnod ...
Ond a wnaiff ef ddefnyddio dulliau'r byd i gael y llaw uchaf? *[saib]*
A fydd yn ceisio grym yn ôl dull y byd? *[saib]*
Neu a fydd yn goresgyn y drwg yn ffordd Duw? *[saib]*
A fydd yn goresgyn y drwg gyda chariad dioddefus? *[saib]*

A'r newyddion da yw fod Iesu'n dod trwy'r prawf hwn hefyd, oherwydd: 'Atebodd Iesu ef, "Y mae'n ysgrifenedig: 'Yr Arglwydd dy Dduw a addoli, ac ef yn unig a wasanaethi.'"'

Amrywiadau ar yr un thema

'Undonog'
1 Sain neu lais: yn parhau neu'n ailadrodd yr un nodyn; dim amrywiaeth yn y donyddiaeth, y cywair, na'r diweddebau. Hefyd mewn offeryn cerdd: yn cynhyrchu sain mewn un cywair yn unig.
2 Mewn defnydd ehangach: prinder amrywiaeth; anniddorol neu ddiflas drwy ailadrodd yr un peth; difywyd, plaen, rhyddieithol, arferol.[8]

Wrth gynnig adborth i bobl ar eu siwrnai bregethu, un sylw a wnaf yn aml yw bod angen mwy o amrywiaeth wrth gyflwyno'r bregeth. Os yw'r person yn llefaru mewn tôn a chywair cyson drwy'r cyfan, yna mae'n anodd cadw diddordeb pobl. Wrth berfformio pregeth, mae'n bwysig amrywio'r cyflymdra a'r llais yn ogystal â'r angerdd emosiynol.

Er enghraifft, yn y bregeth y sonir amdani yn Atodiad 8 mae yna ddarn sy'n sôn am bregethwr yn derbyn galwad ffôn gan ei feddyg sydd yn ei symud o deyrnas y rhai iach i deyrnas y rhai sâl. Roedd yn rhaid i'r dôn yn y rhan honno o'r bregeth fod yn wahanol i'r darn agoriadol, oedd yn sôn am wylio rhaglen ddiweddar ar y teledu.

Dyma reswm arall pam y gall fod o gymorth i ymarfer y bregeth, a hynny er mwyn sylwi ar y mannau hynny lle byddai'n llesol i newid gêr, drwy arafu neu godi eich llais.

MUNUD I FEDDWL

- Ceisiwch recordio un o'ch pregethau. Gallai hyn olygu defnyddio camera fideo ar ffôn symudol neu dabled, neu efallai fod gennych gyfeillion a fyddai'n fodlon eich recordio.
- Wrth wylio a gwrando ar y recordiad, ar beth rydych chi'n sylwi?
- A oes bosib eich clywed?
- Os oedd meicroffon ar gael a wnaethoch ei ddefnyddio'n dda?
- Ydych chi'n siarad ar gyflymder cyson neu a ydych yn amrywio eich cyflymder?
- Ydych chi'n dueddol o dawelu wrth ddod i ddiwedd brawddeg?
- I ba raddau mae cysylltiad llygaid rhyngoch chi a'r gynulleidfa?
- A oes unrhyw ddullweddau anffodus (chwarae gyda'ch sbectol, neu ysgwyd allweddau yn eich poced a.y.b.)?
- Ym mha ffyrdd y gallech chi wella ar y cyflwyniad?

Perfformio pregeth gyda 'PowerPoint'

Mae'r gyfrol hon wedi dadlau na ddylid gwerthuso pregethu'n bennaf drwy lygaid addysg. Mae pregeth yn wahanol i ddarlith, lle mae cyfathrebu gwybodaeth yn chwarae rhan fawr. Mae pregeth yn golygu cyflwyno neges oddi wrth Dduw yn hytrach na darparu bob math o wybodaeth am destun beiblaidd neilltuol. Fel y trafodwyd ym Mhennod 4, gall fod o gymorth i ddefnyddio sleidiau 'PowerPoint', ar yr amod y gallant ategu a chefnogi'r math o bregeth y dymunwch ei phregethu. Mae 'PowerPoint' yn gweithio mewn ffordd linellol, cam wrth gam. Mae'n fwy na thebyg nad yr athroniaeth weithredol honno sydd ei angen ar bregethau sy'n cael eu dal ynghyd, nid gan resymeg linellol, ond gan ryw ffurf o *blot homiletaidd*. Lle gellid defnyddio 'PowerPoint' i gefnogi'r rhesymeg fewnol, y mae canllawiau sy'n werth eu nodi.

Deg Gorchymyn ar gyfer PowerPoint[9]	*Myfyrio ar y Deg Gorchymyn ar gyfer pregethwyr*
1 Siaradwch â'ch cynulleidfa, nid y sgrin.	Os mai cyswllt llygaid yw un o agweddau allweddol cyfathrebu effeithiol rhwng pobl, caiff hynny ei danseilio drwy edrych dros eich ysgwydd byth a hefyd i weld pa sleid sydd ar y sgrin. Os ydych yn pregethu gyda 'PowerPoint', bydd angen cyfrifiadur neu fonitor o'ch blaen er mwyn i chi fedru gweld heb droi eich cefn ar y gynulleidfa. Gwell yw bod y pregethwr yn rheoli symudiadau'r sleidiau i gyd-redeg â'i bregeth, a hwyrach drwy ddefnyddio teclyn llaw neu gyflwynydd di-wifr. Mae gorfod dweud 'Nesaf' wrth y technegydd bob munud yn tarfu ar rediad y bregeth.

2 Peidiwch â darllen eich sleidiau.	Nid oes pwynt darllen yr wybodaeth sydd ar y sgrin air am air. Oni bai fod problemau gweld bydd yr wybodaeth ar gael i bawb i'w ddarllen ar y sgrin.
3 Ychydig o destun yn unig – yn hytrach meddyliwch yn weledol (ond gochelwch glipluniau).	Hyd yn oed ar gyfer darlith ffurfiol mae'n bosibl gosod gormod o ddefnydd ar y sgrin. Gall 'PowerPoint' ategu pregethu drwy roi llun ar y sgrin sy'n cydredeg â'r neges. Nid yw rhoi llun doniol yn unig ar y sgrin yn syniad da. Weithiau mae'n digwydd fod y llun sydd ar y sgrin yn gwrthdaro â'r neges sy'n cael ei chyhoeddi. Er enghraifft, roedd un pregethwr a glywais wedi addasu templed ar gyfer ei holl sleidiau 'PowerPoint' yn cynnwys llun o fynydd o dan eira fel cefndir. Roedd y darlun yn ddigon dymunol, ond nid yn addas ar gyfer pregeth ar Eseciel 47. Roedd y darlun yn gwrthdaro â'r weledigaeth oedd yn dal yr adran at ei gilydd, sef afon y bywyd yn llifo dros y diffeithwch.
4 Defnyddiwch ffont syml, mawr (o leiaf 24pt) ac sy'n gyffredin i bob cyfrifiadur.	Rheswm arall pam ei bod hi mor bwysig cadw'r testun yn y lleiafswm yw fod angen iddo fod yn ddigon mawr i fod yn ddarllenadwy. Mae print mawr yn gweithio'n dda ar gyfer penawdau ond nid ar gyfer dyfyniadau hir.
5 Cadwch y nifer o bwyntiau bwled i 3-5 i bob sleid.	Mae rhestr o bwyntiau bwled yn cyd-fynd gyda dull o bregethu sy'n canolbwyntio ar gyflwyno cyfres o osodiadau. Sut bynnag, os yw'r bregeth yn cael ei dal ynghyd gan stori neu lun, mae cyfres o bwyntiau bwled yn mynd yn erbyn graen y bregeth.

6 Osgoi animeiddio 'cyffrous'.	Tra bydd rhai gwylwyr yn cael eu swyno gan destun sy'n symud o gwmpas ar y sgrin, bydd yn debygol o dynnu sylw oddi wrth y neges y mae'r pregethwr yn ceisio ei chyflwyno.
7 Anelwch at gymryd cyfartaledd o 3-5 munud i bob sleid.	Os oes llun ar y sgrin sy'n gymorth i ffurfio'r bregeth, mae'n werth ei gadw yno am ychydig mwy o amser. Er enghraifft, un waith gosodais un o luniau enwog o dir yn ymyl Ypres a anrheithiwyd yn ystod y Rhyfel Byd Cyntaf.[10] Cedwais y llun ar y sgrin tra'n sôn am adnodau o Habacuc 3:17-18, lle mae'r proffwyd yn datgan ei ffydd ddiysgog yn Nuw hyd yn oed os yw'r tir lle mae'n byw wedi ei anrheithio'n llwyr.
8 Defnyddiwch ychydig o liwiau sy'n cyferbynnu'n dda (e.e. melyn a glas).	Weithiau mae'n braf cael arbrofi gyda lliwiau, ond mae'n werth darganfod un cyfuniad clasurol o liwiau sy'n gweithio'n dda yn eich sefyllfa chi.
9 Caniatewch amser i'ch cynulleidfa gymryd i mewn yr holl wybodaeth astrus (e.e. graff neu siart).	Mae hyn yn llai perthnasol yng nghyd-destun pregeth, ond mae'n nodyn atgoffa arall i beidio gorlenwi'r sgrin â gwybodaeth ar yr un pryd.
10 Sicrhewch fod gennych gynllun wrth gefn rhag ofn i'r peiriannau fethu.	Mae hyn yn fy atgoffa o adegau pan ddylwn fod wedi cael cynllun wrth gefn!

Mae David Day yn crynhoi'r cyfan yn gynnil. Awgryma fod 'PowerPoint' 'fel priodas, "yn rhywbeth i beidio mentro arno yn ysgafn a difeddwl, er mwyn bodloni chwantau cnawdol, fel bwystfilod anneallus." Ar y llaw arall meddyliwch ddwywaith cyn ymateb i alwad i ddiweirdeb llwyr'.[11]

Ceisio adborth

Mae'n gymorth i geisio adborth ar eich pregethu, yn arbennig ar ddechrau eich siwrnai bregethu. Fel y mae 'tymor i bob peth, ac amser i bob gorchwyl dan y nef', y mae amser addas hefyd i geisio adborth ar eich pregeth ddiweddaraf. Yn sicr nid yr amser gorau i geisio adborth adeiladol eich cyfeillion yw yn union wedi pregethu a chithau wedi rhoi'r cwbl i'ch pregeth ac yn teimlo'n emosiynol flinedig. Gwell yw dod o hyd i amser yn ystod yr wythnos pan fydd pawb wedi cael cyfle i feddwl, a chithau mewn cyflwr gwell i dderbyn sylwadau. Un adnodd gwerthfawr, i chi a'r gwrandawyr, yw llyfryn a gyhoeddwyd gan Goleg y Pregethwyr, *What Did you Make of Your Sermon?* [12] Ceir rhestr ddefnyddiol o gwestiynau o'r llyfryn hwnnw yn Atodiad 9.

Mae'n syml ...

Canolbwyntiodd y bennod hon ar rai sgiliau cyfathrebu wrth *berfformio* pregeth. Wedi tystio i esiamplau da a drwg o gyfathrebu, mae gennym fwy na thebyg ryw syniad am y pethau sy'n gymorth i gyfathrebu effeithiol. Gellir datblygu'r sgiliau homiletaidd y sonnir amdanynt yn y bennod hon wrth eu hymarfer yn gyson, a thrwy ddangos parodrwydd i dderbyn adborth gan y gwrandawyr. Yn y bennod nesaf, a'r un olaf yn y gyfrol hon, bydd yn addas i ni gloi drwy gynnig sylwadau ar y person tu ôl i'r bregeth.

Darllen Pellach

David Day, *Embodying the Word: A Preacher's Guide* (London: SPCK, 2005). Gweler Pennod 15, 'Powerful or Pointless? Preaching with PowerPoint.'

Geoffrey Stevenson, 'The Act of Delivery' yn Geoffrey Stevenson a Stephen Wright, *Preaching with Humanity: A Practical Guide for Today's Church* (London: Church House Publishing, 2008), Pennod 7, 82-93.

Joseph M. Webb, *Preaching Without Notes* (Nashville: Abingdon Press, 2001).

Robert May, 'Preaching Without Notes' yn Ian Stackhouse ac Oliver D. Crisp (gol.), *Text Message: The Centrality of Scripture in Preaching* (Eugene, Oregon, Wipf & Stock, 2014) 166-180.

The College of Preachers, *What did you make of your sermon? Some questions to help you take stock of your own preaching.*

Nodiadau

1. Parch. Mark Burbridge.
2. Kate Bruce, *Igniting the Heart: Preaching and the Imagination* (London: SCM Press 2015) 131-134.
3. Bruce, *Igniting the Heart* 131.
4. Donald A. Hagner, *Matthew 1–13* (Cyf. 33A) (Dallas: Word, 1998) 139.
5. Mae Geoffrey Stevenson yn cynnig cyngor ymarferol ar 'The Act of Delivery' yn Geoffrey Stevenson a Stephen Wright, *Preaching with Humanity: A Practical Guide for Today's Church* (London: Church House Publishing, 2008), Pennod 7.
6. Maragret Forster, *How to Measure a Cow* (London: Chatto & Windus, 2016), 41.
7. Parch. Ed Kaneen, 'The Proper Use of Microphones', darlith a roddwyd yng Ngholeg y Bedyddwyr, Caerdydd, 2014.
8. *Oxford English Dictionary 3rd edition* (2002).
9. Parch. Ed Kaneen, 'Making and Delivering Effective Presentations', darlith a roddwyd yng Ngholeg y Bedyddwyr, Caerdydd, 2015.
10. Gweler e.e. luniau o gefn gwlad ger Ypres a effeithiwyd gan ryfel yn yr Imperial War Museum Collections: http://www.iwm.org.uk/collections/item/object/205246381
11. David Day, *Embodying the Word: A Preacher's Guide* (London: SPCK, 2005) 148.
12. Gweler www.collegeofpreachers.co.uk.

Bywyd o Bregethu

11

Y Pregethwr Llawn Bywyd

Os am gyflwyniad fideo i Bennod 11 ewch i
studyguidepreaching.hymnsam.co.uk

Yn 1956 mae John Ames yn dechrau ysgrifennu llythyr i'w fab ifanc, yn myfyrio ar flynyddoedd maith o weinidogaeth Gristnogol. Mae'n llythyr y bydd ei fab yn ei ddarllen pan fydd wedi tyfu, ymhen peth amser wedi marwolaeth ei dad. Ymhlith pethau eraill, yn ei nofel gymeradwy *Gilead* mae Marilynne Robinson yn creu darlun dwys o weinidog oedrannus yn edrych yn ôl dros y blynyddoedd a thros y bywyd o bregethu a ffurfiodd y blynyddoedd hynny. Wrth feddwl am y 50 o bregethau bob blwyddyn dros 45 o flynyddoedd, mae'n meddwl am werth ei bregethau, ac o'r bywyd a ffurfiwyd mor bwerus gan y gwaith o bregethu.

Byddai fy nhad bob amser yn pregethu o nodiadau, ac ysgrifennwn innau fy mhregethau air am air. Mae bocseidiau ohonynt yn yr atig, a rhai o blith y diweddaraf yn y cwtsh dan staer. Nid wyf wedi mynd yn ôl atynt i weld a oeddent yn werth rhywbeth, nac i weld os dywedais rywbeth o bwys. Mae fy mywyd bron i gyd yn y blychau hynny, sy'n beth rhyfeddol o feddwl amdano.[1]

Gydag amser, mae'n dechrau meddwl a allai fod defnydd amgenach i'r nodiadau pregethu hynny.

Gofynnaf i dy fam i losgi fy mhregethau. Gallai'r diaconiaid wneud y trefniadau. Mae digon i gynnau tân da. Rwy'n meddwl yma am 'hot dogs' a 'marshmallows', rhywbeth i ddathlu'r eira cyntaf. Wrth gwrs gall gadw unrhyw un y mae'n dymuno, ond dydw i ddim am iddi wastraffu gormod o egni arnynt. Roedden nhw'n cyfrif neu doedden nhw ddim, a dyna'i diwedd hi.[2]

Mewn ffordd deimladwy, mae John Ames yn codi cwestiynau treiddgar am ein pregethu. Yn y pen draw, ai'r tân fydd diwedd ein pregethau neu'n nodiadau, neu a ellir eu tanio gan Ysbryd Duw i fegino'r ffydd yn fflam?

Yn y pen draw, wrth gwrs, nid y pregethwr sy'n rheoli tân sanctaidd yr Ysbryd. Er hynny, mae pregethwyr yn mentro pregethu i eraill, gan ddibynnu ar Dduw i gymryd ein geiriau cyfyngedig a thila a'u defnyddio i gyfathrebu ei gariad i eraill. Os mai prif elfen bywyd o bregethu yw darganfod neges oddi uchod ar gyfer pobl Dduw, mae hyn yn tanlinellu gwedd ysbrydol yr orchwyl ac yn ein hatgoffa o'r angen am ysbrydolrwydd iach.

> Y bregeth ei hunan yw'r prif beth: ei phwnc, ei hamcan, a'r ysbryd yn yr hwn y cyflwynwyd hi i'r bobl, *yr eneiniad sanctaidd ar y pregethwr*, a'r nerth dwyfol yn trosglwyddo'r gwirionedd i'r gwrandäwr: mae'r rhain yn llawer iawn pwysicach nag unrhyw fanylion am y dull.[3]

Y pregethwr llawn bywyd

Cymerwyd y teitl ar gyfer y sylwadau terfynol hyn o lyfr gan Mike Graves.[4] Yn ogystal â chynnig cyngor gwerthfawr ar y broses o bregethu, mae Graves yn canolbwyntio'n fwriadol ar ysbrydolrwydd y pregethwr. Mae'n trafod yr hyn a eilw yn 'Ddeg Sacrament Adfywiad', gan awgrymu mai dyma rai o'r ffyrdd y gall Duw eu defnyddio i ysbrydoli a chynnal pregethwyr blinedig.

Wrth wraidd y dull hwn mae gweledigaeth Irenaeus mai 'bod dynol yn llawn bywyd yw Gogoniant Duw',[5] ac mewn amrywiol ffyrdd dyma y mae Graves yn annog pregethwyr i fod. Bydd ei awgrymiadau ymarferol yn fwy defnyddiol i rai personoliaethau na'i gilydd. Nid yw hynny mewn unrhyw ffordd yn lleihau'r her y mae'n ei chyflwyno, sef bod pregethwyr yn cael eu galw i fod yn llawn bywyd i Dduw ac eraill; pobl sy'n disgwyl cael eu hadnewyddu'n ysbrydol.

Mae hyn yn gosod y cwestiwn heriol: 'I ba raddau y mae pregethu perthnasol ac effeithiol yn ganlyniad i hynny, sef bod Cristnogion yn dod yn fodau dynol sy'n llawn bywyd, ac yn cael eu llenwi a'u nerthu gan yr Ysbryd Glân?'[6]

Arferion bywyd

Mewn erthygl sy'n dechrau drwy ddweud 'Doeddwn i ddim wedi bwriadu pregethu', mae Barbara Shires Blaisdell yn ysgrifennu am yr arfer wythnosol o gynnal gweinidogaeth bregethu. Ynghyd â'r gwaith a wnaiff o ddehongli'r Beibl a pharatoi ei phregethau, mae'n sôn am nifer o 'arferion bywyd' sy'n gymorth i gynnal ei hysbrydolrwydd Cristnogol.

Yn ychwanegol at yr arfer wythnosol, mae pedwar o arferion bywyd eraill sydd, pan fyddaf yn eu gwneud, yn gymorth i'm hysgrifennu, ac yn rhwystr pan na fyddaf yn eu gwneud. Rwy'n edrych ar lawer o ffilmiau. Rwy'n ymarfer corff. Ysgrifennaf dair tudalen o beth bynnag yw'r rwtsh sy'n dod i'm pen neu ar fy nghalon bob bore fel gweddi i Dduw. Er mwyn cadw'r meddwl yn finiog a'm galluogi i ysgrifennu wyth i ddeg tudalen o ddeunydd creadigol bob wythnos, rhaid i mi ddarllen yn gyson: diwinyddiaeth ac ysgolheictod Beiblaidd, wrth gwrs. Ond byddaf hefyd yn cael fod nofelau ac ysgrifennu da sy'n onest am gyflwr dyn yn rhoi golwg arall a mewnwelediad i mi, hyd yn oed os na fyddaf yn eu defnyddio fel eglurebau.[7]

MUNUD I FEDDWL

- Pa arferion bywyd sy'n gymorth i chi ddatblygu a chynnal eich ffydd a'ch ysbrydolrwydd?
- Pa arferion bywyd neu ddisgyblaethau ysbrydol, all eich helpu i gynnal eich ffydd a'ch pregethu?

Mae pregethu i mi fel …

Rwyf wedi gwahodd myfyrwyr sawl gwaith i orffen y frawddeg, '*Mae pregethu i mi fel* … ', ac mae rhai o'u hatebion wedi ymddangos yn gynharach yn y llyfr hwn. Mae'r ymateb canlynol i'r cwestiwn hwnnw yn glo priodol i'r ymchwil i bregethu. Mae'n cydnabod y ffaith fod pregethu yn fusnes costus a phoenus. Ond mae hefyd yn cadarnhau fod pregethu'n waith buddiol, oherwydd trwy ras Duw y mae'n rhoi bywyd.

> *Mae pregethu i mi fel ... cael babi. Mae'r broses yn anghyffyrddus ac weithiau'n boenus; mae'n newid eich syniad amdanoch eich hunan a sut mae'r byd yn eich gweld. Rydych yn gweithio'n galed i gynhyrchu rhywbeth y byddwch yn falch ohono ac a fydd yn gwneud y byd yn well, ond yn y pen draw nid oes gennych lawer o reolaeth ar y derbyniad a gaiff a rhaid i chi ei adael yn nwylo Duw i wneud ag ef fel y mynno.[8]*

Y fraint anferthol yw cael eich gwahodd gan Dduw i rannu yn y broses sy'n cynnig bywyd.

Nodiadau

1. Marilynne Robinson, *Gilead* (London: Virago, 2009) 21.
2. Robinson, 280.
3. C.H. Spurgeon, *Lectures to my Students*.
4. Mike Graves, *The Fully Alive Preacher: Recovering from Homiletical Burnout* (Louisville: WJKP, 2006) 4.
5. Irenaeus, *Adversus Haereses*, 4.XX.7.
6. 'Is there any word from the Lord? Connecting relevant preaching with effective leadership' yn John Nelson, (gol.), *How to be a Creative Church Leader*, (Norwich: Canterbury Press, 2008) 95-104.
7. Barbara Shires Blaisdell yn Jana Childers (gol.), *Birthing the Sermon: Women Preachers on the Creative Process* (St Louis, Missouri: Chalice Press, 2001) 4-5.
8. Parch. Lisa Kerry.

Atodiad 1

Detholiad o Wasanaeth a Ddarlledwyd ar BBC Radio Wales, Dydd Sul 6 Gorffennaf 2014

Pregeth Rhan 1 – Dewch ataf fi

Darlleniad: Mathew 11:25-30

Mae hi braidd yn fentrus i ddechrau siarad am gwsg a gorffwys ar yr amser yma o'r bore – yn enwedig gan nad yw'r mwyafrif ohonom yn cael cymaint *ohono* ag yr ydym ei angen. Yn wir ychydig fisoedd yn ôl awgrymodd un arolwg y gallai diffyg cwsg achosi difrod parhaol i gelloedd yr ymennydd.[1]

Mae'n debyg fod y person cyffredin yn cael rhyw chwe awr a hanner o gwsg bob nos. Ond dros y blynyddoedd lleihaodd y cyfartaledd, gan beri i rai gwyddonwyr ystyried effaith hirdymor hynny ar ein hiechyd.[2]

Ac os nad yw hynny'n ddigon, mae'n ymddangos fod ein perthynas â ffonau symudol, gliniaduron, a chyfrifiaduron tabled yn hwyr y nos yn gwaethygu'r sefyllfa, oherwydd bod y llewyrch glas o'r sgrin yn tarfu ar glociau'r corff ac yn ein rhwystro *rhag llithro i gysgu*.[3]

Boed yn ddiffyg cwsg, neu amserlen brysur yn ystod y dydd, mae llawer ohonom yn fodau blinedig sy'n dyheu am fwy o orffwys.

Felly mae ein clustiau'n pigo pan glywn Iesu'n dweud: '*Dewch ataf fi, bawb sy'n flinedig ac yn llwythog, ac fe roddaf fi orffwystra i chwi.*'[4]

Nawr mae hynny'n swnio'n gynnig deniadol i bobl brysur, ond mae'n rhaid i mi egluro nad oes a wnelo'r 'gorffwystra' y mae Iesu'n sôn amdano ddim byd â diffyg cwsg neu'n hangen am orffwys ac ymlacio.

Mae a wnelo mwy â chynnig gorffwystra i bobl a flinwyd gan ffurf ddinistriol o grefydd sy'n hawlio cymaint ganddynt.

Yn nyddiau Iesu, er eu bod yn meddwl yn dda, gosododd rhai athrawon crefyddol ddisgwyliadau amhosibl ar ysgwyddau pobl. Troesant ffydd yn Nuw yn faich annioddefol, drwy ychwanegu dros 600 o reolau a gorchmynion ar ben y gorchmynion craidd i garu Duw â'ch holl galon, enaid a nerth, a charu cymydog fel chi eich hunan. Ac meddai Iesu, mae'r athrawon hyn *'yn rhwymo beichiau trymion ac anodd eu dwyn, ac yn eu gosod ar ysgwyddau pobl, ond nid ydynt hwy eu hunain yn fodlon codi bys i'w symud'*.[5]

Ond mae Iesu'n gwneud llawer mwy na chodi bys i helpu, oherwydd mae'n ymyrryd i symud beichiau trymion y gyfraith, sy'n gwahanu pobl oddi wrth Dduw. Mae'n torri drwy'r mân reolau, a mynd at galon y mater, a gwahodd pobl i brofiad dilys, bywiol a chynnes o Dduw drwy ddweud *'Dewch ataf fi, bawb sy'n flinedig ac yn llwythog, ac fe roddaf fi orffwystra i chwi'*.

- Aelodaeth rad o glwb iechyd ...
- Cysylltiad Rhyngrwyd a Theledu rhad ...
- Bwydydd moethus i'r drws – 50 y cant oddi ar eich archeb gyntaf.

Rwy'n siŵr nad y fi yw'r unig un i dderbyn llawer o wahoddiadau a chynigion drwy'r drws neu mewn e-bost.

Ac mae rhai ohonynt yn edrych yn dda – am ychydig o leiaf, nes i chi ddechrau darllen yr amodau. Ac yn aml o'r golwg yn y print mân, fe sylweddolwch nad yw'r cynnig cystal ag yr ymddangosai ar y dechrau – rhy dda i fod yn wir.

Oherwydd mae 50 y cant oddi ar yr archeb gyntaf yn dal yn ddrutach na'r cig a brynwn fel arfer ...

Ac nid yw'r pecyn rhyngrwyd mor gystadleuol wedi i chi ychwanegu rhent y llinell, ac fe welwch faint fydd y gost ar ôl y tri mis cyntaf...

Ac os nad yw'r ymarferion rhad yn y gampfa yn ddigon i dynnu dŵr o'ch llygaid fe fydd y swm misol arferol yn sicr o wneud ...

O gofio am y math yma o brofiadau, nid yw'n syndod i ni glywed llais oddi mewn yn dweud: 'Ble mae'r fagl yn yr hyn y mae Iesu'n gynnig?'

Wel does yna ddim print mân na thro yn y gynffon, oherwydd yn union wedi i Iesu ddweud *'Dewch ataf fi, bawb sy'n flinedig ac yn llwythog, ac fe roddaf fi orffwystra i chwi'*, mae'n mynd ymlaen i ddweud, *'Cymerwch fy iau arnoch a dysgwch gennyf, oherwydd addfwyn ydwyf a gostyngedig o galon, ac fe gewch orffwystra i'ch eneidiau'.*[6]

Ac mae'r geiriau hyn yn atseinio llyfr Iddewig cynharach lle mae'r Doethineb dwyfol yn annog pobl i ddod a dysgu'r doethineb angenrheidiol ar gyfer bywyd yn ei gyflawnder.

Chi'n gweld, Iesu yw Doethineb Duw wedi dod i'r ddaear, mewn person; ac mae ei wahoddiad i gymryd iau disgybl ar ein hysgwyddau yn atsain gwahoddiad cynharach lle dywed Doethineb Duw:

Prynwch i chwi eich hunain heb arian.
Plygwch eich gwar dan yr iau,
a derbyniwch addysg;
y mae hi wrth law ac yn hawdd ei chael.[7]

Felly pan yw Iesu'n gwahodd pobl i gymryd ei iau arnynt, mae'n estyn gwahoddiad iddynt i newid cyfeiriad ac ildio:

i fywyd o ufudd-dod –
i fywyd o fod yn ddisgybl –
i fywyd o ddysgu beth mae gwir Ddoethineb yn ei olygu.

Dros yr ychydig fisoedd diwethaf, mae athrawon a thiwtoriaid wedi bod yn brysur yn marcio traethodau a phapurau arholiad. Mae'r strwythur addysgol honno yn ffurf bwysig a gwerthfawr ar gyfer dysgu.

Ond mae Iesu'n cyfeirio at fath o ddysgu llawer mwy personol a chlos pan ddywed *'Cymerwch fy iau arnoch a **dysgwch gennyf***'.

Oherwydd gwahoddir ni gan y geiriau hyn i gael ein clymu wrth Iesu; i gael ein harneisio i fod wrth ei ochr, fel y gallwn ddysgu cerdded gydag ef gam wrth gam, ddydd ar ôl dydd.

Fe welwch yn y darn hwn o Efengyl Mathew, ddim byd llai na Iesu'n estyn yr un alwad i fod yn ddisgybl ag a estynnodd i'r pysgotwyr ar lan môr Galilea: *'Dewch ar fy ôl i'*.

Felly pan ddywed Iesu:

Dewch ataf fi
Cymerwch fy iau arnoch
   Dysgwch gennyf

- mae'n wahoddiad i'w ddilyn ef;
- mae'n wahoddiad i ufudd-dod;
- mae'n wahoddiad i addysg gydol oes gan Grist.

Mae'n wahoddiad i gerdded ochr yn ochr â'r Crist byw, a chaniatáu iddo osod ein blaenoriaethau a phenderfynu ar ffurf a chyfeiriad ein bywydau.

Ond wrth i mi ddweud hynny, rwyf yn boenus o ymwybodol fod unrhyw syniad am ildio ein rhyddid i ddewis yn mynd yn erbyn y graen mewn cymdeithas sy'n rhoi gwerth ar unigolyddiaeth ac sy'n mynnu fod hapusrwydd yn dod wrth i ni gael gwneud fel y mynnom.

Dydw i ddim eisiau i neb ddweud wrthyf **fi** beth i'w wneud ...

Felly pam ddylwn gymryd unrhyw sylw o Iesu sy'n dweud:

Dewch ataf fi ...
Cymerwch fy iau arnoch ...
   Dysgwch gennyf?

Pregeth Rhan 2 – Dewch ataf fi

Darlleniad: Ioan 1:1-4 a 1:14-18

Weithiau pan oeddwn yn tyfu, clywais bobl yn dweud: '*Sticks and stones can break my bones ...* '

Ond wrth fynd yn hŷn, ac ychydig yn ddoethach, sylweddolais pa mor bell ohoni oedd y ddihareb honno. Oherwydd gwyddom fod geiriau'n bwerus. Gwyddom fod gan eiriau'r gallu i gymeradwyo ac annog eraill, ond gellir eu defnyddio hefyd i fychanu a dinistrio pobl.

Ac un agwedd o'r gallu hwnnw yw bod ein geiriau yn datgelu pob math o bethau amdanom ni.

Oherwydd mae'r geiriau a lefarwn – **a'r ffordd y llefarwn** – yn datgelu llawer am y math o bobl ydym.

Efallai eu bod yn datgelu rhywbeth am y lle y cawsom ein magu, neu'n awgrymu lle y byddem wedi hoffi cael ein magu.

Ac mae'r syniad hwnnw am eiriau yn datgelu pethau yn amlwg iawn yn y darlleniad o ddechrau Efengyl Ioan.

> *Yn y dechreuad yr oedd y Gair; yr oedd y Gair gyda Duw, a Duw oedd y Gair ... A daeth y Gair yn gnawd a phreswylio yn ein plith ... Nid oes neb wedi gweld Duw erioed; yr unig Un, ac yntau'n Dduw, yr hwn sydd ym mynwes y Tad, hwnnw a'i gwnaeth yn hysbys.*[8]

Nid oes neb wedi gweld Duw erioed, a gallai hynny ein gadael i redeg o gwmpas yn y tywyllwch yn ceisio dyfalu sut un yw Duw. A ddylem ei garu neu a ddylem ei ofni? Ond y newyddion da yw nad ydym yn cael ein gadael yn y tywyllwch, oherwydd fod y Gair dwyfol wedi dod i'r ddaear ym mherson Iesu Grist i ddatguddio cymeriad cariadus Duw.

Ac ar hyd y canrifoedd, mae Cristnogion wedi datgan mai y Gair a ddaeth yn gnawd yw Mab Duw, yr un sy'n gwbl ddwyfol a chwbl ddynol. Ac am ei fod yn gwbl ddwyfol a dynol, mae'n medru datguddio'r gwirionedd am Dduw a'r gwirionedd am fywyd dynol fel y bwriadodd Duw iddo fod.

Ac nid yn Efengyl Ioan yn unig y ceir y neges hon, ond gwelwn yr un thema yn y darlleniad a glywsom yn gynharach o Efengyl Mathew.

Oherwydd yn y darn hwnnw clywn Iesu yn gwneud y datganiad syfrdanol hwn:

> *Traddodwyd i mi bob peth gan fy Nhad. Nid oes neb yn adnabod y Mab, ond y Tad, ac nid oes neb yn adnabod y Tad, ond y Mab a'r rhai hynny y mae'r Mab yn dewis ei ddatguddio iddynt.*[9]

Gallwch weld y rheswm sut y gall Iesu dorri drwy'r rheolau a'r rheoliadau ... Y rheswm fod Iesu'n gallu rhyddhau pobl o faich dinistriol, crefydd ddeddfol ... yw am fod y Mab tragwyddol yn adnabod y Tad tragwyddol ...

Ac am fod y Mab dwyfol yn adnabod y Tad tragwyddol yn dda, ef yw'r un sydd yn llawn gymwys i ddatgelu'r gwirionedd am Dduw.

> *Nid oes neb yn adnabod y Tad, ond y Mab a'r rhai hynny y mae'r Mab yn dewis ei ddatguddio iddynt.*

A'r bore yma *Dathlwn* fod y Mab tragwyddol yn dewis datguddio Duw cariad, sy'n dyheu am i ni'r afradloniaid ddychwelyd adref.

Felly pam dylwn i dalu unrhyw sylw i'r Iesu sy'n dweud:

Dewch ataf fi …
Cymerwch fy iau arnoch …
    Dysgwch gennyf?

Wel, os mai dim ond rhywun fel fi sy'n dweud *dewch ataf fi, ildiwch i'm harweiniad, a gadewch i mi arwain eich bywyd* – does dim rheswm digonol i dalu sylw i mi o gwbl.

Ond oherwydd mai Iesu Grist yw tragwyddol Fab Duw sy'n adnabod y Tad ac sy'n datguddio'r Tad i ni – dyna paham y dylem eistedd i fyny a thalu sylw pan ddywed:

Dewch ataf fi …
Cymerwch fy iau arnoch …
    Dysgwch gennyf.

Nodiadau

1. www.bbc.co.uk/news/health-26630647.
2. www.bbc.co.uk/news/magazine-24444634.
3. www.bbc.co.uk/news/health-27406987.
4. Mathew 11:28.
5. Mathew 23:4.
6. Mathew 11:29.
7. Sirach 51:25-26.
8. Ioan 1:1, 14, 18.
9. Mathew 11:27.

Atodiad 2

Canllawiau ar gyfer *Lectio Divina*

Mae'r fframwaith canlynol wedi ei gymryd o ddeunydd sydd ar gael ar wefan Cymdeithas y Beibl: www.biblesociety.org.uk/explore-the-bible/lectio-divina.

Ceir adnoddau tebyg ar lein gan yr American Bible Society: www.americanbible.org/resources/lectio-divina/012515.

Hanes

Mae *Lectio divina* yn dyddio nôl i gyfnod y Tadau Cynnar oddeutu 300 oc. Cofnodwyd y pedwar cam am y tro cyntaf gan fynach, Guigo Cartujo, yn 1173. Erys y camau Lectio (Darllen), Meditatio (Myfyrdod), Oratio (Gweddi) a Contemplatio (Gorffwys) yn ganolog hyd heddiw er bod y dulliau'n gwahaniaethu.

Trosolwg

Yn ei hanfod dull syml yw *lectio divina* i gwrdd â'r Arglwydd drwy fyfyrdod a gweddi yn seiliedig ar yr Ysgrythur Sanctaidd. Nid dull astudio ydyw. Gall gwybodaeth cefndir fod o gymorth ond nid yw'n angenrheidiol.

O'i ddefnyddio mewn grwpiau mae angen strwythur ond ar gyfer unigolion does dim rhaid dilyn y camau'n haearnaidd. Ein hamcan yw cwrdd â Duw, nid dim ond cwblhau'r camau eu hunain. Felly pan fydd yr Arglwydd yn pwyso rhywbeth arnom mae angen i ni oedi a disgwyl. Gallwn bob amser ddychwelyd at y camau dro arall. Nid ydym am golli beth y mae Duw am ei ddweud wrthym.

1 *Lectio* – darllen

Darllen y darn o'r Ysgrythur yn wylaidd ac yn weddigar yw'r sylfaen i bopeth arall sy'n dilyn ac ni ellir ei ruthro. Felly dechreuwch gyda gweddi a gofynnwch i'r Ysbryd Glân eich 'arwain yn yr holl wirionedd' (Ioan 16:13).

Darllenwch y darn yn araf a gofalus. Osgowch y demtasiwn i edrych ar sylwadau'r Lectio nac unrhyw gamau, ar hyn o bryd.

Sicrhewch fod gennych lyfr nodiadau a phensil wrth law. Tanlinellwch, neu gwnewch nodyn, o unrhyw eiriau neu frawddegau sy'n sefyll allan. Nodwch unrhyw gwestiwn sy'n codi. Darllenwch y darn nifer o weithiau a'i ddarllen yn uchel. Rhowch amser i chi eich hunan i ddeall a gwerthfawrogi'r hyn a ddywedir ...

2 *Meditatio* – myfyrdod

Mae myfyrio'n dyfnhau ein gwerthfawrogiad o'r darn ac yn gymorth i chwilio'i drysorau. Darllenwn yn 2 Timotheus 3:16 fod 'pob Ysgrythur wedi ei hysbrydoli gan Dduw ac yn fuddiol i hyfforddi, a cheryddu, a chywiro, a disgyblu mewn cyfiawnder ... ' Felly nesewch mewn ffydd gan ddisgwyl i Dduw lefaru wrthych. Efallai y bydd yn datguddio rhyw gymaint o'i hunan i chi. Hwyrach y bydd yn pwysleisio rhyw agwedd ar eich ymddygiad sydd angen ei ddiwygio. Efallai y bydd yn amlygu addewid i'ch annog a'ch nerthu.

Dyma rai dulliau all fod o gymorth i chi

- Defnyddiwch eich dychymyg. Dychmygwch y darn; rhowch eich hunan yn yr olygfa a dewch yn rhan o'r stori. Edrychwch ar bethau drwy lygaid y cymeriadau eraill, gwrandewch arnynt, sylwch ar eu hadwaith, dychmygwch sut maent yn teimlo. Daliwch i ddod yn ôl at Iesu. Mynnwch ei adnabod; ymhyfrydwch ynddo a chaniatewch iddo eich cyfareddu, gyda'i eiriau, ei weithredoedd, ei adwaith – popeth ynglŷn ag ef.
- Gofynnwch gwestiynau. Defnyddiwch eich cwestiynau eich hunan yn ogystal â'r cwestiynau a roddir er mwyn meddwl yn ddyfnach am y darn a'r hyn y mae Duw yn dymuno ei ddweud wrthych. Gofynnwch i

Iesu ddweud pam y dywedodd ac y gwnaeth yr hyn a wnaeth. Ceisiwch ddeall ei resymau a'i fwriadau. Caniatewch amser i ymdawelu, i wrando a chlywed ei ateb.

- Caniatewch i'r Gair fod yn ddrych i chi. Wrth i ni ddarllen y Beibl mae'n dangos mwy i ni am y bywyd Cristnogol a lle dylai ein bywyd ni newid. Gwelwn fel mae Gair Duw'n cymhwyso ei hunan i'n bywyd bob dydd, fel unigolion ac fel rhan o gymdeithas. Down o hyd i addewidion, anogaethau, heriau a galwadau. Os ydym yn fodlon bydd Duw yn ein meithrin a'n rhyddhau i fod yn fwy dynol a llawn bywyd.

3 *Oratio* – gweddi

Mae gweddi yn cychwyn ymddiddan rhwng Duw a ni. Yn y Salmau gwelwn fel mae'r awduron yn agor eu calonnau i Dduw, a hynny'n gymysg o obeithion ac ofnau ochr yn ochr. Mae Duw yn rhoi gwerth ar ein gonestrwydd. Ni allwn guddio dim rhagddo beth bynnag. Gall defnyddio geiriau'r salm ymatebol fod o gymorth i ni ond gallwn ddefnyddio ein geiriau ein hunain er mwyn cael sgwrs bersonol gyda chyfaill arbennig.

Drwy weddi byddwn yn ymateb i'r goleuni y mae Gair Duw wedi'i daflu ar y ffordd yr ydym yn byw ein bywyd. Nawr gallwn ddod â'r hyn sy'n digwydd yn ein bywyd ac yn ein cymuned gerbron Duw. Siaradwn a gwrando, gwrando a myfyrio – mae'n sgwrs gyda Duw.

4 *Contemplatio* – gorffwys

I'n cynorthwyo i ddehongli'r darlleniad o'r Efengyl mae'r Litwrgi yn darparu dau ddarlleniad ychwanegol. Gall meddwl am y rhain gyfoethogi ein dealltwriaeth o'r testun ac amlygu ym mha ffordd y dylem ymateb i'r Arglwydd.

Bydd gorffwys yn gyfle i dreulio cyfnod mewn cymundeb â Duw. Ymlonyddwch gerbron Duw a gwahoddwch ef i mewn. Ychydig eiriau, os o gwbl, fydd eu hangen yma. Mwynhewch yr amser yn ei gwmni. Arhoswch gydag ef a gadewch iddo eich caru. Gadewch iddo adnewyddu eich enaid.

Adolygu

Wedi cwblhau eich cyfnod darllen, myfyrio, gweddïo a gorffwys efallai y byddwch yn dymuno nodi'r profiadau a'r meddyliau a greodd argraff arnoch yn y llyfr bach. Efallai y bydd o gymorth i chi edrych yn ôl arnynt yn ddiweddarach.[1]

Nodyn

1.   www.biblesociety.org.uk/explore-the-bible/lectio-divina.

Atodiad 3

Pregeth Angladdol 1

Darlleniadau: Rhufeiniaid 8:35-39 a Datguddiad 21:1-5

Wedi imi siarad mewn cyfarfod mewn eglwys arall, daeth gwraig a gollodd ei gŵr ychydig fisoedd ynghynt i siarad â mi. Rhannodd rywbeth a fu o gymorth a gobaith iddi.

Eglurodd fod ei bywyd yn teimlo fel jig-so a chwalwyd yn chwilfriw – ond credodd fod Duw wedi addo ei helpu i roi'r jig-so yn ôl at ei gilydd yn raddol. Ni allai'r darlun fod yn union yr un fath wedyn, oherwydd bod rhai o'r darnau mwyaf ar goll. Ond roedd cariad a gofal Duw yn darparu'r amlinelliad, a'r fframwaith, ar gyfer darlun newydd. Ac ym mhen amser byddai'n ei chynorthwyo i roi'r darnau i gyd yn ôl.

Mae'n ymddangos i mi fod y darlun hwnnw yn gweddu i'r achlysur hwn, oherwydd wedi marwolaeth ein chwaer yr wythnos ddiwethaf, mae nifer o bobl yma'n teimlo bod eu bywydau wedi chwalu'n chwilfriw.

Mae fel petai'r darnau jig-so bywyd wedi eu gwasgaru i bobman. Ni all pethau fod yn union yr un fath eto, a phrin ein bod yn gwybod ble mae cychwyn ar y gwaith o roi'r darnau'n ôl.

Ond nid ydym yn unig yn y gwaith hwn, oherwydd y mae Duw yma – yn rhannu yn ein tristwch ac yn dweud:

> Rwyf fi gyda chi – yn y sefyllfa drist a phoenus hon – a chynorthwyaf chi i gasglu'r darnau ynghyd a rhoi pethau'n ôl at ei gilydd.
>
> Ni all y darlun fod yn union yr un fath, oherwydd i chi golli darn mor fawr. Ond mae fy nghariad yn darparu'r amlinelliad ar gyfer darlun newydd.
>
> Fy nghariad sy'n darparu'r fframwaith ar gyfer y dyfodol. Gadewch i mi eich helpu yn y broses araf ac anodd o ailadeiladu.

Ond pam ydw i'n dweud hynny?

Pa sail sydd gennyf i gredu yn y math yna o Dduw?

Fel Cristnogion gallwn ddweud hynny oherwydd Iesu Grist:

- a fu farw a'i gladdu;
- a gyfodwyd i fywyd newydd.

Mae ei farwolaeth yn dangos cymaint y mae Duw yn ein caru – 'Ond prawf Duw o'r cariad sydd ganddo tuag atom ni yw bod Crist wedi marw drosom pan oeddem yn dal yn bechaduriaid' (Rhuf. 5:8).

Mae marwolaeth Iesu Grist ar y groes yn dangos nad yw Duw wedi datblygu imiwnedd i ddioddefaint. Nid yw byth yn rhy bell oddi wrthym fel na all poenau a thrasiedïau bywyd ei gyrraedd.

Aeth y Duw hwn drwy'r felin ei hunan.

Mae'n cario creithiau dioddefaint – yn dwyn nod y groes.

Rhannodd y Duw hwn gyda'n chwaer yn ei ddioddefaint.

Mae'n rhannu yn ein poen a'n galar ninnau heddiw.

Ond nid dyna'r cyfan – oherwydd yr Iesu a fu farw a'i gladdu yw'r un a gododd i fywyd newydd ar y trydydd dydd. Mae ei fedd gwag yn dangos fod cariad a nerth Duw yn fwy ac yn gryfach na marwolaeth. Does dim mewn bywyd nac angau, dim yn yr holl greadigaeth all wahanu ein chwaer, na ninnau, oddi wrth gariad Duw yng Nghrist Iesu ein Harglwydd.

Oherwydd Gwener y Groglith a'r Pasg gwyddom fod Iesu Grist yn fyw. Ef yw Arglwydd y byw a'r marw. Ac y mae yma heddiw i'n helpu i ddarganfod bywyd a gobaith newydd.

Mae'r Duw byw a chariadus hwn yma heddiw i'n helpu i ddechrau'r gwaith araf a phoenus o roi'r darnau at ei gilydd.

Ein helpu i ailadeiladu.

Ein helpu i fyw eto.

Mae Duw yma:

Ac felly ar yr achlysur dolurus hwn trown at 'Dduw a Thad ein Harglwydd Iesu Grist! O'i fawr drugaredd, fe barodd ef ein geni ni o'r newydd i obaith bywiol trwy atgyfodiad Iesu Grist oddi wrth y meirw' (1 Pedr 1:3).

Pregeth Angladdol 2

Darlleniad: Luc 24:1-12

Mae'r darlleniad yn addas ar ein cyfer heddiw, nid yn unig am i ni ddathlu'r Pasg yn ddiweddar ond hefyd am ei fod yn sôn am bobl a dorrodd eu calonnau am fod yr Iesu yr oeddent yn ei garu wedi marw.

Roedd ei farwolaeth wedi chwalu eu gobeithion.

Roedd baich eu galar yn pwyso'n drwm ar eu hysgwyddau.

Ac felly, daethant yn drist ac yn dawel at y bedd i dalu eu gwrogaeth i gorff marw Iesu.

Ond er syndod mawr iddynt roedd y bedd yn wag – y corff wedi diflannu – a chlywsant y neges: 'Nid yw ef yma; y mae wedi ei gyfodi'.

Nawr fe gymerodd dipyn o amser iddynt sylweddoli beth oedd ystyr hyn i gyd, ond wrth iddynt edrych ar y bedd gwag, ac yn ddiweddarach wrth gyfarfod y Crist atgyfodedig ei hun, daethant o hyd i obaith newydd a rheswm newydd dros fyw.

Daethant at y bedd mewn tristwch a galar, a chael eu synnu fod cariad Duw yn drech nac angau; fod Duw wedi chwalu grym a gafael angau ar bobl.

Ac mae'r hyn a brofodd y gwragedd hynny amser maith yn ôl yn siarad â'n sefyllfa ni heddiw: down ninnau hefyd mewn tristwch oherwydd fod un oedd yn agos i ni wedi marw, ac y mae'r farwolaeth honno yn effeithio pob un ohonom mewn rhyw ffordd neu'i gilydd. Fel y gwragedd a aeth at y bedd, down ninnau i dalu'r gymwynas olaf.

Nid yw byth yn hawdd dygymod â marwolaeth rhywun, oherwydd nid yn unig y down wyneb yn wyneb â'n tristwch ein hunain ond hefyd â'n meidroldeb ein hunain.

Mae marwolaeth a dioddefaint yn cyflyru'r emosiynau dyfnaf a mwyaf poenus – megis galar, edifeirwch a dicter.

Gallwn deimlo'n ddig tuag at Dduw – at eraill – at ein hunain – ac weithiau teimlo'n ddig fod y person a fu farw wedi ein gadael.

Ac mae llais oddi mewn i ni'n gweiddi:

- Pam digwyddodd hyn?
- Beth wnaethom i haeddu hyn?

Neu gall y llais hwnnw sibrwd, 'Pe bai, pe tasem ... '

- Pe baem ond wedi gwneud y peth hwn neu'r peth arall ...
- Pe bai pethau wedi bod yn wahanol ... gallai'r drychineb fod wedi ei hosgoi a byddai'r un yr oeddem yn ei garu yn fyw a gyda ni o hyd.

Mae'r teimladau ac emosiynau poenus hynny'n naturiol iawn ar adeg fel hon. Maent yn fynegiant naturiol o alar y mae angen i ni eu cydnabod a gweithio arnynt.

I'r gwragedd y sonnir amdanynt yn Efengyl Luc, darganfod trostynt eu hunain fod Iesu'n fyw a roddodd iddynt obaith newydd ac a'u cynorthwyodd i ddechrau byw unwaith eto.

Ac i ninnau heddiw gellir dod o hyd i obaith o hyd yn yr un Iesu a gyfodwyd o feirw ac sy'n fyw gyda ni heddiw. Oherwydd y Crist byw yw'r un sy'n dymuno ein cysuro, a chynnig gobaith i ni, wrth i ni ddechrau ar gymal nesaf ein taith.

Nawr dydy darganfod trosoch eich hunan fod Iesu Grist yn fyw, a medru dibynnu arno, ddim yn ateb parod – ddim yn boenladdwr yn y fan a'r lle. Fydd ein galar a'n problemau ddim yn diflannu dros nos. Ond mae adnabod yr Arglwydd atgyfodedig yn rhywbeth all ddod â bywyd a gobaith newydd inni, a gall ein helpu i ddod o hyd i reswm newydd dros fyw. A dyna'n hangen i gyd heddiw wrth i ni wynebu ffaith ddychrynllyd marwolaeth.

Oherwydd y Crist croeshoeliedig ac atgyfodedig, mae'r eglwys yn meiddio credu na all dim mewn bywyd nac angau ein gwahanu ni oddi wrth gariad Duw yng Nghrist Iesu ein Harglwydd. O'i herwydd ef gallwn brofi cariad Duw, sy'n dod â chysur yn ein galar a'r nerth angenrheidiol i wynebu heriau'r dyfodol.

> Cariad i'n cysuro;
> Nerth i wynebu'r dyfodol;
>   a gobaith bywiol.

> Dyna'n hangen i gyd.
>   Dyna mae'r Crist byw yn ei addo a'i ddarparu.

Atodiad 4

Pregeth a Bregethwyd mewn Gwasanaeth Ordeinio yn Awst 2009

Darlleniadau: Eseia 6:1-8 a Colosiaid 3:12-17

Rhyddhawyd y newyddion yr wythnos hon am ymosodiad ar ddyn yn nwyrain Llundain ddiwedd Gorffennaf, ac o ganlyniad bu'n rhaid iddo dderbyn llawdriniaeth calon agored. Roedd wedi mynd i Barking i brynu car a welodd yn cael ei hysbysebu ar y we. Ond wedi cyrraedd derbyniodd lawer mwy nag yr oedd wedi ei ddisgwyl, oherwydd ymosodwyd arno, a'i daro, ei sathru a'i drywanu yn ei galon, ysgyfaint a'i fol. Ac yna i wneud sefyllfa ddrwg yn waeth, dygwyd y £5000 a gariodd ar gyfer talu am y cerbyd. Digwyddodd hyn gefn dydd golau mewn lle prysur, ac mae'r heddlu'n apelio'n daer am dystion.[1]

Mae'r fath drais ar ein strydoedd yn tarfu arnom.

A gadewir ni i feddwl ...
Beth fydd diwedd hyn?

Rydym yn byw yn un o wledydd cyfoethocaf y byd, a disgwyliwn ddiogelwch. Ond yn wyneb yr argyfwng ariannol byd eang, a phobl yn colli'u swyddi, mae llawer yn dechrau poeni am dalu'r biliau ac yn amau a fydd unrhyw fath o bensiwn yn eu disgwyl.

A gadewir ni i feddwl ...
Beth fydd diwedd hyn?

Ddydd ar ôl dydd mae nifer y meirw yn Afghanistan yn codi. Ac wrth i ni glywed am fomiau ymyl y ffordd a bomwyr hunanladdiad, yr ydym yn ymwybodol fod trais yn creithio llawer ar ein byd.

Wrth i ni wrando ar y newyddion gadewir ni i feddwl ...
Beth fydd diwedd hyn?

Rydym yn byw mewn cyfnod o ansicrwydd, ac mae'r darlleniad o'r Beibl heddiw yn mynd â ni nôl i **gyfnod ansicr** arall, oherwydd mae Eseia 6 yn sôn am y flwyddyn y bu farw'r Brenin Usseia.

Bu'r Brenin Usseia o gwmpas am hydoedd. Yn wir bu ar ei orsedd am ddim llai na 52 o flynyddoedd (2 Cronicl 26:1-3). Felly roedd marwolaeth brenin a fu o gwmpas mor hir yn sicr o greu ansicrwydd a chodi pob math o gwestiynau.

Yn ystod y cyfnod hwn o ansicrwydd aeth gŵr ifanc o'r enw Eseia i'r Deml i weddïo. Ac wrth weddïo cafodd weledigaeth o Dduw.

Yn y flwyddyn y bu farw'r Brenin Usseia, gwelais yr Arglwydd. Yr oedd yn eistedd ar orsedd uchel, ddyrchafedig, a godre'i wisg yn llenwi'r deml. Uwchlaw yr oedd seraffiaid i weini arno, pob un â chwech adain, dwy i guddio'r wyneb, dwy i guddio'r traed, a dwy i ehedeg. Yr oedd y naill yn datgan wrth y llall,

"Sanct, Sanct, Sanct yw Arglwydd y Lluoedd;
y mae'r holl ddaear yn llawn o'i ogoniant."

Ac fel yr oeddent yn galw, yr oedd sylfeini'r rhiniogau'n ysgwyd, a llanwyd y tŷ gan fwg. (Eseia 6:1-4)

Ac mae'r weledigaeth hon yn dweud llawer am y Duw y daethom yma i'w addoli heddiw.

Yn gyntaf, dywed wrthym am **Yr Arglwydd sy'n teyrnasu.**

Efallai ei bod hi'n gyfnod ansicr ond gwelodd Eseia rywbeth arwyddocaol, oherwydd dywed: **'Gwelais yr Arglwydd yn eistedd ar orsedd.'**

Mewn geiriau eraill, ar waethaf yr hyn oedd yn digwydd, y newyddion da a gafodd Eseia yw bod:

- Duw'n dal ar ei orsedd;
- Duw'n dal yn Frenin;
- Duw'n dal wrth ei waith.

Wrth edrych ar ein byd mae'n ymddangos mor aml mai:

- anhrefn sy'n teyrnasu;
- drygioni sy'n teyrnasu;
- anghyfiawnder sy'n teyrnasu;
- angau sy'n teyrnasu.

Ond oherwydd marwolaeth ac atgyfodiad Iesu:

- gwyddom fod Duw yn drech na drygioni;
- gwyddom fod cariad Duw yn drech nac angau.

Oherwydd Iesu, gwyddom mai **Duw sy'n teyrnasu**.

Mae Duw yn dal wrth ei waith
  ... yn adeiladu ei eglwys
      ... yn cyflawni ei bwrpas.

A gwyddom fod y dydd yn dod pan fydd Duw yn sychu pob deigryn o'n llygaid ac yn rhoi terfyn ar wylofain a phoen.

Ydym, rydym yn byw mewn byd peryglus a bregus, ond gallwn wynebu'r dyfodol mewn ffydd yn hytrach nag ofn oherwydd ein bod yn addoli:

Y Duw sydd ar yr orsedd;
Yr Arglwydd sydd yn teyrnasu.

Ac mae'r weledigaeth hon yn datguddio rhywbeth arall, oherwydd wrth i ni edrych yn ofalus ar yr adran hon, gwelwn *Yr Arglwydd sydd â'i ogoniant yn llenwi'r holl ddaear.*

Sanct, Sanct, Sanct yw Arglwydd y Lluoedd;
y mae'r holl ddaear yn llawn o'i ogoniant.

Tybed a wnaethoch chi sylwi ar hysbyseb ar y BBC yn ddiweddar? Roedd gŵr a gwraig yn cerdded drwy ganolfan siopa yn cario'u bagiau. Pan oedodd y wraig mewn cylch bach coch ar y llawr, clywyd sŵn cerddoriaeth glasurol. Pan gamodd allan o'r cylch coch, peidiodd y gerddoriaeth.

Roedd yr hysbyseb yn ein gwahodd i *gamu i mewn i'n byd ni* – sef byd Radio 3 – byd cerddoriaeth glasurol.

Nawr, mae llawer o bobl yn credu mai dim ond mewn un rhan fach o'r byd y gallwch chi glywed cerddoriaeth cariad Duw.

Cred rhai bod yna gylch bach o'r enw '*bywyd ysbrydol*' lle gallwch ddarganfod Duw, a gelwir popeth y tu allan i'r cylch hwnnw yn 'seciwlar'. Cred rhai bod pob man y tu allan i'r cylch yn fannau lle mae Duw'n absennol.

Ac weithiau wrth edrych ar rannau o'r byd dywedwn: 'Wel dyna le di-dduw!' Mae'r ardal neu'r rhan honno o'r ddinas yn dalcen rhy galed i Dduw a'i efengyl.

Mae neges y Beibl yn glir. Dywed y Beibl nad oes y fath le'n bod ar y blaned hon, oherwydd fel y dywed y darn hwn, '*y mae'r holl ddaear yn llawn o'i ogoniant*'. Mae gogoniant Duw yn llenwi'r holl ddaear.

Daw'r neges hon i'r amlwg mewn rhannau eraill o'r Beibl hefyd. Gwrandewch ar eiriau'r Salmydd yn Salm 139:7-13:

I ble yr af oddi wrth dy ysbryd?
I ble y ffoaf o'th bresenoldeb?
Os dringaf i'r nefoedd, yr wyt yno;
os cyweiriaf wely yn Sheol, yr wyt yno hefyd.
Os cymeraf adenydd y wawr a thrigo ym mhellafoedd y môr,
yno hefyd fe fydd dy law yn fy arwain,
a'th ddeheulaw yn fy nghynnal.
Os dywedaf, "Yn sicr bydd y tywyllwch yn fy nghuddio,
a'r nos yn cau amdanaf",
eto nid yw tywyllwch yn dywyllwch i ti;
y mae'r nos yn goleuo fel dydd,
a'r un yw tywyllwch a goleuni.
Ti a greodd fy ymysgaroedd,
a'm llunio yng nghroth fy mam.

Ac yn y Testament Newydd cawn yr un neges yn amlygu ei hun yn Ioan 1:14, sy'n dweud wrthym y '*daeth y Gair yn gnawd a phreswylio yn ein plith.*'

Daeth Duw ym mherson Iesu Grist – y Gair dwyfol yn dod yn gnawd.

A pan ddywedwn fod y Gair dwyfol wedi dod yn gnawd, dywedwn:

- Cymerodd Duw fywyd cyffredin;
- Cymerodd Duw gig a gwaed dynol;
- Cymerodd Duw bethau bywyd cyffredin a'u defnyddio i ddangos ei gariad ac i gyflawni ei waith achubol.

A dyna a welwn yn digwydd dro ar ôl tro wrth i ni ddathlu'r Cymun Sanctaidd. Gwelwn y Duw byw yn cymryd pethau cyffredin fel bara a gwin ac yn eu defnyddio i gyfathrebu ei bresenoldeb a'i gariad.

Chi'n gweld, ystyr yr ymgnawdoliad yw bod Duw wedi camu i mewn i'r cylch bach, sef bywyd y byd, a'i wneud yn eiddo iddo'i hun. Mae hynny'n golygu fod bywyd i gyd yn eiddo iddo, ac am fod yr holl ddaear yn llawn o'i ogoniant, mae'n golygu ei fod yn medru ein cyfarfod ym mhob rhan o fywyd. Ac mae'n golygu y gall gymryd pethau cyffredin ein bywyd pob dydd, a'u defnyddio i'n bendithio ni ac eraill.

Nawr, mae Eseia'n gwneud rhywbeth arall yn amlwg, oherwydd wrth i ni ddarllen am ei brofiad yn y Deml, mae'n glir ei fod yn cyfarfod **Yr Arglwydd sy'n galw pobl i'w wasanaethu**.

Yna clywais yr Arglwydd yn dweud, "Pwy a anfonaf? Pwy a â drosom ni?"
Atebais innau, "Dyma fi, anfon fi." (Eseia 6:8)

Nawr, rydym rhywsut yn disgwyl clywed geiriau fel yna mewn gwasanaeth ordeinio megis heddiw. Pan glywn y geiriau o Eseia 6 tybiwn ei fod yn siarad am Dduw sy'n galw rhai pobl i wasanaethu fel gweinidogion yn ei Eglwys; neu am Dduw sy'n galw rhai pobl i weithio fel cenhadon mewn gwledydd eraill.

A do, llefarodd Duw drwy'r darn hwn wrth nifer o bobl yn y ffordd honno. Ond yn ychwanegol at hynny, mae Duw'n llefaru i alw pawb i gymryd deunydd crai bywyd a'i ddefnyddio i wasanaethu Duw ac eraill.

Bu fy mam yn athrawes gynradd am flynyddoedd. Gwelodd ei gwaith fel galwedigaeth, fel galwad gan Dduw, i helpu meithrin cenedlaethau o blant.

Un enghraifft yn unig yw ei phrofiad hi – oherwydd mae Duw yn eich galw chi, pwy bynnag ydych, beth bynnag a wnewch, i'w ystyried yn alwad gan Dduw.

Geilw Duw arnoch i ddefnyddio pethau daearol pob dydd, deunydd crai eich bywyd i wasanaethu Duw ac eraill.

I rai golyga hyn fod Duw yn eich galw i:

Ofalu am y teulu.
Gweithio fel gweinyddes neu weithiwr cymdeithasol.
Cyflawni gwaith da yn eich swyddfa.
Cefnogi rhywun mewn angen.
Defnyddio eich dawn gyfrifiadurol.
Bod yn gymydog da.

I ddefnyddio'r bywyd a roddodd Duw i chi, mewn rhyw ffordd i'w wasanaethu ef.

A! Aros Peter – ti'n glastwreiddio'n ormodol nawr.
Does bosib fod gan Dduw ddiddordeb mewn ...

O! oes mae ganddo.
Gwrandewch ar y dystiolaeth o adran arall o'r Testament Newydd:

Am hynny, fel etholedigion Duw, sanctaidd ac annwyl, gwisgwch amdanoch dynerwch calon, caredigrwydd, gostyngeiddrwydd, addfwynder ac amynedd. Goddefwch eich gilydd, a maddeuwch i'ch gilydd os bydd gan rywun gŵyn yn erbyn rhywun arall; fel y maddeuodd yr Arglwydd i chwi, felly gwnewch chwithau. Tros y rhain i gyd gwisgwch gariad, sy'n rhwymyn perffeithrwydd. (Colosiaid 3:12-14)

Mae'n ymarferol iawn – mae'n dweud fod y ffordd y deliwch â phobl mewn sefyllfaoedd cyffredin o ddiddordeb mawr i Dduw; ac mae'n mynd ymlaen i ddweud:

Beth bynnag yr ydych yn ei wneud, ar air neu ar weithred, gwnewch bopeth yn enw yr Arglwydd Iesu, gan roi diolch i Dduw, y Tad, drwyddo ef. (Colosiaid 3:17)

Felly, fel y dywedodd un awdur, yr hyn sydd gennym yma yw:

anogaeth sydd â'i therfynau'n bellgyrhaeddol, yn cwmpasu pob agwedd o fywyd ... Ychydig o anogaethau sydd yn y Testament Newydd mor gynhwysfawr â hon ... Mae pob gweithgaredd i'w gyflawni mewn ufudd-dod i'r Arglwydd Iesu ynghyd â diolch i Dduw drwyddo.[2]

Felly pwy bynnag ydych a beth bynnag fo'ch sefyllfa, gelwir arnoch i ddefnyddio pethau pob dydd, deunydd crai eich bywyd i wasanaethu Duw, er mwyn amlygu ei gariad a rhannu yn ei waith.

Mae'r cwestiynau am y posibilrwydd o breifateiddio'r Post Brenhinol yn fater llosg.[3]

Ond heddiw rwy'n poeni mwy am breifateiddio'r ffydd Gristnogol. Oherwydd, dywed llawer o Gristnogion mai rhywbeth preifat yw ffydd, rhywbeth preifat rhyngof fi a Duw.

Mae'n wir fod ffydd yn bersonol, ond mae hynny'n wahanol i ddweud fod ffydd yn fater preifat. Dylai'r ffydd Gristnogol effeithio ar y ffordd y defnyddiwn ein:

hamser,
    arian,
        bywyd.

Mae a wnelo'r ffydd Gristnogol â'r ffordd yr ydych yn trin eraill – y ffordd y siaradwch *â* phobl ac *am* bobl.

Mae a wnelo'r ffydd Gristnogol â'r ffordd y defnyddiwch eich pleidlais a'r ffordd y gweithiwch. Mae'n ymwneud â holl agwedd bywyd ac y mae pob agwedd ar fywyd yn lle y gallwch:

Gwrdd â Duw,
    Profi Duw,
        Gwasanaethu Duw.

Y Duw sydd â'i ogoniant yn llenwi'r holl ddaear,
y Duw sy'n galw pobl i'w wasanaethu.

Dyma'r Duw sy'n dymuno eich cyfarfod yng nghanol eich bywyd pob dydd fel y gall eich galluogi i ddefnyddio pethau pob dydd i'w wasanaethu ef ac eraill.

Frodyr a chwiorydd, daethom heddiw i gomisiynu ein [*brawd*] i waith y weinidogaeth Gristnogol yn yr eglwys a'r gynulleidfa hon. Llawenhawn [*iddo*] ymateb i'r Duw sy'n gofyn 'Pwy a anfonaf? Pwy a â drosom ni?'

Ac ar yr un pryd gelwir arnom i gyd i ymateb ***i'r Arglwydd sy'n galw pobl i'w wasanaethu.***

Felly, frodyr a chwiorydd, eich cenhadaeth os dewiswch ei dderbyn yw hyn:

Beth bynnag yr ydych yn ei wneud, ar air neu ar weithred, gwnewch bopeth yn enw yr Arglwydd Iesu, gan roi diolch i Dduw, y Tad, drwyddo ef. (Colosiaid 3:17)

Nodiadau

1. Stori o Newyddion BBC: http://news.bbc.co.uk/go/pr/fr/-/1/hi/england/london/8222087.stm

2. Peter T. O'Brien, *Colossians—Philemon*. Word Biblical Commentary, Cyf. 44 (Dallas, TX: Word, 2002).

3. Ni fwriadwyd y bregeth hon i fod yn bregeth 'amserol' o ran materion cyfoes – fel y dywed y pennawd, fe'i traddodwyd yn 2009. Ond mae'n enghraifft o rywbeth y gellir ei werthuso gan ddefnyddio grid penodol. Gwerthodd llywodraeth Prydain ei chyfran olaf yn y Post Brenhinol yn 2015.

Atodiad 5

Adnabod y 'Sleidiau' sy'n ffurfio'r 'Symudiadau' yn y Bregeth ar Eseia 6

Sleid Feiblaidd 1

Mae un peth arall a ddatguddir gan y weledigaeth hon, oherwydd wrth i ni edrych yn ofalus ar yr adran hon gwelwn *Yr Arglwydd sydd â'i ogoniant yn llenwi'r ddaear.*

Sanct, Sanct, Sanct yw Arglwydd y Lluoedd;
y mae'r holl ddaear yn llawn o'i ogoniant.

Sleid Ddarluniadol 2

Tybed a wnaethoch chi sylwi ar hysbyseb ar y BBC yn ddiweddar? Roedd gŵr a gwraig yn cerdded drwy ganolfan siopa yn cario'u bagiau. Pan oedodd y wraig mewn cylch bach coch ar y llawr, clywyd sŵn cerddoriaeth glasurol. Pan gamodd allan o'r cylch coch, peidiodd y gerddoriaeth.

Roedd yr hysbyseb yn ein gwahodd i *gamu i mewn i'n byd ni* – sef byd Radio 3 – byd cerddoriaeth glasurol.

Sleid Ddiwinyddol 3

Nawr, mae llawer o bobl yn credu mai dim ond mewn un rhan fach o'r byd y gallwch chi glywed cerddoriaeth cariad Duw.

Sleid Ddiwinyddol 4

Cred rhai bod yna gylch bach o'r enw *'bywyd ysbrydol'* lle gallwch ddarganfod Duw, a gelwir popeth y tu allan i'r cylch hwnnw yn 'seciwlar'. Cred rhai bod pob man y tu allan i'r cylch yn fannau lle mae Duw'n absennol.

Ac weithiau wrth edrych ar rannau o'r byd dywedwn: 'Wel dyna le di-dduw!' Mae'r ardal neu'r rhan honno o'r ddinas yn dalcen rhy galed i Dduw a'i efengyl.

Sleid Feiblaidd (er y gellir ei galw'n 'Ddiwinyddol') 5

Mae neges y Beibl yn glir. Dywed y Beibl nad oes y fath le'n bod ar y blaned hon, oherwydd fel y dywed y darn hwn, *'y mae'r holl ddaear yn llawn o'i ogoniant'*. Mae gogoniant Duw yn llenwi'r holl ddaear.

Sleid Feiblaidd 6

Daw'r neges hon i'r amlwg mewn rhannau eraill o'r Beibl hefyd. Gwrandewch ar eiriau'r Salmydd yn Salm 139:7-13:

> *I ble yr af oddi wrth dy ysbryd?*
> *I ble y ffoaf o'th bresenoldeb?*
> *Os dringaf i'r nefoedd, yr wyt yno;*
> *os cyweiriaf wely yn Sheol, yr wyt yno hefyd.*
> *Os cymeraf adenydd y wawr a thrigo ym mhellafoedd y môr,*
> *yno hefyd fe fydd dy law yn fy arwain,*
> *a'th ddeheulaw yn fy nghynnal.*
> *Os dywedaf, "Yn sicr bydd y tywyllwch yn fy nghuddio,*
> *a'r nos yn cau amdanaf",*

eto nid yw tywyllwch yn dywyllwch i ti;
y mae'r nos yn goleuo fel dydd,
a'r un yw tywyllwch a goleuni.
Ti a greodd fy ymysgaroedd,
a'm llunio yng nghroth fy mam.

Ac yn y Testament Newydd cawn yr un neges yn Ioan 1:14, pan ddywedir wrthym, 'A *daeth y Gair yn gnawd a phreswylio yn ein plith.*'

Sleid Ddiwinyddol 7

Daeth Duw ym mherson Iesu Grist – y Gair dwyfol yn dod yn gnawd.
A pan ddywedwn fod y Gair dwyfol wedi dod yn gnawd, dywedwn:

Daeth Duw i ganol dynoliaeth;
Daeth yn berson o gig a gwaed;
Daeth i ganol digwyddiadau bob dydd er mwyn datguddio'i gariad a
chyflawni ei waith gwaredigol.

A dyna a welwn yn digwydd dro ar ôl tro wrth i ni ddathlu'r Cymun Sanctaidd. Gwelwn y Duw byw yn cymryd pethau cyffredin fel bara a gwin ac yn eu defnyddio i gyfathrebu ei bresenoldeb a'i gariad.

Sleid Cymhwyso 8

Chi'n gweld, ystyr yr ymgnawdoliad yw bod Duw wedi camu i mewn i'r cylch bach, sef bywyd y byd, a'i wneud yn eiddo iddo'i hun. Mae hynny'n golygu fod bywyd i gyd yn eiddo iddo, ac am fod yr holl ddaear yn llawn o'i ogoniant, mae'n golygu ei fod yn medru ein cyfarfod ym mhob rhan o fywyd. Ac mae'n golygu y gall gymryd pethau cyffredin ein bywyd pob dydd, a'u defnyddio i'n bendithio ni ac eraill.

Atodiad 6

Defnyddio Plot Nehemeia 4 mewn Pregeth

Wrth baratoi pregeth ar Nehemeia 4, cefais fod y broses o adnabod camau'r plot o fewn yr adran yn ymarferiad buddiol. O edrych ar yr adran o'r cyfeiriad hwn cafwyd llawer o ddeunyddiau defnyddiol ar gyfer pregeth sy'n dangos un ffordd o weithio drwy gamau'r *plot homiletaidd*. Mae'r nodiadau canlynol yn ceisio crynhoi amcan pob adran gan gynnwys peth deunydd o'r bregeth.

> ### *Tarfu ar y cydbwysedd*
>
> *Dechreuodd adran agoriadol y bregeth hon drwy darfu ar gydbwysedd, neu gysur y gwrandawyr drwy eu hatgoffa am yr ymosodiadau diweddar ar deithwyr o Israel.*
>
> *Creodd yr ymosodiadau hynny, a ddenodd sylw mawr yn y cyfryngau rhyngwladol, fan cyswllt gyda stori Nehemeia. Er iddo weithio mewn cyfnod llawer iawn cynharach mewn hanes, roedd pobl Israel yr adeg honno wedi eu hamgylchynu gan gymdogion gelyniaethus. Felly roedd y sefyllfa a wynebodd cyfoeswyr Nehemeia i ryw raddau'n ymdebygu i'r tensiynau sy'n wynebu'r ymsefydlwyr Iddewig heddiw.*

Ers creu gwladwriaeth Israel yn 1948, mae Israel wedi'i hamgylchynu gan gymdogion amheus a gelyniaethus. Felly wrth i ni ymuno â stori Nehemeia ym Mhennod 4, awn yn ôl i gyfnod pan oedd pobl Dduw yn Jerwsalem wedi eu hamgylchynu gan gymdogion gelyniaethus.

> ### Dadansoddi'r anghysondeb
>
> *Roedd cam nesaf y bregeth yn darparu disgrifiad manylach o'r sefyllfa a wynebai Nehemeia a'i gyfoeswyr. Gwnaed defnydd o'r syniadau a restrwyd yn adran y Cymhlethdodau yn y myfyrdod ar Nehemeia 4 ym Mhennod 7. I raddau roedd y rhan hon o'r bregeth yn ffordd o 'ddweud y stori'* [1] *sy'n datblygu yn Nehemeia 4.*

Pan gyrhaeddodd Nehemeia Jerwsalem, roedd muriau'r ddinas wedi dadfeilio. Buasent yn y cyflwr hwnnw am bron i 150 o flynyddoedd, ers i'r byddinoedd estron ymosod a dinistrio'r ddinas. Yn fuan, gwnaeth Nehemeia drefniadau fel bod pobl yn rhannu gydag ef yn y gwaith o ailgodi muriau'r ddinas, ond aeth i anhawster bron o'r cychwyn.

Cafodd drafferth ar y dechrau o gyfeiriad dau ddyn o'r enw Sanbalat a Tobeia. Mae'n bosibl mai Llywodraethwr Samaria oedd Sanbalat a gallai fod wedi bod yn rhyw fath o Lywodraethwr dros dro ar Jerwsalem hefyd. Efallai ei fod yn ofni colli grym a dylanwad. Efallai – ond yr hyn sy'n glir yw iddo wneud ei orau i greu pob math o helynt i Nehemeia ...

Nawr pan geisiodd Sanbalat a Tobeia fychanu'r Iddewon, roeddent yn ceisio creu argraff ar eu cyfeillion a'u cydnabod a lladd ysbryd yr Iddewon yn Jerwsalem. Gwnaethant waith da mae'n amlwg, yn lladd ysbryd yr Iddewon, oherwydd yn adnod 10 dechreuwn glywed galarnad pobl Jwda:

> *Ond dywedodd pobl Jwda,*
> *"Pallodd nerth y cludwyr,*
> *ac y mae llawer o rwbel;*
> *ni allwn byth ailgodi'r mur ein hunain."*
> (Nehemeia 4:10)

Gyda'r gwaith ar ei hanner, dywed yr adeiladwyr fod y gwaith yn anodd ac na allant fyth ei gwblhau. Ac os nad oedd hynny'n ddigon, mae rhai pobl am ddianc cyn bod y gelyn yn cyrraedd strydoedd Jerwsalem ... Roedd perygl mawr i'r bobl fynd mor ddigalon nes rhoi'r gorau yn llwyr i'r gwaith a gadael y muriau heb eu gorffen.

> ### Datgelu'r cliw'r datrysiad
>
> *Ar lefel ddynol, y 'Weithred Drawsnewidiol' a fu'n gymorth i newid yr awyrgylch oedd arweinyddiaeth bendant a phenderfynol Nehemeia (gweler y sylwadau ar yr adran hon ym Mhennod 7).*
>
> *Er bod llawer o bregethau a llyfrau yn canolbwyntio ar Nehemeia fel esiampl o arweinyddiaeth ysbrydol, yr hyn a newidiodd y sefyllfa yn y pen draw oedd presenoldeb a gweithgaredd Duw, sef prif gymeriad y stori.*
>
> *Os yw Duw trosom, pwy all fod yn ein herbyn? Yr ymddiriedaeth a'r hyder hwnnw yn Nuw sy'n darparu'r safbwynt diwinyddol sylfaenol sy'n taflu goleuni ar sefyllfa anodd iawn.*

Pan ddaw hi'n fater o ethol Arlywyddion a Phrif Weinidogion, bydd pobl yn holi pwy yw'r person gorau i ddelio ag argyfwng. Wel, mae'r stori sy'n datblygu yn Nehemeia 4 yn rhoi'r argraff y byddai Nehemeia yn foi da i'w gael wrth eich ymyl mewn argyfwng. Gwelwn ef yn delio ag ofnau pobl ac yn cymryd camau ymarferol i ddarparu gwarchodwyr ac amddiffynfeydd. Gwelwn ef yn cyfeirio at eu gorffennol ac yn eu hatgoffa o'r ffordd yr oedd Duw wedi brwydro drostynt.

Nawr, rwy'n sicr y gall unrhyw arweinydd ddysgu llawer o astudio arddull arwain Nehemeia. Ond rwyf hefyd yn llawn mor siŵr nad Nehemeia yw'r prif gymeriad yn y bennod hon, oherwydd ystyr yr enw Nehemeia yw rhywbeth fel 'Cysurodd yr Arglwydd', a'r hyn sy'n digwydd yma yw bod Iawe'r Arglwydd Dduw yn cysuro ei bobl drwy law Nehemeia.

- Duw rwystrodd gynlluniau pobl fel Sanbalat.
- Duw ysbrydolodd y bobl i ddal ati yn wyneb gelyniaeth eu cymdogion.
- Duw fyddai'n eu cynorthwyo i lwyddo.
- Duw fyddai'n rhoi'r fuddugoliaeth.

Roedd Sanbalat a Tobeia, y cymdogion trafferthus, yn dal gerllaw ac roedd y perygl yn dal i fod yno, ond ar waethaf hynny llwyddwyd i ddal ati i adeiladu oherwydd fod y bobl yn sylweddoli fod Duw'n gryfach na'u gelynion ac yn drech na'u hofnau.

> ### *Profi'r efengyl*
>
> *Mae presenoldeb Duw yn y sefyllfa hon yn gwneud byd o wahaniaeth, ac wrth i ni feddwl am enghreifftiau cyfoes, y gobaith yw y bydd pobl yn cael eu calonogi wrth feddwl am bresenoldeb Duw gyda ni.*
>
> *Y bwriad oedd bod effaith gynyddol nifer o sefyllfaoedd yn gymorth i wrandawyr ymdeimlo â phresenoldeb Duw yn ein byd ni heddiw.*

Wrth ddarllen yr adran hon fe'm trewir gan y gwahaniaethau rhwng y cyfnod hwnnw a'n cyfnod ni. Gall yr heriau a'r anawsterau fod yn wahanol. Efallai na fydd Duw yn dileu'r problemau ond y newyddion da yw y gallwn barhau i weithio gyda Duw oherwydd i ni ddarganfod fod *Duw'n gryfach na'n gelynion ac yn drech na'n hofnau.* Ni ddylai hynny fod yn syndod oherwydd ein bod yn dilyn yr un a ddywedodd: *'ar y graig hon yr adeiladaf fy eglwys, ac ni chaiff holl bwerau Hades y trechaf arni'.*

... Does gan lawer o'n cymdogion yn y wlad hon fawr o syniad am Dduw. Nid yw'r rhan fwyaf yn gwrthwynebu'r eglwys ond y maent yn ddifater a di-hid tuag at yr efengyl. Nid yw'n hawdd gwybod bob amser sut mae estyn allan a chyflwyno Crist i'r math yna o bobl. Ond daliwn ati i gyhoeddi Crist oherwydd ein bod yn gwybod fod *Duw'n gryfach nag unrhyw anhawster ac yn drech na'n hofnau.* Gallwn ddal ati oherwydd i ni gredu gyda Nehemeia, *'bydd Duw y nefoedd yn rhoi llwyddiant i ni'.*

Nid wyf yn gwybod am yr anawsterau a'r heriau sy'n eich wynebu wrth i chi ymroi i genhadu. Ond wrth i chi wneud hynny, wrth i chi ymestyn allan i'r gymuned, peidiwch â synnu os daw rhwystrau, oherwydd mae dilyn Crist yn golygu mynd yn erbyn y llifeiriant.

Felly, wrth ddilyn Crist, peidiwch â synnu os daw rhwystrau; ond peidiwch ag ofni, oherwydd y newyddion da yw bod Duw'n drech na'n hanawsterau a'n hofnau. Gallwn ddal ati oherwydd ein bod yn credu gyda Nehemeia, *'bydd Duw y nefoedd yn rhoi llwyddiant i ni'.*

> ### Rhagweld y canlyniadau
>
> *Yn y rhan olaf gwahoddodd y bregeth y gwrandawyr i ystyried rhai o
> oblygiadau'r darn wrth feddwl am arweinyddiaeth a ffydd heddiw.
> Mewn rhai agweddau gall Nehemeia fod yn batrwm da ar gyfer arweinwyr
> Cristnogol. Mewn agweddau eraill gwell fyddai peidio dilyn ei esiampl.
> Er enghraifft, nid yw cenhadaeth Gristnogol yn canolbwyntio ar godi
> amddiffynfeydd i gadw eraill draw.*
>
> *Wrth gadw mewn cof natur dduw-ganolog y naratif Hebreig, mae'r
> bregeth yn cloi drwy ailadrodd brawddeg a ddefnyddir drwy'r bregeth, sy'n
> cadarnhau'n ffydd yn y Duw sy'n gryfach na'r anawsterau ac yn drech na'n
> hofnau.*

Tra gallwn ddysgu llawer am arweinyddiaeth oddi wrth Nehemeia, mae'n
bwysig hefyd sylwi ar rai gwahaniaethau arwyddocaol rhwng ei sefyllfa ef a'r
sefyllfaoedd a wynebir gennym ninnau.

1. *Edmygwn ef fel dyn gweddigar* ... ond y mae nodyn o ddicter yn y ffordd
   mae'n gweddïo: '*Gwrando, O ein Duw, oherwydd y maent yn ein dirmygu. Tro
   eu gwaradwydd yn ôl ar eu pennau eu hunain, a gwna hwy'n anrhaith mewn
   gwlad caethiwed. Paid â chuddio eu camwedd na dileu eu pechod o'th ŵydd,
   oherwydd y maent wedi dy sarhau di gerbron yr adeiladwyr*'. Gallwn ddeall
   y dicter hwnnw, ond y mae gweddi felly yn brin o'r safon y mae Crist yn
   ei osod pan ddywed 'Carwch eich gelynion, a gweddïwch dros y rhai sy'n
   eich erlid.'
2. *Edmygwn ef fel arweinydd ond mae'n hanfodol i ni gofio nad yr arweinydd
   crefyddol arferol ydyw.* Nehemeia oedd y llysgennad swyddogol a anfonwyd
   gan y Brenin Artaxerxes, ac wrth i'r stori ddatblygu daw'n glir fod y Brenin
   Artaxerxes wedi anfon byddin i'w gefnogi. Dyna sy'n gefndir i Nehemeia
   4, adnodau 16 i 18. Mae'r dystiolaeth yn awgrymu'n glir fod gan Nehemeia
   gefnogaeth milwyr arfog. Ac roedd y milwyr yno nid yn unig i amddiffyn y
   ddinas, ond hefyd i berswadio'r bobl i beidio cefnu a dianc. O gofio hynny,
   dechreuwn werthfawrogi fod Nehemeia'n ymarfer ei arweinyddiaeth
   mewn cyd-destun hollol wahanol – oherwydd nid yw'r rhan fwyaf
   o eglwysi yn darparu cefnogaeth arfog ar gyfer yr 'arweinyddiaeth'
   Gristnogol!

3. *Yn olaf gwelwn Nehemeia'n codi muriau i amddiffyn y gymuned yn erbyn dieithriaid.* Felly dyma wahaniaeth mawr arall, oherwydd yn ein cenhadaeth ni, ni elwir arnom i'n hamddiffyn ein hunain yn erbyn dieithriaid. I'r gwrthwyneb, gelwir arnom i feithrin cymunedau sy'n croesawu dieithriaid. Felly gallwn awgrymu fod arweinyddiaeth Gristnogol yn golygu arwain pobl Dduw i wneud eu rhan i ddymchwel muriau sy'n gwahanu pobl.

Nid dilyn Nehemeia fel esiampl yw'r peth allweddol yn yr adran hon. Yr hyn sy'n allweddol yw'r Duw sydd ar waith yng nghanol y sefyllfa ddynol gymhleth hon, oherwydd mae'r stori yn ein hatgoffa fod *Duw'n gryfach na'n hanawsterau ac yn drech na'n hofnau.* Golyga hyn oll, hyd yn oed yn y cyfnod heriol hwn, y gallwn ddal ati gyda'r gwaith o adeiladu teyrnas Dduw a chyflawni ei waith, yn hyderus, fel Nehemeia, y '*bydd Duw y nefoedd yn rhoi llwyddiant i ni*'.

Nodyn

1. Eugene L. Lowry, *How to Preach a Parable: Designs for Narrative Sermons* (Nashville, TN: Abingdon Press, 1989) 42-78.

Atodiad 7

Darganfod y Plot yn Ruth 2

Heb geisio datgysylltu'r bennod hon oddi wrth y plot cyflawn yn llyfr Ruth, gall fod yn bosibl gweld ffurf y plot naratif yn datblygu yn yr adran hon o'r stori. Mae'r awgrymiadau canlynol yn ceisio gosod Ruth 2 yng nghyd-destun ehangach y llyfr cyfan. Er nad oes cyfeiriad at Dduw mewn nifer o achlysuron y mae'n glir fod y naratif yn cymryd yn ganiataol fod Duw ar waith yn rhagluniaethol yn y cefndir.

Y sefyllfa wreiddiol (*neu esboniadaeth*) Amgylchiadau'r gweithredoedd (cefndir, cymeriadau), os oes angen gellir nodi prinder rhywbeth (afiechyd, anawsterau, anwybodaeth); bydd y naratif yn dangos ymgais i'w ddileu.	Mae'r bennod agoriadol yn nodi'r newyn a ysgogodd Elimelech a Naomi, a'u dau fab, i ymfudo i Moab. Wedi marwolaeth ei gŵr a cholli'r ddau fab gadawyd Naomi mewn sefyllfa fregus, oherwydd mewn cymdeithas a lywodraethid gan ddynion yr oedd gweddw heb ŵr i'w hamddiffyn ac i ddarparu ar ei chyfer yn fregus iawn. Heb fod ganddi fudd-daliadau i fyw arnynt mae'n dychwelyd, gyda'i merch yng nghyfraith Ruth, i Fethlehem, ac yn gobeithio am ddyddiau gwell.

Cymhlethdod Elfen sy'n ysgogi'r naratif, ac yn cyflwyno'r tensiwn (diffyg cydbwysedd yn y stâd wreiddiol neu gymhlethdod yn yr ymchwil).	I wneud pethau'n waeth, geneth o Foab yw Ruth (2:6) ac mae'n disgrifio ei hunan fel 'estrones' (2:10). 'Gan mai hi efallai yw'r unig estrones ynghanol maes sy'n llawn o bobl Bethlehem, a deimlodd hi ei bod ar y tu fas ("geneth o Moab ydyw," meddai'r gwas)? Ai ei hacen ydoedd, ei chroen, ei lliw, ei gwisg, ei hymarweddiad? A gafodd ei gadael? A fu'r gwŷr ieuainc yn ei thrin yn amhriodol?'[1] Cyfeirir at fregusrwydd Ruth pan ddywed Boas: 'Onid wyf fi wedi gorchymyn i'r gweision beidio ag ymyrryd â thi?' (2:9). Nid yw drwgdybio mewnfudwyr yn rhywbeth newydd, ac i Ruth, mae bod yn fewnfudwraig yn dwysáu ei sefyllfa.
Gweithred drawsnewidiol Canlyniad yr ymchwil, adfer y sefyllfa: mae'r weithred drawsnewidiol ar lefel bragmataidd (gweithred) neu ddirnadol (gwerthusiad).	Mae sefyllfa Ruth yn newid er gwell gyda dyfodiad Boas (2:4).
Dadleniad (neu ddatrysiad) Symud y tensiwn drwy weithred drawsnewidiol tuag at y gwrthrych.	Mae Boas yn cynnig bwyd a diod iddi, heb sôn am drefnu ei gwarchod rhag y dynion ieuainc (2:9). Mae pethau'n parhau i wella wrth i Boas drefnu i Ruth loffa a chasglu bwyd drwy gyfnod y cynhaeaf.

| ***Sefyllfa derfynol*** Datganiad o sefyllfa newydd y gwrthrych wedi'r trawsnewidiad. Yn strwythurol mae'r foment hon yn cyfateb i adfer y sefyllfa drwy ddileu'r prinder. | Ar ddechrau'r bennod mae cysgod newyn uwchben Naomi a Ruth. Erbyn diwedd y bennod, mae'r rhagolygon yn well oherwydd fod addewid am fwyd i'w cynnal dros y misoedd canlynol. Gallant ddechrau gobeithio am ddyfodol gwell; ac mae natur y dyfodol gwell hwnnw yn dod yn gliriach yn y penodau nesaf. |

Nodyn

1. M. Daniel Carroll R., 'Once a Stranger? Immigration, Assimilation, and the Book of Ruth', *International Journal of Missionary Research* 39:4 (2015) 186.

Atodiad 8

Datgymalu'r Bregeth?

Gall fod o gymorth i adolygu *sgript lafar* y bregeth er mwyn pwysleisio nifer o'r pethau a nodir yn y penodau blaenorol. Mae'r bregeth yn cyfuno nifer o syniadau a drafodir yn y gyfrol hon. Nid fy mwriad o'r cychwyn oedd bwrw iddi i bregethu dull arbennig o bregethu, ond o fynd i'r afael â'r testun, dechreuodd y bregeth ganlynol ymddangos. O edrych yn ôl arni, yn fanylach nag arfer, rwy'n amau y gellid cyfeirio ati fel esiampl o bregethu episodaidd, oherwydd fod y bregeth, mewn rhyw ffordd yn datblygu drwy nifer o 'symudiadau'.[1]

Ar yr un pryd mae'r bregeth wedi ei sylfaenu ar adran naratif o'r Efengylau, ac nid yw'n syndod ei bod yn dangos nifer o nodweddion y naratif. I raddau mae'n esiampl o ddull a ddisgrifiwyd gan Eugene Lowry fel *'dweud y stori'*, lle 'mae symudiad ymlaen y testun yn dod yn symudiad ymlaen y bregeth.'[2]

Fel pregethwr ar ymweliad ag eglwys gyfagos yng Nghaerdydd gofynnwyd i mi bregethu ar yr hanesyn yn Marc 5:21-43, lle mae Iesu'n trawsnewid sefyllfa anobeithiol dwy wraig.[3] Roedd y bregeth yn rhan o gyfres yn canolbwyntio ar *Gyfarfyddiadau â'r Iesu*. A minnau wedi ymweld droeon â'r gynulleidfa hon, roedd gennyf syniad da o ddiwylliant y gynulleidfa a gwyddwn y byddai'r bobl yn disgwyl pregeth feiblaidd yn para am 20 i 25 munud.

Myfyrio	*Sgript lafar*
Cyflwynwyd y bregeth drwy siarad am gyfres deledu ddiweddar. Wrth i mi sôn am ambell bennod yn y gyfres synhwyrwn fod rhai yn y gynulleidfa yn gyfarwydd â chynnwys y rhaglenni. Nid torri'r garw'n unig oedd y bwriad wrth sôn am y gyfres. Mae'r adran hon yn hawlio'r disgrifiad 'cyflwyniad' oherwydd ei bod yn gymorth i gyflwyno'r hyn sy'n dilyn yn y bregeth drwy bwysleisio'r newid yn sefyllfa merched dros y degawdau diweddar.	Ychydig amser yn ôl gwyliodd Susan a minnau raglen ar y BBC o'r enw *Back in Time for the Weekend*. Canolbwyntiai'r rhaglen ar deulu a gytunodd i dreulio'r haf yn ceisio darganfod sut oedd hi i fyw yn 1950au, 60au, 70au a.y.b.
	Roedd gwylio eu profiadau wrth ailymweld â'r 60au a'r 70au fel gwylio fflachiadau o'm bywyd fy hun o flaen fy llygaid.
	Diddorol oedd gweld yr offer newydd yn ymddangos gyda'r blynyddoedd (e.e. peiriannau fideo yn y 1980au).
	Ac un o'r pethau oedd yn amlwg yn y rhaglenni oedd y newid yn statws gwragedd.
	Roedd y teulu a gymerodd ran yn y rhaglen yn cynnwys Mam oedd yn mynd allan i weithio, a Thad oedd yn aros adref, ynghŷd â mab a merch.
	Ond yn y rhaglen bu'n rhaid newid y sefyllfa wrth fynd nôl i'r 50au a'r 60au gan mai'r gŵr oedd yn mynd allan i weithio a'i gymar oedd yn aros adref i gyflawni'r gwaith tŷ.
	Cafwyd adlewyrchiad o'r bywyd hwnnw ym Mhrydain yn y 50au a'r 60au, pan oedd llawer o wragedd yn gweithio'n llawn amser yn y tŷ yn ddi-dâl – a chryn dipyn yn llai o wragedd yn mynd allan i weithio am dâl.
	Syndod i mi oedd clywed fod cymaint o ferched yn wragedd tŷ llawn amser yn y 50au, a minnau wedi cael fy magu mewn teulu lle'r oedd fy mam yn athrawes lawn amser yn y 50au, 60au hyd at ei hymddeoliad yn y 1970au. O feddwl am y peth, mae'n bosibl mai fy mam oedd yr unig wraig o'r 22 o famau yn y stryd i gyd oedd yn mynd allan i weithio.

Mae cam nesaf y cyflwyniad yn cynnwys stori sy'n symud o fyd y teledu i'r byd real lle mae gwragedd yn wynebu anghyfiawnder ac annhegwch.

Roedd clywed am rywun oedd yn cael ei gwahardd rhag ceisio am swydd arbennig, a hynny yn ddiweddar iawn, yn ennyn diddordeb ac ymateb.

Nid pwrpas y stori oedd ennyn cydymdeimlad tuag at unigolyn. Y gobaith oedd y byddai dod i delerau gyda theimladau'r wraig yn y stori yn gymorth i bobl ddefnyddio'u dychymyg parthed yr anawsterau a wynebai'r gwragedd a ddisgrifir yn yr adran hon o Efengyl Marc.

Yn gynnar yn y 1960au ymddeolodd y brifathrawes yn yr ysgol lle gweithiai fy mam, ac aeth yr awdurdodau ati i geisio olynydd iddi.

Fel dirprwy bennaeth, roedd gan fy mam y cymwysterau angenrheidiol i wneud y gwaith, ond ni chafod y cyfle – yn wir ni chafodd y cyfle i ymgeisio am y swydd – oherwydd fod awdurdodau'r ysgol wedi penderfynu mai dim ond dynion oedd yn cael ymgeisio am swydd y prifathro.

Diolch i'r drefn mae deddfau heddiw yn ceisio sicrhau cyfartaledd – fel bod gwŷr a gwragedd yn cael eu trin yn gyfartal.

Ac eto gwyddom fod rhwystrau'n bodoli o hyd sy'n atal gwragedd rhag cyrraedd y brig.

Mae'r myfyrdod agoriadol ar y newid yn statws gwragedd yn y gymdeithas yn darparu sail i ddeall y sefyllfa sy'n datblygu yn y stori. Y sefyllfa gymdeithasol yn Israel yn nyddiau Iesu, sef **y byd y tu ôl i'r testun**, oedd bod gwragedd yn ddinasyddion eilradd.

Mae'r frawddeg olaf yn yr adran hon yn gweithredu fel 'cysylltydd' oherwydd mae'n cynorthwyo'r bregeth i symud ymlaen o'r anawsterau sy'n wynebu gwragedd yn gyffredinol yn Israel, i sefyllfa'r wraig arbennig hon oedd yn dioddef afiechyd parhaol.

Mae'n darlleniad y bore 'ma o Efengyl Marc, pennod 5, yn mynd â ni nôl i Balesteina'r ganrif gyntaf, a oedd heb os nac oni bai yn fyd lle'r oedd gwragedd yn ddinasyddion eilradd.

Amddifadid gwragedd o addysg ...

Ac yng nghyswllt crefydd, honnai rhai athrawon mai *'gwell fyddai llosgi'r gyfraith na'i ddysgu i wragedd.'*

Ystyrid merched fel tystion annibynadwy – ni ellid eu cymryd o ddifrif mewn llys barn.

Ac yng nghyswllt priodas, nid oedd y wraig ond yn rhan o eiddo ei gŵr.

Gallai gŵr ysgaru ei wraig, am y rhesymau mwyaf pitw, ond ni allai gwraig ysgaru ei gŵr.

Ac mae'r wraig sy'n cyfarfod â Iesu yn yr adran hon yn rhywun sy'n dioddef o anfantais mwy o lawer oherwydd ei salwch difrifol.

Yn y fan hon rwy'n darllen yr adnodau hyn o'r stori. Dydw i ddim yn dweud 'Yn adnodau 25 a 26 cawn glywed am y wraig sy'n dioddef o salwch difrifol'. Yn hytrach na disgrifio neu grynhoi'r adnodau hyn, byddaf yn eu gwau i mewn i'r bregeth drwy eu darllen yn deimladwy, a thrwy hynny yn caniatáu i'r testun lefaru drosto'i hunan.	Marc 5:25-26

Erbyn hyn does dim angen i mi egluro pwy oedd yr *awdur* hwn. Roedd y cyfeiriad ar derfyn y dyfyniad at fy nefnydd personol i. Pe bai rhywun wedi gofyn o ble deuai'r dyfyniad, byddwn wedi medru eu cyfeirio at y ffynhonnell. Rwyf wedi uwcholeuo'r dyfyniad er mwyn iddo ddal fy llygaid i, oherwydd dyma eiriau yr oeddwn yn dymuno rhoi pwyslais arnynt. Ni ddyfynnais bennod ac adnod o Lefiticus 15, ond byddwn wedi medru cyfeirio pobl at adran arbennig pe bai gofyn.	Dywed un awdur fod y cofnodion hanesyddol am driniaethau meddygol yn y dyddiau hynny yn awgrymu fod hanes y wraig hon, oedd wedi dioddef yn enbyd dan law llawer o feddygon, yn wir. Oherwydd 'byddai'r triniaethau yn aml yn golygu yfed cymysgedd o ddiodydd erchyll a gwneud pethau eraill na fyddai yn y pen draw yn gwneud dim i wella'r cyflwr yn ôl gwybodaeth feddygol gyfoes.' (Larry Hurtado, *Mark*, t. 91)
	Doedd dim gobaith magu teulu gyda'r fath gyflwr, ac os oedd hi'n briod byddai posibilrwydd mawr y câi ei hysgaru a'i gadael gan ei gŵr. Doedd ganddi ddim arian ar ôl ac roedd ei chyflwr yn golygu ei bod yn cael ei hystyried yn **aflan** – a dyna un o'r problemau mwyaf.
	Roedd y rheolau yn llyfr Lefiticus (pennod 15:25-30) yn golygu y byddai unrhyw beth a gyffyrddai hi ag ef yn cael ei ystyried yn aflan. A dyna pam fod un awdur yn dweud: 'Nid yn unig fod y wraig hon wedi'i llygru, ond byddai'n llygru unrhyw beth neu unrhyw un y byddai'n eu cyffwrdd. Golygai ei hafiechyd ei bod wedi'i hesgymuno'n bersonol, yn gymdeithasol ac yn ysbrydol.'[4]
	Felly mae'r wraig a ddaeth wyneb yn wyneb â Iesu wedi:
	• Ei hesgymuno oddi wrth ei theulu a'i chyfeillion;
	• Ei hesgymuno oddi wrth gymdeithas ac addoliad y synagog;
	• Ei hesgymuno rhag masnachu yn y farchnad;
	• Ei hesgymuno oddi wrth bob sgwrs a phob cyswllt dynol.

Rhwng y ddwy frawddeg yma rwyf yn fwriadol wedi gadael ychydig ofod, efallai er mwyn fy atgoffa i gymryd saib wedi'r ymadrodd 'heb law am un peth ... ' Mae'r saib yn gweithredu fel 'cysylltydd', ac mae'n fodd i allu symud at y cam nesaf yn y stori lle mae'r person yma yn cyfarfod ag Iesu.	Yn feddygol a chymdeithasol roedd ei rhagolygon yn druenus heblaw am un peth ... A'r un peth hwnnw oedd 'ei bod wedi clywed am Iesu.'
Pe bawn yn marcio hwn fel rhan o draethawd byddwn yn edrych am arddull ysgrifennu mwy ffurfiol. Ond fel mae Pennod 9 yn egluro, mae sgript lafar yn 'rhywbeth a ysgrifennwyd yn fwriadol ar gyfer y glust yn hytrach na'r llygad' ac mae'n fwriadol yn llawer mwy ymddiddanol. Mae'r adran hon hefyd yn tynnu ar y sefyllfa gymdeithasol a chrefyddol y tu ôl i'r testun. Mae gwerthfawrogi dealltwriaeth pobl o burdeb a'r problemau sy'n gysylltiedig â bod yn 'aflan', yn gymorth i dynnu darlun o'r cam dewr a mentrus – efallai anobeithiol – a gymerodd y wraig hon wrth fynd at Iesu.	Roedd wedi clywed am Iesu'n iacháu pobl – efallai iddi glywed amdano'n iacháu Lleng, y dyn a feddiannwyd gan ysbryd aflan, a oedd yn byw ar yr ochr draw i Fôr Galilea. Ac felly daw at Iesu o'r tu ôl a chyffwrdd â'i wisg. Chi'n gweld, ni allai fentro dod ato wyneb yn wyneb, byddai hynny'n rhy fentrus mewn tyrfa mor fawr – oherwydd ni fyddai neb o'r dorf yn dymuno dod yn agos ati'n ddamweiniol a chael eu hunain yn seremonïol aflan. Roedd yn gam mentrus oherwydd roedd perygl i'r dorf droi yn ei herbyn a'i gyrru i ffwrdd. Felly daw at Iesu o'r tu ôl – mewn gobaith y byddai o ryw gymorth – gan estyn allan i gyffwrdd â'i wisg. Oherwydd dywedodd, 'Os cyffyrddaf hyd yn oed â'i ddillad ef, fe gaf fy iacháu.'

Mae'r alwad i ffydd yn nodyn sy'n cael ei daro yn yr adran hon (gweler adnodau 34 a 36). Mae'r adran yn ystyried pa fath o ffydd sy'n amlygu ei hun yn y digwyddiad. Eto mae'r cyfeiriadau at y dyfyniadau er fy lles fy hun.	Ni fyddai'r wraig hon wedi gallu adrodd Credo'r Apostolion na diffinio athrawiaeth y Drindod – ond yng ngwaelodion ei bodolaeth y mae yna hedyn bach o ffydd am fod ganddi hyder yn nerth Iesu i'w helpu. Ac fel y gofynna un awdur: 'Ai ofergoelus yw ei ffydd? Ie. Ond y mae rhywbeth arall yma. Mae'n mentro'r cyfan sydd ganddi. Dyna yw ffydd. Dyna'r unig ffydd sydd ganddi. Hyfdra llwyr ydyw'. (Theodore Jennings, *The Insurrection of the Crucified*, t. 76) Neu fel y dywed awdur arall, yr hyn a welwn yma yw: 'Ychydig gyfrwystra, ychydig wyleidd-dra, ychydig swildod oherwydd ei haflendid a thrwy'r cyfan hyder di-ben-draw ynddo ef.' (Ernest Lohmeyer, dyfynnwyd yn Eduard Schweitzer, *Good News According to Mark*, t. 118)
Eto, darllen yr adnodau allan neu eu perfformio yn hytrach na dim ond cyfeirio atynt.	Marc 5:27-29

'Cysylltydd' arall yn paratoi'r ffordd i ofyn ychydig o gwestiynau am yr hyn wnaeth Iesu.

Cynhelir sesiynau yn y coleg bob tymor i chwilio beth yw ystyr cynnig gofal bugeiliol effeithiol i bobl mewn sefyllfaoedd amrywiol.

Ond mae'r hyn a wnaeth Iesu nesaf, yn gwneud i ni ystyried ai dyma'r ffordd fwyaf priodol yn fugeiliol.

Marc 5:29-34

Yn y fan yma darllenwyd yr adnodau sy'n sôn am ymddiddan Iesu â'r wraig wedi iddi gael ei hiacháu. Dilynwyd hyn gan gyfres o gwestiynau sy'n newid naws a chyflymdra'r mynegiant, yn y gobaith y byddai gwrandawyr yn cael eu hannog i feddwl yn ddwysach am y testun. Bu'r cwestiynau hyn yn gymorth i baratoi'r ffordd i ystyried arwyddocâd llawnach y cyfarfyddiad ag Iesu.

Mae'n ymddangos fod yr ymddiddan wedi digwydd yng ngŵydd pawb ac o flaen cynulleidfa.

Oni allai Iesu fod wedi bod yn fwy sensitif?

Oni allai Iesu fod wedi ei chymryd hi o'r neilltu a chael gair tawel yn ei chlust?

Onid oedd Iesu'n gwybod y byddai'n codi cywilydd ar y wraig drwy ei galw a'i hannog i ddod i'r golwg lle gallai pawb ei gweld?

Felly pam gwneud hyn iddi a pheri iddi gyffesu'r hyn a wnaeth yn gyhoeddus?

Wel, yr oedd Iesu am iddi weld nad rhywbeth dewinol oedd ei hiachâd ond canlyniad ei ffydd a'i hyder ynddo ef.

Ac efallai ei fod yn dymuno cydnabod yn gyhoeddus iddi gael ei hiacháu; oherwydd byddai'r fath gyhoeddiad wedi bod yn gam yn y broses i'w hadfer i gymdeithas.

Roedd y cyfarfyddiad hwn yn llawer iawn mwy nag iachâd corfforol. Roedd yn drawsnewidiad llwyr o bob agwedd o'i bywyd, yn gorfforol, yn emosiynol, yn gymdeithasol ac ysbrydol.

Ac felly mae'r wraig ddienw hon a amddifadwyd o'i hurddas a'i gwerth, yn cael clywed y geiriau 'Ferch, y mae dy ffydd wedi dy iacháu di. Dos mewn tangnefedd, a bydd iach o'th glwyf.'

Ac mae'r geiriau 'Dos mewn tangnefedd' yn golygu y gall y wraig hon ddychwelyd i'w chymuned, ac i fywyd normal fel un a 'adferwyd i berthynas iawn â Duw'. (Schweizer, t. 118).

Gan fod y person hwn wedi sôn yn gyhoeddus am ei sefyllfa, roedd yn briodol cyfeirio ato wrth ei enw. Os am yr erthygl lawn gweler Guy Sayles, 'Never Sure to Preach Again: Cancer and Easter Hope', *Journal for Preachers* 39:3 (2016) tt. 11-16.

Mewn pregethau sy'n defnyddio cyfres o storïau yn hytrach na chasgliad o syniadau, mae ailadrodd brawddegau allweddol yn gymorth i gynnal y bregeth. Daeth y brawddegau am symud o 'deyrnas y rhai iach' i 'deyrnas y rhai a adferwyd' yn ddefnyddiol i helpu'r bregeth yn ei blaen.

Ychydig wythnosau'n ôl darllenais erthygl am weinidog y Bedyddwyr o Ogledd Carolina, sy'n cyfeirio at y pregethwr Piwritanaidd o'r ail ganrif ar bymtheg, Richard Baxter. Dywedodd Baxter am ei weinidogaeth: 'Pregethais heb sicrwydd y byddwn yn cael pregethu eto ac fel dyn yn marw wrth ddyn yn marw.'

Eglura Guy Sayles, oherwydd iddo gael gwybod ei fod yn ddifrifol wael, teimlai yntau elfen o frys am fywyd a phregethu oherwydd iddo ddod wyneb yn wyneb â'i feidroldeb.

Ysgrifenna'n ddwys am noson yn Rhagfyr 2013, pan atebodd alwad ffôn gan y meddyg a eglurodd ei fod yn dioddef o myeloma difrifol. Dywedodd i'r alwad barhau llai na phum munud ond symudodd y neges ef o'i gartref, yr hyn a alwodd Susan Sontag yn 'deyrnas y rhai iach' i 'deyrnas y rhai a adferwyd.'

Mae'r darlleniad y bore yma yn sôn am, nid un wraig, ond dwy wraig a symudodd o deyrnas y rhai iach i deyrnas y rhai a adferwyd.

Wrth feddwl am y **byd y tu mewn i'r testun**, mae'n werth nodi fod:

yr efengylydd Marc yn grefftwr yn y gwaith o greu plotiau, a elwir hefyd yn 'frechdan' … Mae hanes cyfodi merch Jairus (Marc 5) yn dechrau gyda'r tad yn dod at Iesu ac yn gofyn i'r meistr osod ei law arni (5.21-23). Mae Iesu'n cytuno ac yn mynd gydag ef (adn. 24). Mae'r cymhlethdod yn codi wrth i rywun o deulu Jairus ddweud, 'Y mae dy ferch wedi marw; pam yr wyt yn poeni'r Athro bellach?' (adn. 35). Yn y cyfamser mae digwyddiad arall wedi bod gyda'i blot ei hun (adn. 25-34): gwraig a fu'n dioddef o'r gwaedlif ers deuddeng mlynedd wedi dod at Iesu ar y ffordd, wedi ei gyffwrdd a chael ei hiacháu, a phan yw Iesu'n gofyn cwestiynau iddi mae'n taflu ei hunan wrth ei draed ac yn adrodd 'y gwir i gyd'. Ond o adn. 35 ymlaen mae plot y naratif cyntaf yn ailgychwyn gyda dyfodiad y bobl o dŷ Jairus; mae'n parhau gyda dyfodiad y cwmni yn nhŷ arweinydd y synagog. adfywiad y ferch ('Fy ngeneth, rwy'n dweud wrthyt, cod') a gorchymyn Iesu i fod yn dawel am y wyrth.[5]

Oherwydd mae iacháu'r wraig ddienw hon a ddioddefodd am ddeuddeng mlynedd, wedi ei wasgu yng nghanol stori am ferch ifanc 12 oed, oedd wedi cyrraedd yr oedran lle gallai briodi.

Mae'n ferch i un o arweinyddion y gymuned – un o arweinwyr y synagog o'r enw Jairus.

Mae hithau hefyd yn nheyrnas y rhai afiach – yn wir mae hi ar fin marw bron cyn bod ei bywyd fel oedolyn wedi dechrau.

Mae ei thad cariadus yn ymbil ar Iesu i ddod a gosod ei law arni i'w hiacháu.

Marc 5:21-23

Mae stori'r wraig, sy'n cael ei gwasgu i mewn i stori Iesu'n dod i iacháu merch Jairus, yn cymhlethu'r plot drwy ychwanegu at y tyndra. Mae'r gyfres o gwestiynau yn y bregeth yn defnyddio iaith y synhwyrau i'n cynorthwyo i uniaethu gyda un o'r cymeriadau arwyddocaol yn y stori. Drwy ddefnyddio'r iaith hon roeddwn yn gwahodd pobl i ddychmygu sut roedd Jairus yn teimlo wrth i Iesu gael ei rwystro gan y dyrfa a'r wraig fu'n wael am ddeuddeng mlynedd.

Efallai fod gobeithion Jairus yn codi wrth iddo gerdded ar y ffordd gydag Iesu?

Efallai fod Jairus yn dechrau pryderu eto wrth i'r dorf amgylchynu Iesu?

Ac efallai fod Jairus yn bryderus ac yn ddig – wrth i'w ymdaith arafu oherwydd y wraig hon na ddylai fod yn cymysgu gyda phobl yn y lle cyntaf?

A rhaid bod Jairus wedi anobeithio'n llwyr wrth iddo nesáu at ei gartref a chlywed y newydd fod ei ferch wedi marw.

Marc 5:36-42

Mae'r cyfeiriadau at y rhyfel cartref yn Syria yn cysylltu'r hyn sy'n nodi newid mewn cyfeiriad, oherwydd mae'n nodi dechrau 'symudiad' arall yn y bregeth sy'n ceisio sefydlu cysylltiad rhwng **y byd y tu ôl i'r testun** a sefyllfa drychinebus **y byd y tu blaen i'r testun**, sef y byd bob dydd lle'r ydym yn byw.

Mae Efengyl Ioan yn disgrifio gwyrthiau Iesu fel 'arwyddion'. Er nad yw'r iaith honno yn cael ei defnyddio mor glir yn y gwyrthiau a gofnodir yn yr Efengylau Cyfolwg, mae'n dal yn briodol i'w hystyried fel arwyddion, oherwydd mae'r Efengylau yn gweld gweinidogaeth iacháu Iesu fel prawf fod nerth teyrnas Dduw ar waith yma yn y presennol. Mae'r iachâd a ddaw drwy Iesu hefyd yn arwyddion sy'n cyfeirio at fuddugoliaeth derfynol teyrnas Dduw.

Mae'r rhyfel cartref yn Syria, sy'n lladd llawer iawn o bobl, yn ein hatgoffa, ymhlith llawer iawn o bethau eraill, ein bod yn byw mewn byd treisgar.

A phan feddyliwn am yr holl ddioddefaint dros y bum mlynedd o ryfela yn Syria (heb sôn am holl drychinebau eraill y byd), mae stori Iesu'n iacháu dwy wraig yn Efengyl Marc yn ymddangos fel peth bychan iawn.

Ond mae iacháu'r wraig ddienw a ddioddefodd am 12 mlynedd a chyfodi merch 12 oed yn llawer iawn mwy na digwyddiadau a newidiodd eu bywydau.

Mae iddynt arwyddocâd ehangach, oherwydd fel y gweddill o'r gwyrthiau yn yr Efengylau, maent yn arwyddion ac yn dystiolaeth o nerth teyrnas Dduw ar waith yn a thrwy Iesu.

Maent yn arwyddion fod teyrnas Dduw ar waith, yn mynd i'r afael â grym dinistriol y drwg.

Ac mae iacháu a chyfodi'r ferch fach 12 oed yn arwydd o atgyfodiad mwy i ddod – oherwydd mae'n arwydd o atgyfodiad mawr Iesu ar fore'r Pasg. Mae'n arwydd sy'n ein cyfeirio ymlaen at atgyfodiad Iesu, sydd ynddo'i hunan yn arwydd o fuddugoliaeth derfynol teyrnas Dduw ar y diwrnod hwnnw pan fydd yn sychu pob deigryn o'n llygaid ac yn rhoi terfyn ar dristwch a phoen.

Mae seibiant bach ynghyd â chyfeiriadaeth at yr ofnau am glefyd Zika yn darparu'r cyswllt sy'n dangos fod 'symudiad' arall yn dechrau yn y bregeth. Mae syniadau cyfoes am y clefyd yn rhoi syniad am y syniadau am burdeb ac aflendid sy'n rhan o wead cymdeithasol a chrefyddol y byd y tu ôl i'r testun.

Dros yr wythnosau diwethaf rydym wedi dechrau clywed am effaith clefyd Zika mewn mannau fel Brasil.

Ac mae gwyddonwyr y byd yn ceisio dyfalu beth yw'r ffordd orau i ymladd y clefyd ac atal ei ledaeniad.

Wel, ym Mhalestina yn y ganrif gyntaf, roedd pobl yn meddwl am burdeb ac aflendid yn yr un ffordd ag y meddyliwn ni am glefydau heintus. Fel hyn roedd pethau'n gweithio:

- Os cyffyrddodd gwraig yr oedd ei chlefyd wedi ei gwneud yn aflan ag Iesu, byddai hynny'n ei wneud ef yn aflan.
- Os cyffyrdda Iesu â chorff y ferch 12 oed sydd newydd farw – dylai hynny ei wneud yntau hefyd yn aflan. Ond yn wir y gwrthwyneb sy'n digwydd, oherwydd yr hyn a welwn yma yw bod cariad, nerth a sancteiddrwydd Iesu yn profi'n heintus yn y cyfeiriad arall.

Mae ei gariad, nerth, iachâd a sancteiddrwydd yn heintus ac yn effeithiol wrth drechu pechod, afiechyd a marwolaeth.

Mae Iesu, meddai un awdur:

'yn ymestyn allan yn llythrennol at y rhai a ystyrir yn aflan, ac y mae nerth yn llifo i'r cyfeiriad arall; nid ydynt yn llygru – ef sy'n eu glanhau hwy'. (William Placher, *Mark*, t. 88)

Mae'r dyfyniad o eiddo Henri Nouwen yn arwyddo fod 'symudiad' olaf y bregeth yn dechrau. Mae'r bregeth yn tynnu tua'i therfyn.

Doeddwn i ddim yn gwbl hapus gyda'r diweddglo hwn a cheisiais olygu ychydig wrth fynd ymlaen. Roeddwn yn hapus i adael y sgript mewn ymgais i drosglwyddo calon yr adran olaf drwy ddefnyddio llai o eiriau.

Daeth yr ymadroddion am symud o 'deyrnas y rhai afiach' i 'deyrnas y rhai a adferwyd' yn ddefnyddiol yn niweddglo'r bregeth.

Meddai un awdur Cristnogol wrth fyfyrio ar ei fywyd a'i waith:

> 'Wyddoch chi ... rwyf wedi cwyno ar hyd fy mywyd fod rhywbeth yn tarfu ar fy ngwaith, nes i mi sylweddoli mai'r tarfu hwn yw fy ngwaith.' (Henri Nouwen, *Reaching Out*, t. 36)

Wrth iddo fynd ar ei ffordd i dŷ Jairus i iacháu ei ferch 12 oed, daw gwraig a fu'n dioddef o'r gwaedlif i dorri ar ei draws.

Ond yn hytrach na'i thrin fel niwsans – fel anghyfleustra – mae'n estyn allan mewn cariad ac iachâd i'w symud hi o deyrnas y rhai afiach i deyrnas y rhai a adferwyd.

Ac mae'n bwysig cofio nad oedd y wraig ddienw hon, a wariodd ei harian prin i geisio gwellhad, yn aelod dylanwadol yn ei chymuned. Doedd hi ddim yn wraig amlwg.

Yn wir, mae un o arweinwyr cynnar yr Eglwys, Ioan Chrysostom, yn nodi hyn ac yn pwysleisio mai person y mae cymdeithas wedi ei dibrisio a'i chasáu a gafodd sylw cyntaf Iesu a chael ei chroesawu i'w deulu symbolaidd.

> 'Welwch chi sut mae'r wraig yn bwysicach nag arweinydd y synagog? Wnaeth hi mo'i rwystro, na chymryd gafael arno, dim ond ei gyffwrdd â blaen ei bysedd, ac er iddi ddod yn hwyrach, aeth adref wedi ei hiacháu yn gyntaf.' (Chrysostom, *Homilies on the Gospel of St Matthew*, dyfynnwyd gan Placher, *Mark*, t. 83)

Wrth ganolbwyntio ar y cyfarfyddiad hwn dechreuwn weld sut mae Iesu'n sylwi ac yn estyn allan at y bobl hynny a ystyrid yn ddinasyddion eilradd.

Nid yw'r bregeth yn mynd i fanylion ynglŷn â pha bobl a ystyrir fel dinasyddion eilradd, ond y gobaith yw fod y gynulleidfa yn cael ei hysgogi i feddwl am y rhai y credant hwy sy'n cael eu gwthio i'r cyrion.	Ac mae hynny nid yn unig yn ein hannog i gredu'r newyddion da fod yr Iesu byw yn parhau i sylwi ac estyn allan atom – mae hefyd yn ein hannog i ddilyn ei esiampl a sylwi ac estyn allan at y bobl hynny a ystyrir yn ddinasyddion eilradd heddiw. Ac mae'r Iesu byw sy'n ymestyn atom yn dyheu am i ni agor ein llygaid i weld a sylwi ar y bobl y mae cymdeithas yn eu hanwybyddu. Mae'r Iesu byw yn parhau i fedru symud pobl o deyrnas y rhai afiach i deyrnas y rhai a adferwyd; geilw arnom i sylwi – ac i estyn allan mewn cariad at y bobl a anwybyddir gan ein cymdeithas.
Yn syth ar ôl y bregeth roedd yna gyfnod tawel o weddi, er mwyn creu gofod i bobl fyfyrio ar oblygiadau'r bregeth ar eu bywydau eu hunain.	

Nodiadau

1. Gweler Pennod 6, 'Creating a Sequence'.

2. Gweler Eugene Lowry, *How to Preach a Parable: Designs for Narrative Sermons* (Nashville, TN: Abingdon Press, 1989) 49.

3. Pregeth yn Ararat Baptist Church, Yr Eglwys Newydd, Caerdydd, ar yr 28ain o Chwefror, 2016.

4. R. A. Guelich, *Mark* 1-8:26. Word Biblical Commentary, Cyf. 34a (Dallas, TX: Word, 1998) 296.

5. Daniel Marguerat ac Yvan Bourquin, *How to Read Bible Stories: An Introduction to Narrative Criticism* (London: SCM Press, 1999) 53.

Atodiad 9

Cwestiynau ar gyfer Gwrandawyr Pregethau

Mae pregeth dda yn egnïo gwrandawyr ac yn eu gwahodd i feddwl ac ymddwyn yn wahanol drwy wrando ar Dduw. Gofynnwch i gyfaill neu gyfeillion i werthuso eich pregeth nesaf drwy ateb y cwestiynau canlynol. Bydd angen rhyw 15 munud arnoch – neu fwy – o fewn ychydig ddyddiau ar ôl y bregeth.

1. Beth glywsoch chi oedd yn ganolbwynt y bregeth? Sut daeth y neges i chi – drwy stori, delwedd neu ddadl argyhoeddedig?

2. Ym mha ffordd y siaradodd Duw â chi yn ystod y bregeth? A fu'r bregeth yn gymorth i chi ddeall yr adan honno o'r Ysgrythur o'r newydd?

3. Sut datblygodd y bregeth? A gynhaliwyd eich diddordeb? Ym mha ffyrdd?

4. Sut llwyddodd y bregeth i'ch arwain i chwilio cysylltiadau newydd gyda'r Ysgrythur a'r byd?

5. Pa deimladau a gyffrowyd ynoch, a beth yn union a daniodd y teimladau hynny?

6. Beth amlygwyd am bersonoliaeth y pregethwr, a sut amlygwyd ei brofiad Cristnogol?

7. Os yw'r pregethwr am bregethu'r bregeth hon eto, sut gellir ei gwella?

8. Beth gymerwch chi o'r bregeth hon i'r dyfodol?

Cymerwyd y cwestiynau hyn o lyfryn yn dwyn y teitl *What Did you Make of Your Sermon? Some Questions to Help You Take Stock of Your Own Preaching*. Gellir sicrhau copïau gan Goleg y Pregethwyr drwy ei wefan: www.collegeofpreachers.co.uk/home.html

Llyfryddiaeth

Llyfrau craidd ar bregethu

Thomas G. Long, *The Witness of Preaching: Third Edition* (Louisville: WJK Press, 2016).

Kate Bruce, *Igniting the Heart: Preaching and the Imagination* (London: SCM Press 2015).

David Day, *Embodying the Word: A Preacher's Guide* (London: SPCK, 2005).

David Heywood, *Transforming Preaching: The Sermon as a Channel for God's Word* (London: SPCK, 2013).

Llyfrau defnyddiol eraill

Aldred, J., *Preaching with Power: Sermons by Black Preachers* (London: Cassell, 1998).

Anderson, Kenton C., *Choosing to Preach: A Comprehensive Introduction to Sermon Options and Structures* (Grand Rapids: Zondervan, 2006).

Bartlett, David L. a Barbara Brown Taylor, *Feasting on the Word: Preaching the Revised Common Lectionary* (12 *cyfrol*) (Louisville: WJKP, 2008-2010).

Brown, Rosalind, *Can Words Express our Wonder? Preaching in the Church Today* (Norwich: Canterbury Press, 2009).

Bruce, Kate, *Igniting the Heart: Preaching and the Imagination* (London: SCM Press 2015).

Brueggemann, W., *Subversive Obedience: Truth Telling and the Art of Preaching* (London: SCM Press, 2011).

Brueggemann, W., *Finally Comes the Poet: Daring Speech for Proclamation* (Minneapolis: Fortress Press, 1989).

Childers, J., gol., *Birthing the Sermon: Women Preachers on the Creative Process* (St. Louis: Chalice, 2001).

Craddock, Fred B., *As One Without Authority* (St. Louis: Chalice, 2001).

Craddock, Fred B., *Preaching* (Nashville: Abingdon, 1985).

Day, David, J. Astley ac L. J. Francis (gol.), *A Reader on Preaching* (Aldershot: Ashgate, 2005).

Day, David, *Embodying the Word: A Preacher's Guide* (London: SPCK, 2005).

Day, David, *A Preaching Workbook* (London: SPCK, 2004).

Durber, Susan, *Preaching Like a Woman* (London: SPCK, 2007).

Florence, Anna Carter, *Preaching as Testimony* (Louisville: WJK Press, 2007).

Francis, Leslie J. ac Andrew Village, *Preaching with All Our Souls: A Study in Hermeneutics and Psychological Type* (London: Continuum, 2008).

George, Timothy, James Earl Massey a Robert Smith, Jr., (gol.), *Our Sufficiency Is of God: Essays on Preaching in Honor of Gardner C. Taylor* (Macon: Mercer University Press, 2010).

Graves, M., *The Fully Alive Preacher: Recovering from Homiletical Burnout* (Louisville: WJK Press, 2006).

Graves, Mike a David J. Schlafer (gol.), *What's the Shape of Narrative Preaching?* (St Louis, Missouri: Chalice Press, 2008).

Heywood, David, *Transforming Preaching: The Sermon as a Channel for God's Word* (London: SPCK, 2013).

Jensen, Richard A., *Thinking in Story: Preaching in a Post-Literate Age* (Lima, Ohio: CCS Publishing, 1993).

Jones, Kirk Byron, *The Jazz of Preaching: How to Preach with Great Freedom and Joy* (Nashville: Abingdon, 2004).

Kent, Grenville J. R., Paul J. Kissling ac Laurence A. Turner, (gol.), '*He Began With Moses...': Preaching the Old Testament Today* (Nottingham: IVP, 2010).

LaRue, Cleophus J., *The Heart of Black Preaching*, (Louisville: Westminster John Knox, 2000).

LaRue, Cleophus J., *I Believe I'll Testify: The Art of African American Preaching* (Louisville: WJKP, 2011).

Lischer, Richard, *The Company of Preachers: Wisdom on Preaching, Augustine to the Present* (Grand Rapids: Eerdmans, 2002).

Long, Thomas G., *The Witness of Preaching: Third Edition* (Louisville: WJK Press, 2016).

Long, Thomas G., *Preaching from Memory to Hope* (Louisville: WJK Press, 2009).

Long, Thomas G., *Accompany Them with Singing: The Christian Funeral* (Louisville: WJKP, 2009).

Lowry, E. L., *The Homiletical Plot* (Louisville: WJK Press, 2001).

Lowry, E. L., *How to Preach a Parable: Designs for Narrative Sermons* (Nashville: Abingdon Press, 1989).

Lowry, E. L., *The Sermon: Dancing the Edge of Mystery* (Nashville: Abingdon Press, 1997).

Lowry, E. L., *The Homiletical Beat: Why All Sermons Are Narrative* (Nashville: Abingdon Press, 2012).

McClure, John S., *Preaching Words: 144 Key Terms in Homiletics* (Louisville: WJK Press, 2007).

Mitchell, Jolyon P., *Visually Speaking: Radio and the Renaissance of Preaching* (Edinburgh: T & T Clark, 1999).

Paul, Ian a David Wenham, (gol.), *Preaching the New Testament* (Downers Grove: IVP Academic 2013).

Quicke, Michael J., *360 - Degree Leadership: Preaching to Transform Congregations* (Grand Rapids: Baker Books, 2006).

Quicke, Michael J., *Preaching as Worship: An Integrative Approach to Formation in Your Church* (Grand Rapids: Baker Books, 2011).

Robinson, Haddon W., *Expository Preaching* (Nottingham: IVP, 1980 & 2001).

Schlafer, D. J., *Surviving the Sermon: A Guide to Preaching for Those Who Have to Listen* (Boston: Cowley Publications, 1992).

Stackhouse, Ian ac Oliver D. Crisp (gol.), *Text Message: The Centrality of Scripture in Preaching* (Eugene, Oregon, Wipf & Stock, 2014).

Standing, Roger, *Finding the Plot: Preaching in a Narrative Style* (Carlisle: Paternoster, 2004).

Stevenson, Geoffrey a Stephen I. Wright, *Preaching with Humanity: A Practical Guide for Today's Church* (London: CHP, 2008).

Stevenson, Peter K. a Stephen I. Wright, *Preaching the Atonement* (London: T & T Clark, 2005) a (Louisville: Westminster John Knox Press, 2009).

Stevenson, Peter K. a Stephen I. Wright, *Preaching the Incarnation* (Louisville: Westminster John Knox, 2010).

Thompson, James W., *Preaching Like Paul: Homiletical Wisdom for Today* (Louisville: WJKP, 2001).

Troeger, Thomas H. a Leonora Tubbs Tisdale, *A Sermon Workbook: Exercises in the Art and Craft of Preaching* (Nashville: Abingdon Press, 2013).

Webb, Joseph M., *Preaching Without Notes* (Nashville: Abingdon, 2001).

Willimon, William H., *How Odd of God: Chosen for the Curious Vocation of Preaching* (Louisville: WJKP, 2015).

Willimon, W. H., a Lischer, R., *Concise Encyclopedia of Preaching* (Louisville: Westminster Press, 1995).

Wilson, P. S., *The Practice of Preaching: Revised Edition* (Nashville: Abingdon Press, 2007).

Wilson, P. S., *The Four Pages of the Sermon: A Guide to Biblical Preaching* (Nashville: Abingdon Press, 1999).

Wilson, P. S., Jana Childers, Cleophus LaRue, John M. Rottman, John F. Kutsko a Robert A. Ratcliff (gol.), *The New Interpreter's Handbook of Preaching* (Nashville: Abingdon, 2008).

Wright, Stephen I., *Alive to the Word: A Practical Theology of Preaching for the Whole Church* (London: SCM Press, 2010).

Mynegair Enwau a Themau